新潮文庫

退屈姫君伝

米村圭伍著

新潮社版

6993

退屈姫君伝　目次

退屈姫君伝

そもそものはじまり

「めだか、喜べ。婚儀じゃ。嫁入りじゃ」

陸奥《むつ》磐内藩《ばんだいはん》五十万石の国主、西条綱道《さいじょうつなみち》は末娘の部屋に入るやいなや、突っ立ったまま
まそう告げました。

時は宝暦《ほうれき》十三年（一七六三）師走《しわす》、所は磐内藩江戸藩邸上屋敷《かみやしき》での出来事です。

その時めだか姫は、足を投げ出して泥だらけの足袋《たび》を脱がされているところでした。

なぜって、今日はぽかぽか暖かい日だったからです。

小半刻《こはんとき》（三十分）ばかり前のこと、うららかな日差しを浴びて縁側で両手を伸ばして大あくびしていためだか姫は、池の向こう側にある木々の間を、ちらちらと青い色の鳥が飛んでいるのを目にしました。

「これ、誰かある、鳥刺しを持て」

叫ぶが早いか、めだか姫は足袋はだしのまま庭に飛び出してしまったのです。

中間《ちゅうげん》の持ってきた、先に鳥黐《とりもち》のついた細竿《ほそざお》を奪い取ると、木々の梢《こずえ》に目をこらします。

「いたいた。やはり鸚哥《いんこ》だわ」

ぶなの梢に止まっているのは、背の青い鸚哥でした。どこぞの藩邸の姫君にでも飼われていたのが、自由を求めて逃げ出してきたのでしょう。

「えいやッ」

鳥刺竿は見事に空《くう》をきり、鸚哥は驚いて飛び立ちました。

これでめだか姫、なかなかの薙刀《なぎなた》の達人なのですが、細くてしなる竿はうまく扱えません。ふらふらと飛ぶ青い鳥を狙《ねら》ってめったやたらと振り回していると、力余ってしまい、おろおろと見守っていた中間の頭に鳥黐がべたりと貼《は》りつきました。

「痛ててててて。ひ、姫様、ご勘弁……」

髷《まげ》をもぎ取られそうになった中間が悲鳴をあげている間に、鸚哥は塀を越え、姫君の手の届かない自由な世界へと逃げ去ってしまいました。

がっくりと肩を落としためだか姫は、背後に不穏な空気を感じました。振り向くと、老女の諏訪《すわ》がまなじりを吊《つ》り上げて睨《にら》んでおります。めだか姫はしおしおと部屋に戻ってゆきました。

老女と申しますのは奥御殿の腰元の長《おさ》のことで、諏訪はまだ三十路《みそじ》前。もっとも、年が明ければ二十九歳ですから、すれすれの三十路前です。これまでの人生のすべてを姫君の養育にささげてきた守役《もりやく》で、なあに、怖い顔こそ作っていますが、めだか姫が可愛《かわい》くてたまらないのです。

「新たな年を迎えれば、姫さまも十七歳におなりあそばされます。いつまでも腕白坊《ぼう》主《ず》のような真似《まね》をなさってはなりませぬぞ」

「はいはい」

めだか姫がお行儀悪く足を投げ出し、足袋を脱がせてもらいながら諏訪の小言を聞き流していた所に、父君のご入室とあいなったわけでございます。

さて、婚礼と聞いてめだか姫の血が騒ぎました。小柄な体がぴょんと跳ねると、正座したいたずら娘は父を見上げて、にこにこと顔をほころばせます。

「まあ、なんとなんと嬉《うれ》しいこと」

また楽しい思いができるわ、とめだか姫は思いました。

磐内藩五十万石の姫君の婚儀ともなれば、それはそれは華美な式典です。嫁入り道具を買い揃《そろ》えるので奥御殿は大騒ぎ、めだかは次第に揃う家具什器《じゅうき》衣装のあれこれを品定めしたり、新妻《にいづま》となる喜びと羞《は》じらいに顔を上気《じょうき》させている花嫁御寮《ごりょう》をからかったりするのが大好きなのです。

「それで、どなたですの。松さまですか。いえ、松さまは一昨年《おととし》お嫁にゆかれました。竹さま……は去年嫁《とつ》がれましたわね。とすれば梅さまですか。まだ猪《いの》さまは早うございましょう」

なにしろ西条綱道は正室の他に七人の側室を擁し、八男十一女の子供がおります。めだか姫はその一番末の娘、どの姉が嫁に行き、どの姉がまだだったか、時としてこんがらがってしまうのです。

西条綱道はくくくと喉《のど》の奥で笑い、来年古稀《こき》を迎えるとはとても思えぬいたずらっ子のような表情で、からかうようにお前だよと指差しました。

めんくらっためだか姫は、自分の後ろに誰か姉がいるのではないかと確かめてから、信じられぬとばかりに叫びました。

「わたくしですの」

まだ当分、自分の番は回ってこないだろうと思っていたのです。それに、姉たちがすべて片付いた後も、父は私を嫁に出さないのではないか、そうも考えていたからです。

めだか姫が安閑《あんかん》としていたのも道理、西条綱道はこのいたずら好きな末娘を溺愛《できあい》しております。

一国の藩主である綱道は、世継ぎを得るためもあり、またおのれの強壮な体を満足させるためもあり、七人もの側室をもうけました。

世継ぎと、その子が早世した場合の予備の男子を得たのちは、生まれてくる赤子には何の関心も示しませんでした。特に女子の場合は、どうせ嫁にやるのだからと、花鳥風月松竹梅猪鹿蝶《いのしかちょう》と適当な一文字を名前として済ませていたほどです。

ところが、七人目の側室が産んだ十一番目の女の子につける名前は、どうしても思い浮かびません。

(もし猿のような顔をしていたら猿とつけよう)

ほとんどの赤ん坊は猿のような顔をしているからな、まずこれで間違いあるまい。そう確信して産所《さんじょ》へ出向いた西条綱道は、赤子の顔を見て驚きました。

名もなき娘はこれまでの子に比べて妙に面長《おもなが》のうりざね顔、色は白くて透き通るよう、黒く大きな目で自分をこの世にもたらした男の顔をじっと見上げて、ぱくぱく口を開け閉めしていたからです。

(目ばかりが黒く大きく、顔が透き通り口をぱくぱくさせている生き物が、この世の中におったかしらん)

三日三晩懊悩《おうのう》したあげく、綱道はこの奇妙な赤子をめだかと呼ぶことにしました。それからは、すでに数人の子を病で亡《な》くしていたにもかかわらず、「めだか姫がくしゃみをした」と聞けば気が落ち着かず、「乳母が取り落とした」と聞けば脇差《わきざし》をひきつけて、手討ちにせんばかりの怒りよう。なぜかこの奇妙な赤ん坊が可愛く思えてなりません。

実は綱道は精力の減退を覚えており、もうこの後に子供が生まれることはないかもしれぬと、少し淋《さび》しさを感じていたのです。

これまでの子供たちは乳離れすると中屋敷《なかやしき》に移し、お褥《しとね》さがりした側室に育てさせるのが通例でしたが、めだか姫ばかりはいつまでも上屋敷に置いたままでした。最後の娘がすくすくと育つ様子を、この目で見ていたかったのです。

奇妙な顔をした赤子は可愛らしい面差しの幼女となり、やがて可憐《かれん》な美少女へと変《へん》貌《ぼう》をとげました。ただ、容姿は申し分ないのですが、この姫君の脳髄にはどうも奇妙なところが残っているようで、めだかは少々夢想癖のある、いたずら好きな娘に育ってしまいました。

めだか姫は幼い頃から、父に溺愛されていると薄々感づいていました。ですから、父は自分を手放すまいと思っており、今日突然婚姻を告げられて驚いたのでした。

婚儀そのものは、めだか姫は大好きです。それが姉の婚儀ならば、ですが。

中屋敷で暮していた姉の一人が上屋敷に呼ばれて住むようになると、それはその姉の婚姻が決まったことを意味していました。

上屋敷で嫁入り道具を買い揃え、駕籠《かご》に乗って嫁ぎ先に送られてゆきます。ですからめだか姫は嫁入り道具を品定めしたり、花嫁をからかったりできたのです。

東北の雄藩とよしみを通じたがる藩は多く、姫君を正室にいただきたいという申し出にはことかきません。しかし、めだか姫が花嫁として望まれたことは、かつて一度もありませんでした。

どうも各藩にそれぞれ、しかるべき結婚相手かどうか、他藩の若君姫君の出来不出来を調査する秘密諜報《ちょうほう》組織が存在するらしいのです。いつぞや諏訪がぽろりと洩《も》らしたその位づけによれば、めだか姫は最も下の位の「極々《ごくごく》大凶」とされているのだとか。

どうやら、めだかが五歳の時に、庭に紛れ込んだ野良犬《のらいぬ》の尻尾《しっぽ》を油に浸して火を点《つ》け、藩邸を火の海にしかねない大騒ぎを巻き起こしたことが、いまだに尾を引いているものと思われます。

かくしてめだか姫は嫁入りとは姉のすることであり、自分はいつまでもここ磐内藩江戸上屋敷でのんきに楽しく暮らすのだと思っていました。まさかまだ嫁に行っていない梅さまや猪さまに先んじて花嫁になるなんて、考えてもいませんでした。

姫君は振袖《ふりそで》で顔を覆《おお》い、よよと泣き伏しました。

「父上はめだかがお嫌いになったのね。ですからお嫁に行けなんておっしゃるんだわ」

西条綱道は咳払《せきばら》いしてたしなめました。

「めだか、その手はきかぬぞ」

（あらら、この手がきかないためしはなかったのに）

それでもめだか姫は未練がましく嘘《うそ》泣きをやめずにいます。

「いくらなんでも用いすぎじゃ。芝居の替わり目ごとにそう嘘泣きしては、江戸三座の桟敷《さじき》を買い占めおって」

飛び道具が通用しないとあらば、逃れるすべはないようです。鼻をちんとかんで、覚悟を決めました。

「で、どちらですの。前田さまですか伊達《だて》さまですか井伊《いい》さまですか」

加賀金沢前田家は百二万石、位階は従三位《じゅさんみ》、官職は参議です。陸奥《むつ》仙台伊達家は六十二万石、従四位上《じゅしいのじょう》の近衛《このえ》中将。近江彦根《おうみひこね》の井伊家は三十万石と、石高こそちと落ちますが、正《しょう》四位上の近衛中将で、正四位下《げ》の近衛少将である西条綱道よりも上にあたります。

綱道は小さく首を横に振りました。

「わたくし暑いのはいやですけど、まさか細川さま黒田さま鍋島《なべしま》さま島津さまではございますまいね」

九州の名家を並べて父の顔色をうかがいます。

西条綱道は首を横に振りました。

「わかりました。では一体いずこの松平さまですの」

（将軍家ご連枝《れんし》の十四松平と呼ばれる名家ならまあまあだわ）

そう思って問いますと、綱道は大きく首を横に振り、五十万石の太守の権威をこめた厳かな声音で申し渡しました。

「風見《かざみ》藩《はん》じゃ。そなたは藩主時羽《ときば》直重《なおしげ》の正室となる」

（そんな藩があったかしら。石高は何十万石だろう）

とまどうめだかの耳に、かさこそはらりと紙をめくる慌《あわ》ただしげな音が聞こえてまいりました。そちらを見ると、泥だらけの足袋を放りだした諏訪が、目を据えて武鑑をめくっています。

「風見藩風見藩……四国讃岐《さぬき》ですか……んまあ、たったの二万五千石じゃございませんの。従五位下、無官の朝散大夫《ちょうさんたいふ》」

諏訪の声は裏返っています。それもそのはず、磐内藩の家老の俸禄《ほうろく》は三万石です。めだかは家老の石高にも及ばぬ小藩に嫁入りさせられるのです。

「たった二万五千石ぽっちィ」

めだか姫の顔は血の気を失い、体はぐらりと揺らいで、畳にがばと倒れ伏しました。

まだ突っ立ったままでいた西条綱道は、足袋の爪先《つまさき》で末娘の肩をちょんちょんとつつきます。

「狸寝入《たぬきねい》りはよせ。末永く添い遂げるのだぞ」

めだか姫は首をあげて睨みつけました。

「父上、いったい何を企《たくら》んでいらっしゃるの」

溺愛してくれていた父が、姉の順番を飛ばしてまで四国讃岐の小藩に嫁入りさせるには、きっとなにか理由があるに違いありません。

しかし西条綱道はにやにや笑うばかりで、何も答えてはくれませんでした。

「姫、そなたとこうしておられるのも、今しばしだな」

梅の香ただよう物憂《ものう》い春の夜、風見藩江戸上屋敷奥御殿の寝所で新妻の小さな体を抱いていた時羽直重は、こう囁《ささや》きました。

この正月にめだか姫が時羽家に嫁入りしてから、すでに三月《みつき》が過ぎようとしております。

ひと合戦終えたばかりなのに、ふたたび乳房をいたずらしはじめた夫の手を軽くつねって、めだかは囁き返します。

「どうしても国許《くにもと》に戻らねばなりませぬの」

「参勤交代とあらば仕方がない。父が没してはや二年、葬儀やご公儀他藩への代替わりの挨拶《あいさつ》、そしてそなたとの婚儀といろいろ重なり、これまではお許しを頂いておったが。このうえ国入りを延ばせはせぬ」

「いやいや。殿と別れて暮らすなぞ、めだかは嫌でございますう」

語尾の「すう」は、いつぞや見た芝居で覚えた手管《てくだ》で、すねて見せているのです。

「ふふふ。しかたのない姫じゃ」

直重は新妻の小さな乳首をきゅっとつまみました。

さて、直重はめだかの夫で、しかも風見藩主なのですから、わが妻を「姫」と呼ぶのは奇異に感じられるかもしれません。「奥」とでも呼びそうなものです。しかし、十七歳にしてはまだ子供子供していると、直重はめだかを「姫」と呼んでいるのです。したがって、このお話も「めだか姫」で通させていただきます。

そう言えば、めだか姫は眉《まゆ》を剃《そ》ってもいませんし、鉄漿《おはぐろ》で歯を染めてもおりません。眉剃りと鉄漿《かねや》付けは嫁入り前にするのですが、西条綱道は「よせよせ。めだかには似合わぬ」と止めさせました。時羽直重も「そのままでよい」とこだわる様子がありません。

それればかりか、めだか姫は相変わらず振袖を着ています。すなわち、風見藩正室となったのはめだかの立場ばかりで、姿形も呼ばれ方も、相変わらず姫君のままなのです。

さて、直重の手は乳首から下の方に降りてくるかと思いきや、いっこうに動こうとしません。じれて夫の顔を見ると、直重はなにやら物思いにふけっている様子です。

「わが殿、いかが遊ばされました」

しばしの間、時羽直重はいまだ幼く見える新妻の顔《かんばせ》を危ぶむように眺めておりましたが、体を起こすと布団《ふとん》の上に正座しました。

「めだか、ちと話がある」

常にない夫の様子に、めだか姫も胸元を合わせてかしこまります。

「なんでございますの」

直重は切れ長の目で妻をひたと見て、重々しく切り出しました。

「姫、この藩邸は、いわば江戸に建っておる風見藩の出城だ」

「はい」

「その城主であるわしが国許に戻っておる間は、そなたが城主の名代《みようだい》となる」

「そういうことになりますわね」

のほほんと風見藩主の正室は答えました。

「よいか、めだか。わしが留守の間、この城をしっかと守ってくれよ」

夫の目に宿る真摯《しんし》な光に、めだか姫は驚きました。

まだ嫁入りして数か月にしかなりませんが、直重がこのように真剣な面持ちで語りかけてきたのは初めてです。

めだか姫は夫が、少し癇《かん》の強い所はあるものの、普段はのんきでよく笑う好人物なので、よかったと安堵《あんど》しておりました。細かいことまでうるさく言うせせこましい男だったら嫌だわ、そう嫁入りまでは心配していたのです。

しかし、直重は優しくほがらかに接してくれました。また、風見藩の二十倍の石高の大藩から嫁に貰《もら》ったにもかかわらず、遠慮はしませんし卑屈な態度もとりません。

（この殿となら、のんきに楽しく暮らせそうだわ）

そう思って、のんびりゆったり毎日を過ごしていためだか姫だったのです。

しかし、今こうして参勤交代で江戸を去るにあたり、妻に後事を託す直重のきりりとした眉には、小なれど一国の藩主の気概があふれております。

（素敵だわ……なんて男らしいんでしょう……）

めだかは体の芯《しん》が熱くなるのを感じました。

（もしかしたらあたし、このお方に今初めて惚《ほ》れちまったのかも……）

ついでに熱くなってきた股間《こかん》を感じながら、夫をひたと見詰めて力強く宣言します。

「おまかせくださいませ。このめだか、藩邸を城と思い、殿のお帰りまで見事守り抜いてみせまする」

直重は莞爾《かんじ》として笑い、めだか姫を抱き寄せて囁きました。

「話はしまいだ。いざ、姫、もう一合《いちごう》まいろうぞ」

時羽直重は二十五歳、みめうるわしい新妻を得て嬉《うれ》しくて仕方がありません。連夜の出陣はもちろんのこと、幾度も槍《やり》をしごいて攻め掛かろうとするのです。

（犬張子《いぬはりこ》がからになってしまうわ）

直重を迎え入れながら、めだか姫は心配になりました。犬張子は御伽犬《おとぎいぬ》ともいい、交合の後始末に使う御簾紙《みすがみ》を入れる箱です。

直重のみごとな槍さばきに、次第に高まる喜悦に身をゆだねながら、めだか姫はちらと隣室にはべる諏訪の姿を思い浮かべました。

(かわいそうな諏訪。このような喜びを味わえる折りもなく、ただ他人《ひと》の気配を聞くばかりだなんて)

磐内藩からただ一人ついて来た老女の諏訪は、小姓とともに寝所の隣室に控え、殿様と正室の交合の回数を記帳しているのです。

諏訪はしかつめらしい顔をして、筆を走らせていることでしょう。今宵の営みは二度、と。

(三度になるかもしれないわ)

めだか姫はそう思って微笑《ほほえ》みました。

第一回

あくびとは眠くなくても出るものね

「これ、ココや、おまえ今度は何を捕ったの。見せてごらん」

めだか姫は足袋はだしのままつま先立ちをして、番所の屋根の上で長々と寝そべっている猫に呼びかけました。

番所と申しましても雨露を防ぐ板張りの屋根壁があるばかりで、番人ひとりが立つのがやっとという案山子《かかし》のおうちみたいなものです。そして、奥御殿の警備のために建ててあるこの番所に、番人が立っていたことはついぞありません。今も油蟬《あぶらぜみ》が外壁にへばりつき、やかましく鳴いているばかりです。

「ふにゃあ」

ココと呼ばれた三毛猫は面倒臭そうに生返事を返すと、鼻先に置いた獲物を前足でちょいちょいといたずらしています。

なにしろ猫は毛皮を身にまとっておりますから、夏はそうそう機嫌良く返事をしてくれません。木陰で風通しのよい番所の屋根から動きたくないのです。

(毛を刈って絞りの浴衣《ゆかた》でも着せようかしら)

涼しげで小粋《こいき》な猫になり、態度も少しは改まるかもしれません。

この雄猫は参勤交代で風見藩に戻った時羽直重《なおしげ》が、留守の淋《さび》しさをまぎらわすため新妻に贈った猫なのですが、遊び相手をつとめるどころか三度の食事を済ませるとぷいと遊びに出てしまい、勝手気ままに藩邸内を遊び歩いています。

皆さまはすでにご存じでしょうが、猫ってのは鼠《ねずみ》を捕るからネコなんだそうですね。虫を捕るのはムコ、雀《すずめ》を捕るのはスコなんだそうでして。

ところがこの猫は、意地でも張っているかのように鼠だけは捕りません。めだか姫はその罰として、三毛が捕ってきた獲物のあたま一文字に「コ」をつけて呼ぶことにしました。したがって、三日前に池の鯉《こい》に爪《つめ》を掛けて引き上げている所を叱《しか》って以来、この役たたずの猫をココと呼んでおります。

「こら。お見せったら。万が一にも鼠だったらお手柄だわよ。天下晴れてネコと呼ばれる身になれるのだから」

「んみゃあ」

気のない返事をされて、めだか姫はため息を漏らしながら踵《かかと》を地面に下ろしました。

もう小半刻《こはんとき》もつま先立ちをしていたので、足がつりそうになったからです。

「そういうことなら、わかりました。……そのほうの心底《しんてい》、しかと見届けた。父の言いつけが聞けぬと申すのだな。よかろう。もうおぬしとは親でもなければ子でもない。久離《きゅうり》を切っての勘当とする」

芝居がかって重々しく申し渡した所で、ふと気づきました。

(元々親子じゃないし、もし猫が息子だったら気味が悪いわ)

そこで芝居の筋立てを変更して、後ろ手に縛られたココが白洲《しらす》に引き据えられているさまを思い浮かべながら、天下に名高い南町奉行めだか姫は厳粛に申し渡しました。

「あるじ殺しの下手人、ココ。その方の罪状は明らかじゃ。よって市中引き回しのうえ打ち首獄門、胴体は江戸十里所払《ところばら》いとする。それが済んだら額に犬と入れ墨して佐渡送りじゃ。水替《みずがえ》人足の仕事はつらいぞ」

首と胴が離れていて水替人足が務まるかどうか、そんなことはめだか姫の知ったことではありません。ともかく、猫のくせに犬と入れ墨されたら困るだろう、そう思ってこのように申し渡したのです。

ココは眠たげな目で飼い主を見下ろすばかりで、にゃんとも申しません。本当は怖いのに、猫だけに三味線を弾いて、怖くないふりをしているのかも知れませんけれども。

「さあ、いいかげんに降りてきなさいってば」

苛立《いらだ》たしげにとんと地面をひとつ踏んで、声を荒らげたその時です。しわがれ声が飛んで来て、めだか姫の背中に突き刺さりました。

「お裏さまッ。なにをなさっておいでじゃ」

声の主を察知したお裏さま《めだかひめ》が首をすくめながら振り向くと、やはり相手は彼であってほしくないと思っていた、まさにその人物でした。

縁側に仁王立ちとなって睨《にら》みつけている老人の視線を痛いほど感じながら、すべすべの頬をほんの僅《わず》か膨らませて、めだか姫はしおしおと戻ってゆきました。

めだか姫の部屋で居眠りしていた諏訪《すわ》は、大慌《おおあわ》てで姫君の夏足袋を脱がすと、洗濯をしに井戸端にすっ飛んで行きました。

素足で正座しためだか姫は、さも反省しているかのように首を垂れ、江戸留守居役兼奥家老、根黒久斎《ねぐろきゅうさい》の諫言《かんげん》をやりすごしております。

「よいですかお裏さま。あなたさまは風見藩二万五千石のご藩主さまのご正室さまでございますぞ。それが足袋はだしで庭に飛び出され、猫に語りかけておいでとは。世の者が見たらどう噂《うわさ》しましょう。風見藩上屋敷は猫又屋敷ぞ。そのようなあらぬ風聞でも立てられたら、なんとなさるおつもりじゃ」

(「さま」の使い過ぎだわ)

めだか姫は頭の中で朱筆を入れております。

「折しもただいま、ご藩主さまは初のご帰国。留守を守るのがお裏さまのお役目でござる。ふらふら出て歩かれてはなりませぬ。このお部屋にしかとお座りいただいて、藩邸内に不始末が起こらぬか、目を配っていただかねばなりませぬ」

(この部屋に座っていて、どうして藩邸のあちこちに目が配れましょう。千里眼ではあるまいし)

うんぬんかんぬん、根黒久斎が垂れる説教はだらだらと続き、ただでさえしわがれているその声は、喉《のど》のかわきが増すにつれて絞め殺される鶏の断末魔にも似てまいりました。

潮時と見ためだか姫は、根黒が息継ぎをしたところで、すかさず萎《しお》れた声でつぶやきました。

「ようわかった。許してたもれ」

どうやら諫言が身に染《し》みたようだ、老人はそう思ったらしく、ひとつ頷《うなず》いて最後の決め台詞《ぜりふ》を発しました。

「この藩邸の切り盛りはすべてこの根黒におまかせくだされぱよろしい。ではお裏さま、心しずかに双六《すごろく》でもあそばされませ」

そう言って根黒は早足で去りました。茶でも飲んで、喉のかわきを癒《いや》したいのでしょう。

根黒久斎は、時羽直重がこの江戸藩邸にいる時はろくに顔を見せなかったくせに、藩主が国許《くにもと》に帰ってしまうと、日に何度も現れては小言を並べます。直重は恐れているが、めだか姫のことは小娘とあなどっているのです。

さて、ぽつねんと残された姫君は、首を左右に傾け、両肩を上下させて凝りをほぐしました。

「なにさ。わたくしをお人形さんのように座らせておいて、藩邸の実権をわが手に握りたいだけじゃないの」

立て膝《ひざ》をして煙管《きせる》をふかしながらぐちりたい場面ですが、さすがにそこまでは育ちが悪くありません。

「ええわかりました。こうなったらお望み通り、ここに座って梃子《てこ》でも動きません。そうとも、動いてくれって泣いて頼んだって、小揺《こゆる》ぎもしませんからね」

意地になってそう宣言してはみたものの、息を十もせぬうちにめだか姫のお尻《しり》はむずむずと動き、額には汗が吹き出してきました。

「汗とはじっとしていてもかくものなのね」

今日はまだほんのしばらくでしかありませんが、直重がいなくなってふた月あまり、この部屋のこの場所には随分長い間座っているような気がします。その間ずっと小さな体からじんわりじんわりにじみ出た汗は、いずこに流れ去ったのでしょう。畳をしみとおり、根太《ねだ》を弱らせているのではないでしょうか。腐った畳と朽ちた根太はこの軽い体すら支えきれずに陥没し、我が身がずっぽりとはまってしまう……そんな妄想に囚《とら》われはじめためだか姫です。

「それに……あくびとは……ふあぁぁぁぁ……眠くなくても出るものなのね」

時は明和《めいわ》元年七月（この六月に宝暦から明和に改元されたのです）蟬鳴く盛夏、朝顔の花も萎《しぼ》みきった昼下がり。

誰が見ているわけでなし、めだか姫は可愛《かわい》らしい頤《おとがい》を西瓜《すいか》が丸呑《まるの》みできるくらいおっぴろげてあくびをしました。

直重が四月に参勤交代で帰国してしまうと、結婚してから最も胸の躍る出来事だった夜の営みとも生き別れとなり、はて、一日をなにをして過ごせばよいのやら、とんとわからぬ今日この頃です。

「双六ですって。ふん、誰を相手にしろってのよ」

諏訪は井戸端で足袋の洗濯にいそしんでいることでしょう。

磐内藩《ばんだいはん》五十万石の姫君として暮らしていた頃は、足袋なんて一つの部屋が満杯になるくらい買い置きがあったのですが、風見藩二万五千石の正室となった今では、昨日履いた足袋を今日洗濯して明日履くというその日暮らしの身と成り果てました。つい足袋はだしのまま猫を追いかけたがために、午後はずっと素足で過ごさねばなりません。

足袋の洗濯は元来諏訪の役目ではなく、風見藩からつけられたたったひとりの腰元の小朝の仕事なのですが、その小朝の姿は朝から見当たりません。

小朝は行儀見習いに来ている、出入りの両替商の娘です。親が支払う束脩《そくしゅう》（礼金）が、風見藩にとって貴重な収入源となっていることを知っているので、なにかといえば不遜《ふそん》な態度をとり、まじめに働こうとはしません。琴や三味線を習うでもなく、めだか姫と顔を合わせるのは朝の挨拶《あいさつ》の時ばかり。今もどこぞで油を売っているか、台所で大福餅《だいふくもち》の盗み食いでもしているのでしょう。

たとえ諏訪か小朝がいたとしても、双六はこの三月《みつき》の間、飽きるほど遊びました。

京にのぼったのは三百回を越え、東海道五十三次の宿場町もすべて暗記《そら》で言えます。

「小朝はいったいどこで遊んでいるのかしら」

ひとりごちためだか姫は、梃子でも動かぬと宣言したのをもう忘れてしまい、ぴょこんと立ち上がると、廊下に忍び出ました。

長局《ながつぼね》の一番手前にある小朝の部屋に、初めて入っためだか姫は驚きました。四畳半に三棹《さお》の箪笥《たんす》と大きな鏡台が並び、長持が四つ積まれ万年床が敷いてあるので畳が見えません。

「わたくしよりも衣装持ちだわ」

西条綱道は愛娘《まなむすめ》の嫁入りに際して十数棹の箪笥をはじめとする家具什器《じゅうき》を揃《そろ》えたのですが、それを知った根黒久斎は慌てて次のような申し入れをしました。

「当藩上屋敷はまことに手狭、かように物々しい嫁入り道具を運び込まれては、奥御殿が埋め尽くされてしまい申す。なにとぞ箪笥は一棹、長持ふたつ、余の物も無くてはならぬ品だけをお持ちくださいますよう。不足があらば当藩にてご用意いたしますゆえ」

不足は多々ありますが、まだ夏足袋の一足も買ってはくれません。

足袋がどうしても履きたいわけではないので、盗もうなどという気は起こりませんでしたが、めだか姫も女です。小朝がどのような衣装を持っているのか知りたい気持ちを抑えきれません。

簞笥の引き出しをあちこち開けて中を吟味しているうちに、いたずら好きの姫君は長い午後を楽しく過ごす妙計を思いつきました。


めだか姫は番所の屋根で居眠りしている三毛猫に声をかけました。

「留守を頼みますよ」

そのいでたちはと見ると、小朝の簞笥から借りた矢絣《やがすり》の小袖《こそで》を身にまとい、髪形は自分で髪を結ったことがないので変えるわけにはいかず、片外《かたはず》しのまま。簪《かんざし》だけを差し替えてあります。

小朝の鏡台にあった十数本の中から、めだか姫は表裏に重ね扇と環菊《かんぎく》を打ち分けた銀の簪を選びました。重ね扇は尾上菊五郎の、環菊は沢村宗十郎の紋です。二人の役者を天秤《てんびん》にかけるとは、小朝はずいぶんと気の多い娘のようです。

めだか姫が腰元に化けたのは、まだ全容を知らぬ藩邸のあちこちを探検してみようと思い立ったからです。

嫁入りして以来、めだか姫が知っているのは奥御殿のごく一部だけ。自分の居室と寝所、小朝の四畳半、諏訪に与えられた六畳間、そして毎朝挨拶に行く、二年前に没した先代藩主時羽直周《なおちか》の未亡人、養泉院《ようせんいん》さまのお部屋、それですべてです。

（変装したのだから、誰かに見つかってもごまかせるわ。今日はひとつとっくりと、この上屋敷の全容を拝見いたしましょう）

表御殿にも潜入してやろう。めだか姫はわくわくと歩を進めます。

番所の先の築地《ついじ》を曲がるとすぐ、奥御殿と中間《ちゅうげん》長屋を隔てる内塀に突き当たりました。

（ずいぶんせせこましい作りだこと）

一万五千坪を越える敷地の磐内藩上屋敷から嫁いだめだか姫がそう思うのはもっともで、この風見藩上屋敷はやっと五千坪といった所なのです。しかし、奉公人まで合わせると一千人が暮らす磐内藩上屋敷とは違い、風見藩上屋敷の住人は、めだか姫の推測では二百人ほどのはずです。人口密度で言えば、こちらのほうがずっとゆったりした作りになっていておかしくありません。

しかし、奥御殿のすぐ前は池で、縁側で転べば池にはまって鯉の餌《えさ》になりそうなほどですし、これまで知らなかった奥御殿の裏は、内塀をへだててすぐ中間長屋があるようです。磐内藩上屋敷よりも建物の数だって少なくてすむはずなのに、なぜこんなに立て込んだ作りになっているのでしょう。

そんな疑問を感じながら内塀の端まで来ためだか姫は、恐る恐る首を突き出して、誰か人がいないかと探りました。変装はしていても、人に見つかるのは不安だったからです。

中間長屋が二階建てなのは、裏通りと藩邸を隔てる外塀の役割を兼ねているためです。しかしこの長屋は長く使われていないよう、ずいぶんと荒れ果て、人の気配はまったくありません。

(番所には番人がいないし、中間長屋はからっぽ。なんとも淋《さび》しい藩邸だこと)

安堵《あんど》しためだか姫は、どこか開く戸がないか確かめて回りました。自由になる部屋を確保しておけば、今後の冒険の本拠地として使えます。しかし、押せども引けども動く戸はありません。あきらめて、埃《ほこり》にまみれた手をはたきました。

「さて、ではいよいよ表御殿の探索にまいりましょう」

きびすを返した途端、思わず息を呑んで立ちすくみました。

着流しの浪人者がめだか姫と同様に棒立ちになり、目を丸くしているではありませんか。

（だ、誰……なぜ浪人者が藩邸に……）

その顔に見覚えがあると気づくと、驚きは倍になりました。

（な、直光《なおみつ》さま……）

夫直重の弟で、部屋住みの時羽直光でした。藩主の弟君ともあろうお方が、なぜ棒縞《ぼうじま》の薄れた着物の裾《すそ》をからげ、漆の剝《は》げた刀を落とし差しにし、髷《まげ》を崩して刷毛先《はけさき》をずらした浪人のなりをしているのでしょう。

直光はとまどいながらも会釈《えしやく》し、こわばった笑顔を作りました。

年上の義弟は細面の夫とは違い満月のような丸顔、こわばってはいても笑顔を作ると人の良さがにじみ出ます。

「これは姉上、妙な所で妙な格好でお会いしましたな」

腰元の変装は、あっさり見破られてしまったようです。

「は……はい……」

浪人姿でなにをしているのかと尋ねたいところですが、では腰元姿でなにをしているのかと問い返されたらどうしよう。めだか姫は挨拶に困ってしまいました。

「ははあ、姉上も、ですか。いや、それは重畳《ちようじよう》。ではまいりますか。さあ、こちらです」

なにやら独り合点したらしく、直光はぽんと手を打って大きく頷き、義理の姉の手を取って歩きだしました。

（な、なにが「姉上も」なのかしら。「まいりますか」って、どこへ……）

めだか姫は訳もわからぬままついて行きます。

直光は中間長屋の一番奥まった戸口の前で止まりました。

さきほどはびくともしなかった戸の上部を、直光がとんとんと叩《たた》くと、あら不思議、引き戸はすんなりと開きました。直光は汚れのこびりついた鍋釜《なべかま》の積まれた土間から土足であがり、ほこりの積もった奥の部屋へと誘《いざな》います。

裏通りに面した壁には窓ひとつなく、昼なお暗いその部屋には、中間が住むにしては不似合いな床の間がありました。かがみこんだ直光は床板に手をかけると、えいやと持ち上げます。跳ね上げ戸が開くと、そこには闇《やみ》をたたえた抜け穴が口を開け、いかにも古びた縄梯子《なわばしご》が垂れ下がっていました。

「さあ、お手をどうぞ。おっと、頭に気をつけて」

めだか姫は時羽直光に手を取ってもらい、上に積まれた手桶《ておけ》に頭をぶつけないよう注意しながら、天水桶から身をくねり出させました。明かりひとつない抜け穴から夏の照りつける日差しの下に出て、目をしぱしぱさせながらあたりを見回します。

この裏通りは向かいの藩邸にとっても裏の通りらしく、ただ両藩邸の塀が続いています。門もなければ辻番所《つじばんしょ》もなく、ところどころに松の木が生えているばかり。抜け穴の出口である水の入っていない天水桶がぽつんと設けてあるのは、少し奇妙な景色に思えます。

「では、七つ半（午後五時）にここで集合ですぞ。それでは」

にこにことそう言うと、時羽直光は風のごとく消え去りました。

残されたためだか姫はあっけにとられていましたが、直光はとんでもない勘違いをしたのだ、と事の真相に気づきました。

小藩の藩主の弟で、婿入《むこい》り先もない部屋住み、すなわち俗に言う冷飯食《ひやめしぐ》いの直光は、時折浪人姿で藩邸を抜け出し、江戸の町を気ままに遊び歩いているのでしょう。ですから腰元姿のめだか姫を見て、義理の姉もまた藩邸を抜け出そうとしているのだ、と勘違いしたのです。

ひとり裏通りに残されたためだか姫は、急に心細くなりました。

そりゃあいたずらは大好きですが、それは藩邸内にいればこその話です。

磐内藩の姫君だった頃は、よく芝居や花見に出かけましたが、いつも老女の諏訪や腰元たち、奥家老や護衛の藩士が一緒でした。

　そもそもめだか姫は藩邸の外に出たいなんて思っていなかったのです。まだ見ぬ藩邸内のあちこちを腰元姿で見て歩くのは楽しいだろう、そう軽く考えての小さな冒険のはずでした。

　こうしてひとりで諏訪も護衛もなしに道に立っていると、なんだか素裸でいるようで、心細くてなりません。

「とんでもなく頭のねじが狂った弟を持ったもんだわ」

　ぶつくさと直光をののしりながら、上半身を天水桶に突っ込んで、抜け穴に戻ろうとします。しかし、どんな仕掛けがしてあるのか、桶の底は押せども引けどもびくともしません。さきほど直光が中間小屋の戸を叩いたように、ととんとんとあちこちを叩いてみましたが、なんの効果もありません。

　天水桶から身を起こすと、頭に昇った血が音を立てて下がり、くらくらと目まいがします。

「どうしましょう……」

　塀づたいに行けば、表門か裏門か切手門（藩士・雇人・出入りの商人が出入りする門。通行証である切手を改める）があるはずです。しかし藩主の正室が腰元姿で現れたとなれば、大騒動が勃発《ぼっぱつ》します。頑固老人の根黒久斎は、頭から湯気を立てて怒るに違いありません。

もし根黒にきつく問われ、どこから藩邸を抜け出したか白状すれば、この抜け穴はふさがれてしまいます。直光はもう町に遊びに行けなくなって、めだか姫をさぞや恨むでしょう。

めだか姫はじりじり照りつける太陽をまぶしげに見上げました。

このまま七つ半までお天道《てんとう》さまに焙《あぶ》られたら、どぶから間違って這《は》い出たみみずのように干上がってしまいます。

(ええい。もうこうなったら自棄《やけ》のやんぱち日焼けの茄子《なすび》だわ)

幼い頃に庭師の老人から聞いた言葉が頭に浮かびました。

(こうなったら、わたしもどこかに遊びに行ってやる)

どうやら町は直光の消えた方角にあるようです。めだか姫は意を決して歩き始めました。

意は決しているのですが、腰元がひとりでうろついているのを誰何《すいか》され、連れ戻されはしないかと不安でたまりません。辻にさしかかるごとに塀の角からあたりを確かめ、門や番所がありそうもない方角を選んではこそこそと歩きます。

前方ばかりに気をとられ、後方への注意はすっかりお留守になっていためだか姫は、松の梢《こずえ》から藩邸の塀の上へと飛び下りた黒い小さな影に、全く気づきませんでした。影は時には塀の上を走り、時には松の幹に身を隠し、めだか姫の後をいつまでも追い続けました。


濁った水が流れる堀端まで来ためだか姫は、ほっと息を吐きました。向こう岸には商家の蔵が並んでいます。ようよう雑多な町人の暮らすあたりにたどりついたのです。

「少し休みましょう。そうね、いい考えだわ」

自分にそう提案して自分で賛成しためだか姫は、灼熱《しゃくねつ》の日差しを避けて、柳の古木の陰にしゃがみこみました。

喉《のど》はたいへん渇《かわ》いていますが、掘割の水はとうてい飲めそうにありません。めだか姫は少し不安になりました。

(いつぞや諏訪に聞いた覚えがあるけれど、下々では冷たいお水を飲むだけでも銭《ぜに》というものがいるのですって)

大藩の姫君として育ったため、生まれてこの方、銭というものにお目にかかったことがないのです。もちろん今も、鐚銭《びたせん》一枚懐中にはありません。

（それに、お天道さまのありかでどうにか西と東はわかるけれど、はたしてあの天水桶まで戻れるかしら。もうどの辻を曲がってここまで来たか覚えていないし。まあいいわ、道がわからなくなったら烏《からす》が導いてくれるでしょう）

なんとものんきなめだか姫、神武天皇を導いた八咫烏《やたがらす》がまだ生きていると思っています。

「おお、これは目の冥加《みょうが》」

「ほにほに。股《また》ぐらに槍《やり》が生えてまいったぞ」

野卑な声がしたので目をやると、質《たち》の悪そうな二人の若い武士が、にやにやと笑っています。

どこぞの旗本の道楽息子、格好ばかりはかぶいているが、生き方もかぶいていると思うのは自分ばかりで、周りの者からは鼻つまみの極道として嫌われている手合い。女とみれば犯すことしか考えず、弱い相手には強く出るが、武芸に心得のありそうな相手ならば二丁手前の辻で横に逸《そ》れ、出くわさぬように心掛けるのが得意技です。

「これお女中、なにかお困りかな」

猫撫《ねこな》で声を出しますが、だまされるめだか姫ではありません。いかに世間に疎《うと》いとはいえ、腐った男は臭《にお》いで判《わか》ります。ふんと顔をそらして、返事はしません。

「おやこれは冷たい。いやこの暑さ、ひやっこいものを賞味するのも格別。のう権《ごん》左《ざ》」

「ほにほに。孫十《まごじゅう》、わしが先だぞ」

「なにを。わしが見つけた獲物ではないか」

「よしよし、そう吠《ほ》えるな。では、ふたりでかかって同時に楽しむというのはどうだ」

「これは奇妙。そうしてさんざんに弄《もてあそ》び、女郎に売って酒手《さかて》とするか」

「こいつは春から……いや、もはや夏も盛りだが……」

「縁起がよいわい。ひひひひひ」

権左と孫十は下卑た笑い声をあげながらめだか姫に襲いかかりました。

「これ、なにをする。やめよ。ええい汚《けが》らわしい、この手を放せ」

放せと言われて放す男は、そもそもこのような醜行には及びません。権左のにちゃつく手で襟を摑《つか》まれ、孫十のべとつく手が帯にかかり、めだか姫は気が遠くなってきました。

（あなた、お許しを。お屋敷を抜け出したためだかが悪うございました……）

身を汚されるくらいなら死のう。舌を伸ばして小さな顎《あご》に力をこめたその時です。

「よしな。みっともねえ」

甲高い声が響きました。

権左孫十の動きが止まりました。顎の力を緩めためだか姫ですが、声の主を見ると、やっぱり舌を噛《か》んでしまったほうが面倒がなかった、と後悔しました。

両足を踏ん張り、目に強い光をたたえて二匹の野獣を睨《にら》みつけているのは、まだ十三、四に見える少女でした。

背丈はめだか姫の肩に届くかどうか、伸びた切禿《きりかぶろ》(おかっぱ頭)からのぞく顔は、あまりに黒く日に焼けているので、整っているのかへちゃむくれなのか俄《にわか》には判断がつきません。

つんつるてんの渋茶色の単衣《ひとえ》から突き出したかぼそい腕も脛《すね》も黒いのは、やはり日に焼けているせいでしょうか、それとも泥に塗《まみ》れているのでしょうか。

権左は拍子抜けして鼻で笑いました。

「なんだ、妙なのが現れたぞ」

孫十はいまいましげに犬を追うような手つきをします。

「こら。餓鬼の見るものではない。しっしっ」

少女は吐き捨てるように言いました。

「あたいが餓鬼なら、あんたたちゃ山犬だよ」

権左と孫十は牙《きば》を剝《む》きます。

「なんだと。おい、権左、この餓鬼もやっちまおう」

「よかろう。わしはこう見えて蜆《しじみ》が好物。汁から吸わせてもらうとするか」

よだれを垂らしながら、権左は少女に摑みかかります。

少女は恐れるかと思いきや、不敵な笑みを浮かべました。おやおや、その右手が奇妙な動きをしております。一度二度と、まるで手毬《てまり》でもつくかのように、上下に動いたのです。動きにつれて、ぶうんぶうんとかすかな音が響きます。

色に狂って襲いかかる権左が唸《うな》り声をあげながら迫ったその時です。少女の右手は下から上へと鋭く跳ね、なにかが糸を引きながら権左の眉間《みけん》へと飛びました。

権左は壁にぶち当たったかのように立ちすくみました。眉間はぱっくりと割れ、血が吹き出します。目は白目を剝き、唇はすぼんで突き出され、まるで作り掛けのひょっとこの面から赤い絵具が吹き出しているかのよう。

権左はしばしゆらゆらと揺れていましたが、やがて頭は重く足は軽く、道の中央に地響きを立てて倒れました。

少女は権左の額から飛び返った物体を肩越しに逃がし、肘《ひじ》と手首を利《き》かせて前に一周させると、掌《てのひら》の中に受け止めました。

「ななな、なにをしやがったこの餓鬼め」

泡をくった孫十はめだか姫を放すと、ぎらりと刀を抜き放ち、少女に斬《き》ってかかります。

少女の体が小天狗《こてんぐ》のように宙を舞いました。はるかに背の高い孫十の、優に半間は上を飛び越えます。右手から飛び出した丸い塊は孫十の月代《さかやき》を強打し、膝《ひざ》を軽く曲げて着地した時にはもとの掌に収まっていました。

地面に伸びた山犬二匹に、少女は唾《つば》を吐きかけました。

「てやんでえ。てめえらごときに慰《なぐさ》まれるお仙さまじゃあねえや。見損《みそく》なうねえ」

めだか姫は目を丸くしたままぱちぱちと拍手しました。

「まあまあ、なんとお強いのね」

お仙という少女は、あきれて肩を落としました。

「おいおい。感心してる場合かよ。ちっ、お屋敷者はのんきでいけねえ」

「だって、すばらしかったわ。わたくし、釣独楽《つりごま》をそのように扱う方は初めて見ました」

お仙は驚きました。かぶき者ふたりにも見えないほど、瞬速の動きで飛ぶ自慢の武器が、こののほほんとした腰元に見えたとは信じられません。

お仙は釣独楽を二度三度と垂らしては引上げながら、悔しそうに言います。

「あんたに見えるとは、あたいの釣独楽もまだまだだな」

釣独楽とは今のヨーヨーで、手車《てぐるま》とも呼びます。通常は土製で菊の花の形に細工してあるのですが、お仙の釣独楽は銅製の特殊な品。破壊力を高めるため端にぎざぎざが刻んであります。

「武芸のたしなみがあるんなら、助けるまでもなかったね」

めだか姫はかぶりを振りました。

「だって、わたくしが得意なのは薙刀《なぎなた》ですもの。とても持っては歩けません」

「ちげえねえ」

お仙はからからと笑います。

「ところで、あんた風見藩のお屋敷から逃げだしてきたんだろ」

「えっ。わたくし……」

めだか姫が言葉につまったその時、孫十がうめき声をあげました。

「畜生。ちっと手加減しすぎた。いっそ殺せばよかったかねえ」

めだか姫は驚きました。

「いけませんわ、殺すだなんて。いかに悪人でも、親御さんは悲しみましょう」

「そうかねえ。厄介払いができて喜ぶと思うけど。……じゃあ、こうしよう。ちょっとあっちを向いて、目隠しをして十《とお》数えてくんな」

(まあ、かくれんぼかしら)

無邪気によろこんだめだか姫は、いーち、にー、さーんと声を出して数えます。すると、五のあたりで「ぐはあ」と、九の所では「ぐむむむ」と、悶絶《もんぜつ》の呻《うめ》きが聞こえました。

「……とーお。もおいいかい」

「もういいよ。さ、ずらかろうぜ」

お仙はめだか姫の手をとると、彼方《かなた》に見える小さな橋目指して走り始めました。裾《すそ》を乱して走りながら、めだか姫は尋ねます。

「……殺してしまったの」

「殺しちゃいねえよ。ちっと焼きを入れてやっただけさ」

睾丸《きんたま》を踏みつぶしたことは言わずにおこう、そうお仙は心に決めました。これであの野獣どもは、二度と女をいたぶることはないでしょう。

わけが判らぬながらも、姫君は天狗娘に手を引かれて堀端を疾走します。

(この娘はわたくしをどこに連れてゆこうとしているのかしら)

めだか姫は懸命に足を動かしながら、行く手に何が待ち受けているのかと、わくわく胸を躍らせておりました。

(すてきすてき。今日はなんとも波瀾《はらん》万丈だわ)

第二回

水茶屋の天女に惚《ほ》れるお庭番

「ちょっと待って……少し休ませて……」

かぶき者に襲われた場所から、もうかなり走りました。息があがってしまっためだか姫はお仙に懇願してうずくまりました。

「ちえっ。足弱《あしよわ》だねえ」

舌打ちしたお仙はあたりを見回しました。ここは神田明神《みようじん》の裏手、間の良いことに冷水《ひやみず》売りが生け垣の陰で一休みしています。

駆け寄ったお仙は奮発して八文の銭を握らせ、砂糖を多くしてもらうと錫《すず》の器を運んで腰元に水を飲ませてやります。

めだか姫はごくごくと飲み干し、ふうと息を吐きました。

「すみません、おかわりを。あの、もう少し甘い方がわたくしは好きなのですけれど」

（……口の奢《おご》った腰元だぜ）

お仙は十二文出して砂糖をさらに増やしてもらい、今度は味わって飲んでいる腰元の前に突っ立って無遠慮に眺め回します。

「あんた、あの浪人者と駆け落ちするつもりだったのかい」

「え……」

めだか姫は驚きました。お仙はついさっき、かぶき者に襲われた際に偶然通りかかって助けてくれたのだと思い込んでいたからです。

「あんたが這《は》いずり出てきた天水桶《てんすいおけ》のそばに松の木があったろ。あたしゃ、枝の上から見てたのさ。……いいかい、男なんてみんな悪い奴《やつ》ばかりなんだから。あの浪人者だって、うまいこと言ってあんたをお屋敷から連れ出し、女衒《ぜげん》にでも売ろうって魂胆《こんたん》だったに決まってらあ」

駕籠《かご》かきも裸足《はだし》で逃げ出さんほど黒い脛《すね》をぽりぽりと掻《か》きながら、お仙はそう決めつけました。

お仙は今朝がたから風見藩江戸藩邸の塀際《へいぎわ》に立つ松の木によじ登り、屋敷の様子を窺《うかが》っていました。なぜそんなことをしていたかと申しますと、そうする立派な理由があったからです。

風見藩上屋敷がしんと静まり返ってなんの動きもないので退屈していると、突然、眼下の天水桶がたごとと揺れ、怪しげな風体《ふうてい》の浪人者が腰元らしき娘を伴って這い出てきました。

浪人はなにやら娘に囁《ささや》いて姿を消し、娘は途方に暮れた様子でしたが、やがて浪人の後を追うようにふらふらと歩きだします。

十四歳の少女の空想力は奔放に羽ばたきました。

(悪い浪人が世間知らずの腰元を毒牙《どくが》にかけようとしてるんだ)

お仙は哀れな娘を助けてやろうと決意して尾行し、餓狼《がろう》のようなかぶき者の餌食《えじき》になりかけた腰元を助けたのでした。

腰元がまだぽかんとしているので、お仙は舌打ちしました。

「まだわかんないのかい。あの浪人、きっと女衒をそこらに待たせてあったんだよ。金を貰《もら》って、はいさようなら。あんたは岡場所で春をひさぐ悲しい身の上に成り果てる。そういう筋書きだったのさ」

めだか姫はあわてて首を振ります。

「……いえ、あのお方は悪人ではありませんの……」

お仙はとんと地面を踏みました。

「甘いねえ。『拙者と駆け落ちしましょう』かなんか言われて、ぽーっとなっちまったんだろ。わかんないのかい。男の目当ては金か躰《あそこ》かのどっちかなんだよ。現に、たまたま浪人から逃れたと思ったら、すぐ別の奴等の餌食になりかけたじゃないか」

姫君はひそかに溜《た》め息をつきました。

（どうも今日はよく勘違いされる日らしいわ）

時羽直光《なおみつ》はめだかが藩邸を抜け出したがっていると誤解しましたし、この少女は浪人に騙《だま》されて売り飛ばされる所だったと勘違いしているようです。

（でも面白いわ。もう少し黙っていて、なにが起こるか見てみましょう。七つ刻《どき》（午後四時）になったら、わけを話してこの子にお屋敷まで送ってもらえばいいのだし）

めだか姫は心の中で舌を出し、哀れな腰元を演じることにしました。

「難儀をお救いくださって、ありがとう存じます。わたくし、めだかと申します」

少女は照れくさそうに答えました。

「礼なんかいいって。あたいは仙。谷中笠森稲荷《やなかかさもりいなり》の水茶屋の茶汲《ちゃく》み娘さ……といってもあんまり茶は汲んでないけど」

「松の木の上でお茶汲みをなさっておられたの」

「ああ。鳶《とんび》に甘茶をふるまい、鷹《たか》に団子を食わせてた……わけねえだろ。とぼけた女《あま》だ」

小突いてやる、とばかりにお仙は拳固《げんこ》に息を吹きかけました。しかし、お仙が小突いたのは自分の頭でした。

「そうそう、忘れてた。聞きたいことがあったんだ。……あんた、一八《いっぱち》って男を知らないかい」

この質問をしたいがために、お仙はめだかを救ったのです。

「一八さん……奇妙なお名前ね。お屋敷に出入りなさっておられるお方ですか」

「ううん、そうじゃなくて……あのね、一八ってのはあたいの兄貴なんだけど、三月《みつき》ほど前に金比羅《こんぴら》参りに行ったっきり、鉄砲玉で帰ってこないんだよ」

「金比羅さまにお参りに……」

讃岐《さぬき》琴平《ことひら》への道は五街道あって、そのひとつが風見湊《みなと》を起点とする風見街道だ、そう夫直重《なおしげ》は話してくれました。

「だけど、お江戸からなら高松回りが近いはずですよ。風見藩は通らないのでは」

風見藩は讃岐で最も西に位置する藩です。讃岐国《さぬきのくに》は東から高松藩丸亀藩《まるがめはん》風見藩という並びで、その西は伊予国《いよのくに》になります。

お仙は妙な咳払《せきばら》いをして呟《つぶや》きました。

「風見藩をちょっと見てみたい、そう言ってたんだよ」

（どうもなにか裏がありそうだわ）

そう思ったためだか姫ですが、そしらぬ顔で残念そうに言いました。

「一八さんという名は、聞いた覚えがありませんわ」

「あの……国許《くにもと》から唐丸籠《とうまるかご》かなんか来なかったかい。護送されてきた囚人が牢屋《ろうや》に入れられて、近づくなと命じられたとかさ」

藩邸内に牢屋があることも、めだか姫は知りませんでした。きっと表御殿のどこかにあるのでしょう。

しかし、国許から誰かくれば、それが囚人の護送であっても、責任者は殿様の名代として藩邸を預かる正室に挨拶《あいさつ》にくるはずです。

「そんなこともなかったようです」

お仙は大きく溜め息をついて、我知らずこう呟きました。

「兄《あん》ちゃんは、一体どこをのたくってるんだろう……」

笠森稲荷は谷中長耀山感応寺《ちょうようざんかんのうじ》の境内《けいだい》にあります。江戸名所図会《ずえ》をひもとき、感応寺の図絵を眺めてみましょう。

芋坂口にある惣門《そうもん》の前には「此辺《このあたり》茶やあり」と書いてございますが、これは茶の葉を商う店でも湯茶の接待をする水茶屋でもなく、「谷中いろは茶屋」として知られる岡場所のことです。

笠森稲荷は惣門を入るとかえって遠回りだったようで、門を入らずに左に折れ、さらに右に曲がって少し行くと右側に木戸があり、そこを入った所にありました。

さて、その笠森稲荷へと続く木戸をくぐったのは、歳《とし》の頃は二十代のなかばの若侍。名は倉地《くらち》政之助《まさのすけ》と申します。

遊び好きのお姉さまが政之助を見掛けたとしましょう。太い眉《まゆ》と大きな目を見ただけならば、

「たくましい顔だねえ。男根《あそこ》もたくましいかしら」

と、ちょっと気が揺れるのですが、倉地の顔の下半分に目がいくや、心変わりします。

「でも、顎《あご》がああも武張ってちゃあ艶《つや》消しだね」

大層武張った顎の持ち主である倉地政之助、これから笠森稲荷の前にある水茶屋鍵《かぎ》屋《や》に向かう所です。用件はふたつあり、まずひとつが、茶を喫し団子を頬張ろうという、政之助にとっては僅《わず》かな楽しみ。

僅かな、と申しますのは、政之助が倉地家の養子だからです。家では義父義母に見守られ、立派な跡取りを演じなくてはならないので、なにかと息苦しい日々を送っているのです。

いまひとつの用件は、鍵屋の亭主の五兵衛《ごへえ》から、その息子の一八が帰っているかどうかを聞くことでした。

実は倉地政之助、この四月に四国讃岐の風見藩に潜入し、御側衆《おそばしゅう》筆頭田沼意次《おきつぐ》から命ぜられた遠国《おんごく》御用をみごと果たしました。そこまではよかったのですが、その際に手先として使った幇間《たいこもち》の一八が、「ちと調べたいことがござんして」と言い出して風見藩に残り、それっきり帰ってこないのです。

そう、この政之助、浅黄裏《いなかぶし》でもなければ浪人者でもありません。百俵七人扶持《ぶち》と禄《ろく》は少ないのですがれっきとした旗本で、小十人格お庭番という世間に大声で触れ回るわけにはいかない役職についております。

笠森稲荷の水茶屋鍵屋は、倉地家が江戸市中の風聞を集めるために建てた情報収集の拠点でした。笠森稲荷のある谷中感応寺では富くじが興行され、人が多く集まるので風聞を集めるにはもってこいの場所なのです。

(五兵衛は高齢のうえ脚気《かっけ》を病んでおる。手先に使うとなれば息子の一八しかおらん。

一八がもう戻っておればよいが……)

倉地政之助はあらたな密命を授かったのです。

(初の遠国御用は無事に果たせたものの、期待していた加増のお沙汰《さた》は出なんだ。このたびのお役目を見事果たせば、今度こそ俸禄《ほうろく》は倍、いやいや三倍にはなるだろう。しかし、また風見藩が相手とは、よくよく縁があるらしい。だが、こたびは五十万石の磐内藩《ばんだいはん》もからんでおるからな。ずっとずっと大きな事件といえよう……)

捕らぬ狸《たぬき》の皮算用に心を奪われてはいても、さすがに幕府隠密《おんみつ》、前から走ってきてぶつかりそうになった町人ふたりを、半身になって躱《かわ》しました。

いかにも慌《あわ》て者らしい八《はち》は、倉地なぞ目に入らぬ様子で熊《くま》にこう叫びます。

「おいらは湯屋の二階にご注進だ。熊、おめえは瓦版《かわらばん》の版元に走れ」

「がってんだ。なにしろ天下の一大事、礼もはずんで貰えようぜ」

八と熊は木戸口で別れて走り去りました。

倉地政之助は、はてと首をひねります。

(天下の一大事と申しておったが、稲荷社でなにが起こったのだ。それに、瓦版屋に知らせて銭を稼ぐのはわかるが、湯屋の二階に注進とはなんだ。誰に伝えるつもりだろう)

湯屋の二階でごろごろしているのは、町内の閑《ひま》な若い衆と相場が決まっています。

「ともかく天下の一大事だ、行ってみよう」

笠森稲荷の鳥居の下まで来た倉地政之助は、黒山の人だかりにぶつかりました。

(鍵屋の前ではないか。火でも出たか)

肩で野次馬をかきわけかきわけ、やっと前に出た政之助は、われとわが目を疑いました。

狭い掛け小屋でしかない水茶屋鍵屋に、男達がひしめくように腰掛けているではありませんか。芋を洗うどころか、芋を桶に入れて足で潰《つぶ》し、その上にまた芋を乗せて足で潰したよう。腰と腰、膝《ひざ》と膝を触れ合わせ、種々雑多な男たちが座っています。それぞれが肩をすぼめているのは、そうせねば端の男が落っこちてしまうからでしょう。

そして、そんなぎゅう詰め状態でありながら、男たちはなんとも幸せそうに微笑《ほほえ》んでいます。

(な、なんの騒ぎだ、これは……。この炎天下、熱い茶を喫せんとかくも押し寄せるとは。我慢大会でも開かれておるのか)

思わず前に出た倉地政之助の袖《そで》を、その筋の者らしい、頰に傷のある男が摑《つか》みました。

「おっと旦那《だんな》、順番を守ってもらいやしょうか」

「なんだおまえは」

「上州の仁吉ってもんで。お武家だからって、横はいりはいけませんぜ。天女に茶を汲んでもらいたきゃ、まずあっしに並び賃を払って、この列の最後についておくんなさい」

どうやら九寸五分《あいくち》を吞《の》んでいるらしく、懐手《ふところで》をして仁吉は言いました。見ると、確かに行列ができていて、じれったそうに首を伸ばして席が空くのを待っている男たちが並んでいます。

（天女とは誰のことだ。まさかお仙ではあるまいな。あの脛をむき出しにした、黒い猿娘が……いやまてよ、娘三日見ざれば別人と申すからな。いや、三日見ざれば番茶も出花、だったかな……）

倉地政之助の混乱をよそに、野次馬がどよめきました。

「で、でたぞ」「ありがてえ」「南無阿弥陀仏《なむあみだぶつ》ッ」

何を拝んでいるのかと見れば、色白の娘が、団子を山盛りにした盆を手に、艶然《えんぜん》たる微笑みを浮かべてあらわれた所でした。

芙蓉《ふよう》の花を見た……と政之助は思いました。

茶汲み娘の目印である紺の前垂れを締めてはいますが、着ているのは矢絣《やがすり》の小袖、どうみてもお屋敷勤めの腰元です。

その娘の持って生まれた上品さは隠すべくもなく、その顔立ちの整いようは、産神《うぶがみ》も按配《あんばい》するのに十日はかかるだろうと思われるほどです。

「おお……傾国《けいこく》の美女とは、この娘を称《たた》えるためにできた言葉ではあるまいか……」

思わず口走った政之助は、魂を抜かれたかのようにうっとりと見惚《みと》れてしまい、

（ああ……天にあらば比翼《ひよく》の鳥となり、地にあらば連理《れんり》の枝になりたい……）

と、楊貴妃《ようきひ》を詠《うた》った長恨歌《ちょうごんか》の一節を盗用しております。

比翼の鳥とは翼を並べてでなければ飛ばないという仲のいい鳥のつがいのこと、連理の枝は二本の幹から伸びた枝がつながり、ひとつの枝となったありさまをいいます。どちらも、仲のよい夫婦にたとえられることがらでして。

「まあまあ、お待たせいたしました。さあ、お団子ができあがりましてよ」

紺の前垂れも凜々《りり》しいめだか姫が団子を配ると、男どもは鼻の下を伸ばして皿を受け取ります。

倉地政之助の手は我知らず巾着《きんちゃく》を摑んで仁吉に銭を握らせ、足が勝手に動いて、長々と続いている行列の尻《しり》で止まりました。

（なんとしても、あの白魚のような指から渡される団子を食ってみたいものだ……）

そう自分が渇望《かつぼう》しているのだと気づいたのは、そのあとでした。


それから半刻ばかりが経《た》ちました。倉地政之助は遅々として進まぬ列のまだ後方におりましたが、それでも幸せでした。

茶釜《ちゃがま》から柄杓《ひしゃく》で湯を掬《すく》って急須《きゅうす》に移す娘の手首の白さ。銭を払って立つ客にむける愛らしい笑顔。「ありがとう」と礼を言う、鈴を振るような声。

見て眼福、聞いて耳冥利《みょうり》。いえ、すぐそばにあの天女のような娘がいてくれるだけで幸せでした。

列が進まぬのも道理、ようやっと色あせた緋《ひ》毛氈《もうせん》のかかった床几《しょうぎ》に席を得た男は、そうそう帰ろうとはしません。先に来た者から上州の仁吉が肩を叩《たた》いて、帰るよう促しています。

「なんだい、もうあちきの帰る番かえ」

ふだん固い物を食べ慣れていない、ふにゃふにゃした声音で文句をいいながら、ぞろりとした絹物をまとった若旦那がいやいや立ち上がりました。

「ねえさん、ここに置くよ」

ひょいと投げ出したのは、なんと小判でした。

男たちの憎しみが小声で沸き起こります。

「あの野郎、小判なんぞ」

「いい格好しやがって」

「銭で気を引こうなんざ、ふてえ了見だ。簀巻《すま》きにしちまえ。大川に蓋《ふた》ァねえぞ」

しかし茶代をいくら払おうが客の勝手、文句を言われる筋合いはありません。若旦那は胸をそらします。

男たちの悪態が小声なのは、巾着をさかさに振ってもそんな真似《まね》はできないからでして。宵越しの銭は持たないし、また持てるほど根を詰めて働かないのが江戸の男のいなせな生き方なのですが、こういう場合はそれが裏目に出ます。

天女のごとき娘は、「ありがとう」と軽く言って、小判を銭箱に放りこみ、なにごともなかったかのように給仕を続けます。

若旦那はがっかりしました。てっきり茶汲み女はびっくり仰天して、おろおろと礼を言うだろう、と思っていたからです。

「いいやな。取っときねえ」

軽く手を振ってにこりと笑う。

「まあ、なんて銭をきれいに使うお方かしら」

それに、なんて様子のいい若旦那……てんで、とんと岡惚《おかぼ》れとなればしめたもの。

そう思っていたのに、娘は「ありがとう」と言ったきり、もう横を向いて、叩き大工のデコチビに茶を汲んでいます。

若旦那がしおしおと去るのを見て、男たちは胸のすく思いでした。

「どうだい。見たか。おらあ胸がすーっとした」

「ざまあねえや。あの野郎、塩かけられたなめくじが酢のんだような面《つら》で帰《けえ》っていきやがった」

「上品なだけじゃねえ。いなせな女じゃねえか。『ふん、銭金で動くあたしじゃないよ』って、そう心ン中で剣突《けんつく》くらわしてたんだぜ。おらあ気に入った」

なあに、めだか姫は小判と銭にいかほどの価値の違いがあるか知らなかっただけなのです。銭であれ小判であれ、置かれたものを銭箱に投げ入れていたばかり。ともかく、生まれて初めて行う労働にてんてこ舞いしておりました。

さすがに待ちくたびれた倉地政之助がふと見ると、鳥居の台石に腰掛けて、お仙が二の腕で汗を拭《ぬぐ》っています。手で拭《ふ》きたくても真っ白い粉がついているので使えません。飛ぶように売れる団子を懸命に作っていたようです。

政之助の頭に、妙計がひらめきました。

すでに日は傾いています。このまま待っていては、夜中にならねば床几までたどりつけそうもありません。

（お仙に茶を汲ませ、あの娘には休息させよう。うん、それがよい。ずっと立ち詰め、可愛《かわい》い脚《あんよ》もこわばっておろう。男たちに気づかれぬよう、裏の五兵衛の住居に案内して……そうだ、脛《すね》を揉《も》んでやろう。脛の少し上も……だいぶ上も……。五兵衛は高齢、脚気だけではなく、耳も遠くなっておるからな。隣室でなにか起きても気づくまい）

ひひひと笑って倉地は列を離れ、お仙の肩を叩きました。

突然倉地政之助に肩を叩かれたお仙は、びくりと身を震わせました。常になくゆるんだ顔をしている倉地に問われて、あの腰元をどこで拾ってきたのかを話します。

めだかと名乗った腰元から兄の消息を聞き出すのに失敗したあと、お仙はめだかをここ笠森稲荷《かさもりいなり》に連れ帰りました。五兵衛が寝込んでいるので閉めていた鍵屋を開け、腰元に紺の前垂れを締めさせます。

「あんた、行く所がないんだろ。しばらく置いてあげるよ。ただし、食い扶持くらいは自分でお稼ぎ」

めだかは茶を汲む手順をすぐに飲み込みました。しかし、銭の勘定は不得手のよう、そもそも一文銭と波銭（四文銭）の区別がつきません。

「ちっ、役立たずな女だよ」

舌打ちしたお仙は、「釣りをくれ」と言われないかぎり、客の置いた銭を「ありがとう」とにっこり笑って銭箱に放り込めばいいや、と教えました。

そもそも茶代というものは、決まった値段があるようでないものだったからです。八文置く客は純粋に茶代だけを払っているのであり、心付けを加えようと思う者は十文だの十六文だの、それぞれが適当と思うだけ置いてゆきます。もう少し時代が後になると水茶屋がそれぞれ看板娘を置くようになり、美女の気を引こうとする色男どもは、百文だ、いや小粒だ、なんのなんの小判だと、見栄《みえ》を張るようになるのですが。したがって、さきほど小判を投げ出してめだかの歓心を買おうとした若旦那は、その走りと言えましょう。

茶汲みをめだかに任せ、お仙は店の裏で団子をこねはじめました。

「よっ、ご趣向ッ」

店の表ですっとんきょうな声がしたのを、お仙は背中で聞きました。しかし、派手な女物の小袖を着たかぶき者か、あるいは若衆髷《まげ》に結って袴《はかま》をつけ、両刀をたばさんだはねっかえり娘でもあらわれたのだろう、ぐらいに思って気にも留めませんでした。

団子をこさえ、焼き上げて店の表に出たお仙は、われとわが目を疑いました。

男どもが鈴生《すずな》りになって床几にひしめいていたからです。

さらには列が出来はじめ、列に並んだ男たちから、

「茶ァ飲んだら、さっさと立たねえか、このだるま野郎。座禅組んでんじゃねえ」

「後がつかえてんだ。お早く願いますよッてんだ」

「こちとら気が短けえんだ。そこのてめえ、何杯《なんべえ》おかわりすりゃ気が済むんだ。鯨か、てめえは」

などなど、殺気だった罵声《ばせい》が飛んでいます。

「な、なんの騒ぎだい、こりゃあ……」

忙しく茶を配っていたためだかはのんきに、

「ああ、お仙さん。水茶屋って、随分とお客さんの多い稼業《かぎよう》なのね」

と団子を受け取って、待っていた客に渡します。

ようやくお仙は事のなりゆきを理解しました。

さきほど「よっ。ご趣向ッ」と声がしたのは、若く美しい娘が腰元姿で前垂れを締

めているのを見た男が、鍵屋の始めた新しい客寄せと勘違いしたのです。

それからは大騒ぎ、さきほど倉地の見た八や熊のようなおっちょこちょいが各所に注進に及び、男どもは蜜《みつ》に群がる蜂《はち》のように集まりました。ついには谷中いろはの岡場所に巣喰う破落戸《ごろつき》、上州の仁吉がしゃしゃり出て並び賃を取り、長《なが》っ尻《ちり》の客は席を立たせるという大騒動へと発展したのです。


「おおおお仙、あの腰元、風見藩上屋敷の者と申したな」

倉地政之助の目は満月のように丸くなりました。

「それがどうかしたかい」

不審げに問うお仙に、倉地政之助は武張った顎《あご》を震わせて、こう答えました。

「わしは風見藩と磐内藩の江戸藩邸を探るよう命ぜられたのだ」

今朝のこと、倉地政之助が江戸城内御側衆《おそばしゅう》筆頭の詰め部屋前の廊下にかしこまると、田沼主殿頭意次《とのものかみおきつぐ》は低い声で問いました。

「この正月、磐内藩の末娘が風見藩主時羽直重の許《もと》へ嫁入りしたそうだな」

お庭番の中でも最も下《した》っ端《ぱ》の倉地政之助は、まだ大名の婚姻など上《うえ》つ方《かた》の関わる事件とは無縁の存在だったので、全く知りませんでした。しかし、第十代将軍徳川家治《いえはる》公の懐刀《ふところがたな》として、今をときめく田沼意次がそう言うのだから間違いないでしょう。とりあえず「御意《ぎょい》」と答えました。

「どうもこの婚姻には裏がありそうなのだ。風見藩と磐内藩は、なにやら裏で密約を交わしており、それゆえ両家のよしみを深めんとて、婚儀に及んだ節がある」

「は」

「その方、風見磐内両藩の江戸屋敷に潜入し、その密約とはなにかをつきとめ、証拠となるような書状でもあれば手に入れてまいれ」

「ははあっ」

「妙だね……」

倉地政之助の任務を知ったお仙は、首をひねりました。

「なにが妙なのだ」

「だってそうだろ。田沼はなぜ……」

「これ、田沼さまと申せ」

「田沼の狸《たぬき》はなぜ、風見と磐内に密約があるって察知したんだろ」

「それは……そのう……」

倉地は頭を掻《か》きました。

「誰かが田沼に通報したんだね、きっと」

「そうだ。決まっておるではないか。田沼さまほどのお方だ。独自の密偵をお持ちに相違ない」

政之助は自分が思いついたかのように胸を張ります。

「ではなぜその密偵に調べさせないで、あんたに頼むんだろ」

「……はて……それは……」

お仙は倉地政之助の鈍さに、溜《た》め息をつきました。

(兄《あん》ちゃんが帰ってこなかったら、あたいがこの旦那《だんな》の手先を務めなきゃならないのかい……。願い下げだよ)

「決まってるじゃないか。密偵じゃないんだよ。どっちかの藩の江戸屋敷に、田沼の息の掛かった野郎がいるんだよ。そしてそいつは、重要な機密に関われるほどの立場にはいない。また、てめえの藩のことしかわからねえのさ。だから田沼狸は、あんたに風見藩時羽家と磐内藩西条家、両家の接点がどこにあるのか、どんな事情があっていかなる密約を交わさねばならねえのか、調べさせようとしているってわけさ」

「ふうむ」

倉地政之助はお仙の推理の見事さにすっかり感心、声も出ません。

いつしか日は傾き、七つ刻《どき》の捨て鐘が鳴り始めました。その鐘の音に刺激され、珍しく倉地の脳味噌《のうみそ》は活発に動きだしたようです。

政之助はごつい顎で、忙しそうに茶を汲んでいるめだか姫を指し示しました。

「お仙なあ、あの腰元だが……」

「あれがどうかしたかい」

「あの娘は風見藩江戸屋敷の者であろう。屋敷に戻すわけにはまいらぬか」

「……まさか、あの娘を密偵に使おうってんじゃあるまいね」

お仙が目を丸くすると、倉地政之助はもじもじと顎を掻きました。

「だってお前、ほかに情報を得る手立てはないではないか。そりゃあ、藩邸に忍び込むことぐらいはできるかもしれん。しかし……すいませんが、こちらの藩はなにか幕府の知らぬ密約を交わしていらっしゃいますか……そう聞いて回るわけにはいかぬのだぞ」

それに、手先として使えば、あの美しい娘と親しくなれます。政之助は二兎《と》を追う魂胆なのです。

「だけどさあ、めだかはお屋敷を逃げ出してきたんだぜ。いまさら戻れるはずがねえやな」

「あのう、お話し中すみませんが、お仙さん」

涼やかな声をかけられ、倉地とお仙は特大のしゃっくりでもしたかのようにぎくりとのけぞりました。見ると、めだかが紺の前垂れをはずして、もじもじと手で揉《も》んでいます。

「まことに申し訳ないのですけれど、わたくしお屋敷に戻りたいの」

めだか姫は、天水桶《てんすいおけ》にもたれて居眠りをしていた浪人姿の時羽直光に声をかけました。

「直光さま、お待たせいたしました」

直光は目をしばたき、誰だったろうという顔でめだか姫を見ましたが、やっと気づいて、ばね仕掛けのように立上がりました。

「姉上、遅いではありませんか。夕食に間に合わなんだら、大騒動になりますぞ」

「ごめんなさい。あまり面白かったので、つい遊び過ぎてしまいました」

初めて行う茶汲みという労働に夢中になっていためだか姫は、七つ刻の鐘に我に返りました。藩邸まで送ってほしいと頼むと、お仙は鳩《はと》が豆鉄砲を食らったような顔をします。

「戻れるのかい。手討ちにされたりしないかい」

「七つ半にはあの天水桶の所に戻る手筈《てはず》でしたの」

「……駆け落ち者に、戻る手筈があるのかい」

さっぱり判《わか》らぬ、とお仙は困惑することしきりですが、かたわらに立っていた若い侍は小躍りしました。

「戻れるとは好都合。しかし、もう七つの鐘が鳴った。お仙、屋敷はどこだ」

「神田橋外《そと》だけど」

「こりゃ大変だ、駕籠《かご》をしつらえて……いや、しかし先立つ物がないわい」

いかにも軽そうな巾着《きんちゃく》を、その侍は振ります。お仙は銭箱に駆け寄り、さきほど通ぶった若旦那が置いていった小判を手に取ると、めだかの手を取って走りだしました。

感応寺惣門《そうもん》前でいつもとぐろを巻いている駕籠かきを雇おうというのです。

いまだぎゅう詰めになって鍵屋の床几《しょうぎ》に座っていた男たち、しつこく列に並んでいた者、そして冷やかしの野次馬どもは、目当ての天女が消え去る姿を、口をぽかんと開けて見送るばかりでした。

お仙と倉地政之助が松の木の陰から窺《うかが》っていると、浪人は腰元を天水桶に抱え入れ、続いて我が身をもぐりこませました。

慌《あわ》てて駆け寄ったものの、水の入っていない桶の底が見えるばかりです。

「いったいどうなっているんだろう」

「さっぱりわからぬ」

天狗《てんぐ》娘とお庭番は、首をひねりながら戻ってゆきました。

中間《ちゅうげん》長屋の前で直光と別れたためだか姫は、首尾よく誰にも見つからずに長局《ながつぼね》にたどりつきました。腰元の小朝が部屋に戻った様子はありません。

(まあ、この狭いお屋敷で、よくいろいろと遊び回る所があること)

小朝に暇潰《ひまつぶ》しの指南を願おうか、そう思いながら姫君のなりに戻り、居室に戻って座った途端、諏訪《すわ》が入ってまいりました。

「まあ姫さま、一体いままでどちらに……」

藩邸中探しました、とうらみつらみを述べる諏訪の繰り言を聞き流しながら、めだか姫は感応寺の門前で駕籠に乗る際、お仙と気忙《きぜわ》しく交わした会話を思い出します。

「あんたに調べてほしいことがあるんだ」

そうお仙は言っていました。どうやら、行方不明の兄の消息以外に、まだ知りたいことがあるようです。

「明日、あの松の木に登って待っていて」

めだか姫はそう言い残すのが精一杯でした。駕籠に乗ってからは、喋《しゃべ》ろうものなら舌を嚙《か》んでしまいます。

はたしてあの小天狗のような娘は、何を調べてほしいのでしょう。

はたまた、そばにいた大層武張った顎の若侍は、お仙とどういった関わりがあるのでしょう。

（ますますもって謎《なぞ》が謎を呼ぶわ）

めだか姫はわくわくと心が躍って、明日が来るのが待ち遠しくてたまりません。

第三回

小藩はひとつ足りない六不思議

さてその翌日。朝食をすませためだか姫は、諏訪《すわ》が日課の洗濯へ行くのを待ち兼ねて、庭から空っぽの番所を回り、二階建ての空き中間長屋《ちゅうげん》までまいりました。

途中、番所の屋根では三毛猫のココが爪《つめ》の先で得体の知れぬ獲物をもてあそんでいましたが、今のめだか姫には猫の名前ごときに心を砕く暇はありません。素通りされたココは、なにやら物足りなさそうに「みゃおん」とか細く啼《な》きました。

「お仙さん……いらっしゃるの」

松の梢《こずえ》を振り仰いで呼ぶと、小さな黒い塊が舞い降りました。

「まあまあ、なんと身のお軽いこと」

めだか姫は小さく拍手します。

膝《ひざ》を軽く曲げて地面に降り立ったお仙は、めだか姫を見て目を丸くしました。

「めだか……なんだい、その格好は」

(いけない。わたくしは腰元のはずだったわ)

めだか姫はひとつ咳払《せきばら》いして言い繕いました。

「これは……そう、変装ですの。なにか調べてほしいとおっしゃったでしょ。姫君に化けてたほうが調べやすいと思って」

「へえ。そんなもんかねえ。あたいにゃお屋敷内《うち》の事情はわからねえが」

めだか姫は中間長屋の一番奥まった戸口を、昨日直光《なおみつ》がしていたようにとんとんと叩《たた》きました。さいわい戸はすんなりと開き、二人は薄暗い室内に足を踏み入れます。

「まあまあ埃《ほこり》だらけ。そのうち掃除しなくてはね。お仙さん、そこの古い長持の埃を払ってくださいな」

「……人使いの荒い腰元だぜ」

お仙が煮しめたような手拭《てぬぐ》いで長持をはたくと、めだか姫はちゃっかり腰掛けます。溜《た》め息をついた少女は、埃まみれの畳にあぐらをかきました。

「まあ、お行儀の悪い。大切所《たいせつどころ》がご開帳ですよ」

深く深く息を吐いたお仙は、窮屈そうに正座します。

「それで、わたくしに何を調べてほしいの」

お仙は肩をすくめました。

「なあに、ちょっとしたことさ。なんでもこの風見藩と磐内藩《ばんだいはん》の間に密約がかわされてるらしくてね。その約定が知りたいんだよ。それと、なんか証拠になるような書状でもあれば、手に入れてほしいんだってさ」

めだか姫はしばしぽかんとしておりました。両家の間に密約が存在するなんて初耳だったからです。しかしよくよく考えてみれば、有り得ない話ではなさそうです。

(もしや父上は、密約を交わしている風見藩との縁《えにし》を深めるために、わたしをこの小藩に嫁入りさせたのでは……)

「なんと、すてきすてき」

めだか姫の瞳《ひとみ》に星が宿りました。政略結婚させられた姫君だなんて、芝居になって瀬《せ》川菊之丞《がわきくのじょう》が演じてくれるかもしれません。

「ええ、調べてさしあげますとも。このめだか、一命を賭《と》してその密約とやらを突き止めてみせるわ」

そして、今度父に会った時に密約の内容を知っていると告げ、びっくり仰天させてやろう。いたずら好きの姫君は大張り切りです。

それにしても、この少女は一体何者なのでしょう。めだか姫すら知らなかった密約の存在を知っているだなんて。

「ねえ、お仙さん。ここは女どうし、お腹《なか》を割って話しましょう。あなたは一体何者なの。身は軽いし、釣独楽《つりごま》で無頼漢《ならずもの》を倒すほどの腕の持ち主だし……行方不明のお兄さんを探していたかと思うと、今度は藩の秘密を調べてらっしゃる」

お仙は目を細めて透かし見たあげく、めだかが信頼に足る人物であると見定めたようで、声を落として話しはじめました。もっとも、少女が秘密を語る際に、よく用いる枕詞《まくらことば》がついてはいましたが。

「いいかい、あたしたちだけの秘密だよ。誰にも喋《しゃべ》っちゃだめだからね……」

「あたいはね、忍びの女、俗に言う『くのいち』って奴《やつ》さ」

お仙はこう語り始めました。しかしいかんせん少女が初めて他人に語る自分の過去。言葉は足りませんし要領も得ません。ここはひとつ張り扇を叩いて、わかりやすい講釈にまとめてみましょう。

お仙の故郷は紀州熊野《くまの》。山深い隠れ里に、ひっそりほそぼそと暮らす十軒ほどの樵《きこり》の集落があります。

余所者《よそもの》は入《い》れぬ、はいってても出てこられぬ人食いの村、そう噂《うわさ》されているのも道理。この里は、八代将軍吉宗《よしむね》公が紀州和歌山から連れてきた家臣を幕府お庭番として取り立てた際、その手先として使うよう振り分けた、草の者が生まれ育った忍者里《しのびざと》でした。

今から十四年前のこと。主だった者が江戸に去り、さびれ果てたその村を、ひとりの老人が訪れました。

すでに六十歳になんなんとするこの老人は、谷中笠森稲荷《やなかかさもりいなり》で水茶屋鍵屋《かぎや》の亭主をしている五兵衛《ごへえ》、しかしてその実体は、幕府隠密《おんみつ》倉地家の手先を勤める忍びの者。

この村の出身である五兵衛は、わが息子一八《いっぱち》に隠密手先の仕事を継がせるつもりでした。しかし、一八は幼い頃からぐうたら者、忍術の修業をいやがり、近所の悪餓鬼《わるがき》どもと遊び暮らす毎日。十六歳になると色気に目覚め、谷中いろはの岡場所にいりびたり、女郎の使い走りをして小遣い稼ぎを始めました。

一八が使えぬとわかった五兵衛は、とある遠国《おんごく》御用を終えたのち、寄り道をしてこの村に立ち寄ったのでした。

五兵衛は、ただひとり釣独楽の秘技を受け継ぎながら、村を出る機会のないまま暮らしていた女忍者《くのいち》に因果を含め、交合におよびました。まだ睾丸《ふぐり》に子種のあるうちに忍びの血筋の女を抱き、一八に代わる跡継ぎを作ろうとしたのです。

ところが、五兵衛が江戸に戻ったのちに生まれたのは、女の子でした。これがお仙です。

お仙は幸い忍びに向いた体付き、地面に麻の種を播《ま》き、日に日に育つ苗を飛び越えるという、いささか時代遅れな修業もなんなくこなします。母に仕込まれた釣独楽の技は、兎《うさぎ》や鹿《しか》は言うに及ばず、狼《おおかみ》はおろか熊をも倒す腕前に上達しました。

風のたよりに五兵衛が脚気《かっけ》を病んだと知ったお仙が江戸に来たのは二年前、十二歳になった年のことです。

釣独楽ひとつを道連れに、熊野の隠れ里を発《た》ったお仙は藪《やぶ》を掻《か》き分け、一路伊勢へ。腹が減れば釣独楽で獣を倒し、喉《のど》が渇けば草の露でしのぎます。伊勢参りの帰りと見せて柄杓《ひしゃく》に銭を貰《もら》い、初めて食べる餅菓子《もちがし》の餡《あん》は、この世にかくも甘いものがあったかと驚くばかり。

七里の渡しは船底の淦《あか》に踝《くるぶし》を濡《ぬ》らし、岡崎では矢作橋《やはぎばし》で寝たが蜂須賀小六《はちすかころく》には拾われず。御油《ごゆ》の留女《とめおんな》はそっぽを向きやがるから逆に袖《そで》をもぎ、遠州鈴が森で襲ってきた雲助の男根《へのこ》をへし折る。

増水で川止めの大井川は抜き手を切って泳ぎ渡り、丸子《まりこ》のとろろ飯に舌鼓《したつづみ》を打つ。江尻《えじり》の稚児橋《ちごばし》では河童《かっぱ》に間違われ、箱根の関所は杉並木を飛び渡れば手形不要《いらず》。

神奈川浦島寺では浦島太郎って誰だろうと首をひねり、けろりと疲れも見せずに笠森稲荷に現れました。

五兵衛は女に隠密御用の先手《さきて》は勤まらぬと渋い顔。表稼業《かぎょう》の手伝いを命じられたが、茶汲みなんて辛気臭《しんきくさ》いと、大江戸八百八町の地理を頭に入れんがため、今日は東《ひんがし》明日は西と、飛び回る毎日。

奥山（浅草寺裏手）に見世物小屋を見に行けば「天狗《てんぐ》娘として出る気はねえか」と誘われ、吉原《よしわら》では天井裏から男女の駆け引きを覗《のぞ》き見る。

夏は川開きの花火に玉屋鍵屋の掛け声、秋は江戸城天守閣の屋根で月見団子を盗み食い。

そんなのんきな日々が幕を閉じたのが、この五月でした。倉地政之助《まさのすけ》とともに風見藩探索に出向いた兄の一八が、戻ってこなかったのです。政之助は一八が自分の意思で残ったと言うばかり。

捕まったのでは。いやもう帰ってくるだろう。ふた月ほどじりじりする思いで待ちましたが、ついに痺《しび》れを切らし、風見藩江戸屋敷の探索に出かけたのでした。

「んまあ。では鍵屋におられた、あの顎《あご》の張ったお武家さまは幕府隠密ですの」

めだか姫は、お仙が江戸に出るまでと出てからの物語は目を輝かせ手に汗握って聞き惚《ほ》れておりましたが、倉地政之助の正体を知って背筋を伸ばしました。

「と」

「田沼意次《おきつぐ》さまのご命令で、風見藩と磐内藩の間で交わされた密約をさぐれ、と」

「うん。あんたにゃ関わりのねえ話だけど、ひとつ頼まあ」

関わり大ありです。田沼意次は、両家密約の証拠を握ったらどんな圧力をかけてくるかわかりません。

めだか姫の耳に、時羽直重《なおしげ》の残した言葉が甦《よみがえ》りました。

「この藩邸は、江戸に建っておる風見藩の出城だ。わしが留守の間は、そなたが城主の名代。しかとこの城を守ってくれよ」

夫の信頼に答えるのは、今この時をのぞいて他にありません。

「わたくし、だんぜんやる気が出ました。お仙さん、大船に乗ったつもりでまかせておいて」

めだか姫は嬉《うれ》しくなりました。もうこれで暇をもてあますみじめな日々とはおさらばできます。

「かたじけ《かっちけ》ねえ」

お仙は顔を輝かせて飛び上がりました。

「あ。忘れてた。兄《あん》ちゃんの一八のことも、ついででいいから調べておいてくれよな」

女忍者《くのいち》はそう言い残して、中間長屋の屋根から松の枝に飛び移って姿を消しました。

めだか姫の掌《てのひら》には、鶯笛《うぐいすぶえ》が乗っています。

「あたいに用のある時は、これを吹きな。一里がとこ離れていても駆けつけるからさ」

お仙はそう言って、この笛を渡してくれました。めだか姫は鶯笛を吹いたことがなかったので試し吹きをしたいのですが、今吹いたらお仙が戻ってきてしまいます。笛を懐《ふところ》におさめ、時羽直光の部屋へと向かいます。

冷飯若君の直光に、密約について尋ねようと思ったわけではありません。中間長屋の抜け穴に外から入る際、どうすれば天水桶《てんすいおけ》の底がはずれるのか教えてもらおうと思ったのです。これからあの抜け穴はたびたび用いることになりそうですから。

時羽直光は足の爪を切っている所でした。突然年下の姉が現れたのでつい手元が狂い、うらめしそうにこぼします。

「これは急なご入来《じゅらい》。おかげで深爪をしちまった」

ちょくちょく江戸の町に遊びに出ている直光は、少し伝法な言葉遣いも用います。

爪はいつも諏訪に切らせているめだか姫は、うらやましそうに言いました。

「まあ、それはよかったこと。わたくし、いちどでいいから深爪をしてみたいわ」

溜め息をついた直光は、膝をあらためます。

「時に、なんのご用です。まさか、また外に遊びに行くのではございますまいな。あの抜け穴を、そうそう使っては困ります。わたし自身、月に三度しか使わぬと決めておりまして。たびたび用いて余の者に知れては困りますからね」

（なにさ。勝手に勘違いして、わたくしを藩邸の外に連れ出したあげく置き去りにしたくせに）

めだか姫は中《ちゅう》っ腹《ぱら》になりましたが、怒りをこらえて天水桶の仕掛けについて教えを請《こ》います。

「おや。お教えしませんでしたかな。箸《はし》を一本持っておればよいのです」

天水桶の横にうがたれた小さな穴に箸の先を突っ込めば、桶底を止めてある細工がはずれ、はね戸のように開くのだそうです。

「ずいぶん手の込んだ仕掛けですのね。あの抜け穴は、そもそもなぜあのような所に、なんのために作ってあるのですか」

直光は事も無げに答えました。

抜け穴の由来を語り始めました。

暇をもてあましていた時羽直光は、講釈師よろしく扇子を膝《ひざ》に立て、風見藩上屋敷

「忠臣蔵……赤穂《あこう》義士の敵討《かたきう》ちですか。それがどうこのお屋敷とつながりますの」

「なに、忠臣蔵でござるよ」

今を去ること六十余年前、すなわち元禄《げんろく》十五年師走《しわす》。江戸の町は赤穂四十七士の義挙に沸き返りました。そして、なにかと心配性の風見藩主は、こう考えたのでした。

（高家吉良《こうけきら》殿は、炭小屋に隠れおりし所を赤穂の浪人に見つかって首打たれたそうな。なんとも不用心。藩邸は城も同然、抜け穴くらい作っておくのが武士の心得というものだ。さすれば吉良もなかなか討たれまいに）

それを言うなら「雉《きじ》も鳴かずば打たれまい」だし、こういう場合に使う言葉ではないのですが、そこは高貴のお生まれ、細かいことは気にしません。

ともかく殿さまは、江戸留守居役を呼び、こう尋ねました。

「これ、わが藩邸の抜け穴はいずくにありや。教えておいてくれねば、危急の際に用をなさぬではないか」

江戸留守居役は、殿さまが何を言い出したのかわかりませんでした。さりげなく鎌《かま》

をかけ、ようよう真意を探り当てると、せき払いをひとつして答えました。

「ああ、殿のおっしゃるのはその抜け穴でございましたか。いや、拙者ちと勘違いいたしまして、また別の抜け穴のことかと……」

抜け穴に、その抜け穴も別の抜け穴もありませんが、そう言いながら留守居役は、言い訳を考えていたのです。「抜け穴なんぞございません」と本当のことを言ったら職務怠慢で責められるような気がしたからです。

「いや、抜け穴でしたら、つい先日までは確かにありました。しかし殿、考えてもござりませ。抜け穴なるものは、藩邸の中から逃げるには大層重宝《ちょうほう》ですが、外から藩邸に侵入する通路として逆用される場合もございますぞ」

殿さまは「ううむ」とうなりました。確かに一理あります。

吉良邸に抜け穴があれば、上野介《こうずけのすけ》は無事に逃げおおせていたかもしれません。しかし、大石内蔵助《くらのすけ》がその存在を知っていた場合はどうだったでしょう。山鹿流《やまがりゅう》の陣太鼓を鳴らしながら門を大槌《おおづち》や掛矢で破る、なんて荒っぽい真似《まね》をせずに、抜け穴から密《ひそ》かに侵入し、藩邸内の警護の藩士に気づかれずに眠っている吉良の首をやすやすと討ち取っていたに違いありません。

留守居役は胸をそらせて宣言しました。

「じゃによって、抜け穴はつい先日塞《ふさ》いでしまいました。そもそも、あの抜け穴からはどぶ鼠《ねずみ》がたびたび侵入し、蔵の米を食い荒らして困っておりましたものですから」

殿さまの頭の中で天秤《てんびん》が揺れました。おのが命を守るべきか、鼠の糞《ふん》まじりの米を食わされる危険をおかすべきか。

雄々しく決断した殿さまは、留守居役にこうお命じになりました。

「しからば、内からは逃げられるが、外からは鼠一匹通れぬ抜け穴を作るがよい。できしだい、ありかを予のみに告げよ。他にだれ一人、所在を知る者がないようにするのだぞ」


めだか姫は思わず叫びました。

「そんなことできっこないわ」

講釈を中断された時羽直光は、むっとして尋ねます。

「なにができぬのです」

「殿さましか知らない抜け穴だなんて。だってそうでしょう。抜け穴を作った大工さんは、ありかを知っているのですから」

直光は不気味な笑みを作り、陰々滅々とした声音で言います。

「古来より、城の抜け穴を作った大工は人柱とされるのが定めでござってな」

めだか姫は息を呑《の》みました。

「なんとむごい。そのようなことで人の命を……」

昨日あの抜け穴を通った時、大工の亡霊に見られていた……そう思っただけで肌に粟《あわ》が生じます。

直光は作り顔をほどき、疑うことを知らぬ姉に、世間は銭金で成り立っているのだと教えてやりました。

「ご安心なさい。戦国の世ではあるまいし。おおかた、大工には金をやって口止めしたのでしょう」

「まあ、よかった」

心やさしい姫君は胸をなでおろしました。

「だから抜け穴のありかは代々の殿さまとご家族しかご存じない、そうおっしゃるのね」

直光は苦笑いします。

「それが、その殿さま……つまり、兄上の先々々代の藩主ですが、突然亡《な》くなりましてね。先々代の光猶院《こうゆういん》さまに抜け穴のありかを申し送る折りがなかったのです」

「んまあ」

「以後、抜け穴があるという噂《うわさ》はあったのですが、その場所を知る者はおりませんでした。留守居役も申し送りするのを忘れたようで。しかーし。わしはなにしろ暇ですからな。あちこち捜し、ようよう見つけました。中間《ちゅうげん》長屋に床の間があるのはおかしい、そうぴんときたものですから」

「なんとなんと、素晴らしく働く頭《おつむ》をお持ちなのね」

めだか姫は直光の炯眼《けいがん》に感服することしきりです。

直光は得意げに胸を張りました。

「えへん。まあ。これでわしは、ここ江戸上屋敷の六不思議《ろくふしぎ》のひとつを解いたことになります。『抜け穴はありやなしや』という」

めだか姫は正座したまま三寸ほど宙に飛び上がりました。

「六不思議ですって」

今日の洗濯を終えて戻った諏訪は、珍しく文机《ふづくえ》に向かっているめだか姫が、まなじりを決して筆を走らせているのを見て、思わず声を発しました。

「姫さま、なりませぬッ」

諏訪は、姫が父君に離縁の許しを請おうとしていると勘違いしたのです。

「今日洗わねば明日履く足袋もないお暮らし、かような貧乏大名にお輿入《こしい》れあそばされ、さぞお辛《つろ》うございましょう。されど、親子は一世夫婦は二世と申します。どうかご辛抱あそばされて……」

ここで諏訪は絶句しました。姫君が実家に戻ろうとするのは、このわたしの苦労を見るに忍びないと思ってのこと、さらにそう決めつけてしまったからです。

「まあ姫さま、なんておやさしい。諏訪の苦労をお気にかけてくださるなんて……」

老女は袖《そで》で顔をおおいました。

「諏訪が悪うございました。もう不服は申しません。洗濯が辛いなどと愚痴はこぼしません。今は夏ですからかえって気持ちがいいくらいですし、秋が過ぎて冬が来て、凍るような冷たい水になっても、諏訪は弱音は吐きません。……少しお湯を足したほうが汚れがよく落ちますし……」

決意表明をしているのだか、ずるの自白をしているのだか、自分でもわからなくなっています。

めだか姫は、やっと筆を止め、諏訪がなにやらごにょごにょ言っていたのに気づきました。

「おや諏訪。洗濯は終わったのですか」

「は、はい……」

「小朝にさせればよいのに」

気楽に言われて、諏訪はようよう判《わか》りました。姫さまが夢中になって書いていたのは、父君に救いを求める書状ではない、と。

諏訪はぷっと頬をふくらませました。

「小朝は今朝がたから姿が見えませぬ。いいえ、そもそも洗濯は小朝の役目でもないのです。もっとずーっと下の、ご実家ならばお末と呼ばれる端女《はしため》の役目です。こちらでは、腰元のすぐ下をお末と申しておりますけど。しかもこちらのお末ったら、直光さまと養泉院さまの洗い物で手一杯と申しまして、姫さまの汚れ物は洗おうとしませんん。どういうことでしょう。姫さまはご藩主さまのご正室さまでございましたわよねえ」

(「さま」の使い過ぎだわ)

そう頭の中で朱筆を入れながら、めだか姫は遮《さえぎ》りました。

「諏訪、ごらんなさい。これが風見藩上屋敷の六不思議なんですって」

めだか姫は直光から聞いた六不思議を、忘れぬうちに書き留めていたのです。

今泣いた諏訪はまだ笑わず、きょとんとした顔で尋ねました。

「姫さま、お言葉を返すようですが、それは七不思議の間違いではございませんか。六は六阿弥陀《ろくあみだ》、五ならば五大力《ごだいりき》……」

「ほかの藩ならば七不思議なんでしょうけど、この藩はなにしろ小さいでしょう。大藩に遠慮して六不思議にとどめてあるんですって」

さもありなんとうなずいた諏訪は、めだか姫が差し出した手控えを読みました。

風見藩上屋敷の六不思議

壱、「抜け穴はありやなしや」
弐、「中間長屋の幽霊」
参、「廊下の足音すがたは見えず」
四、「井戸底の簪《かんざし》」
五、「下《しも》は築地《つきじ》で在所が知れぬ」
六、「ろくは有れどもしちは無し」

「なんでございますの、意味の判らないことが書いてございますが」

めだか姫は意気揚々と胸を張ります。

「わかるはずないわよ。なんたって六不思議ですもの。だからわたくしが解き明かそうと思うの。なんとなんと胸が躍るようだわ」

壱番の「抜け穴はありやなしや」は時羽直光が解いてしまいましたが、謎《なぞ》はまだ五つも残っています。夫直重が来年この藩邸に戻るまでに、いくつの謎を解くことができるでしょうか。

また、風見磐内両藩が交わした密約についても探らねばなりませんし、ついででいいからお仙の兄の消息も調べる必要があります。

(一夜明けたら大忙しの身になったわ。さあ、何から手をつければいいかしら)

めだか姫は楽しくてしかたがありません。

「なりませぬッ」

叫んだ諏訪の額には、青筋が浮き出ていました。

「はしたない真似を遊ばしますな。姫さまはご藩主さまの……」

「ご正室さまです。はいはいわかっております」

うなずいては見せましたが、なあに、諏訪を懐柔させる手管《てくだ》には長《た》けております。

まずは上目遣《うわめづか》いで甘く囁《ささや》いて口説き始めました。

「でもね、めだかってば退屈なんだもの。そんな冷たいことといわないでさぁ。ね、いいでしょ、諏訪……諏訪ちゃん……お諏訪大明神さま……このとおり、拝みますう……」

「なりませぬッ。六不思議なぞ、らちもない」

江戸留守居役兼奥家老根黒久斎は、喉仏《のどぼとけ》を震わせて叫びました。

「そのようなくだらぬ噂に心を奪われるほどお暇ならば、習い事でも遊ばされませ」

(諏訪ったら、まったく口が軽いんだから)

心の中でぼやきつつ、めだか姫はぷいと横を向きました。

「これ以上なにを習えばよいの。生花《いけばな》は一志軒宗普《いっしけんそうふ》どのから古流《こりゅう》の免許をいただいたし、茶道ときたら千利休が墓から這《は》い出してきて、おへそで茶を沸かす、てなもんよ」

それに、お茶なら昨日、いやと言うほど汲《く》みました。

「女の道は茶花《さか》のみではございません。たとえば……たとえばその……えへん。養泉院さまにご相談して、なにか見繕っていただこう」

なにも思いつかなかったと見え、根黒久斎は先代藩主の未亡人のご威光にすがろうとします。

めだか姫は口をへの字に曲げました。

(あんたがなんと言おうと、わたくしは女庭訓《おんなていきん》に書いてない道を進むわ。すなわち、風見藩の隠密《おんみつ》になるのよ)

倉地政之助が幕府お庭番で、お仙がその手先の女忍者《くのいち》ならば、こっちは風見藩の隠し目付になってやるわ。めだか姫はそう決意したのです。倉地の手先を務める振りをして、逆に田沼意次が何を企《たくら》んでいるのか探ってやろう。いたずら好きの姫君の胸は、わくわくと躍っております。


さてその翌日。めだか姫は御対面の間に威儀を正して座り、習い事の師匠が挨拶《あいさつ》にくるのを待っていました。

威儀は正していますが、なにやら口の中でぶつぶつこぼしている様子、ひとつ耳を澄まして聞いてみましょう。

「養泉院さまったら、何をお考えなのかしら。ううん、習い事が嫌なんじゃないわ。手に職をつけておいて損はないものね」

この言葉はめだかが幼い頃、居室の棚を吊《つ》りにきた大工の老人から教わったものです。

「でも、今は密約だの六不思議だの、なにかと忙しくて習い事どころじゃないのに。それに、習うに事欠いて将棋はないでしょう、将棋は……」

　先代藩主の未亡人養泉院さまは、めだか姫が朝の挨拶に出向いた際、少しおどおどとした態度でこうおっしゃいました。

「めだかさまは習い事をなされたいとか。でしたら将棋を遊ばされませ」

　養泉院さまは、めだか姫が大藩から輿入《こしい》れしてきた嫁だからおどおどと接するのではありません。いつもなにかおじおじびくびくしている女性なのです。特に、何か決断を迫られると、顔は色を失い、卒倒せんばかりに体を震わせます。

　めだか姫は、いつか諏訪にこう言って大層叱《しか》られました。

「養泉院さまはご自分で何かなさったりお決めになられるのは苦手のご様子ね。『わらわはようせん』が口癖だとか。だからお名前も養泉院さまなのね」

　ともかく、その養泉院さまが、少しおどおどしているとはいえ習い事を将棋に決めたと言ったので、めだか姫は不審に思いました。

「ご自分でお決めになったのかしら。それに、よりにもよって将棋とはどういうことかしら」

めだか姫はそれが不思議で、その時養泉院さま附きの腰元たちが、目ひき袖ひき顔を赤らめてくすくす笑いをこらえているのに気がつきませんでした。

「将棋も囲碁も、ひと通り父上から伝授していただいたわ。もう父上とはいい勝負なんだから。これ以上将棋を習って、強くなったからってどうなるものでもないし」

御対面の間で将棋の師匠の到着を待っているめだか姫は、まだぶつぶつとこぼしています。

琴棋書画《きんきしょが》と申しまして、「棋」に当たる将棋と囲碁は、この頃の姫君にとって身に付けて当然の教養のひとつでした。琴や貝合わせとともに、囲碁の盤石《ばんせき》、将棋の盤駒《ばんこま》も、立派な嫁入り道具だったのです。

「こうなったら、ひとついじめてやりましょう。師匠の方から逃げ出したとなれば、養泉院さまだって文句の言いようがないでしょうし。晴れて自由の身になって、風見藩隠密として大活躍するのよ」

めだか姫、えらくそっくり返って将棋の師匠の到着を待ち構えております。

第四回

怪人の頬《ほお》が震える 歩《ふ》三兵《さんびょう》

「ああ、もうもうじれったい」

「しーっ」

「ねえ、まだおいでにならないの」

「お静かになさい」

「だって、まちきれないもの」

囁《ささや》き声が飛び交っているのは、風見藩上屋敷の表御殿と奥御殿をつなぐ廊下のつきあたりです。

反り返った羽目板を隠すために置かれた衝立《ついたて》の陰から、ひとつ、ふたつ、みっつと顔が覗《のぞ》きました。これは奥御殿の腰元たち、顔を上気させて、将棋の師匠の到来を待ち構えている所です。

「ねえ、その榊原拓磨《さかきばらたくま》さまって、本当にお美しい殿御なの」

「それはそれは。なんでも国許《くにもと》では、ひとめ見ただけで腰が砕けて三日寝込んだ娘がひきもきらなかったそうよ」

腰元たちが待っているのは、榊原拓磨という美貌《びぼう》の若武者らしゅうございます。はて、この男は一体何者なりや。

榊原拓磨は、国許で馬廻り役を勤める榊原鉄之進《てつのしん》の次男坊、すなわち冷飯食《ひやめしぐ》いでした。十六歳の拓磨は帰藩した時羽直重《なおしげ》に将棋の才を見出《みいだ》され、二年間の江戸留学を仰《おお》せつかりました。単身参府してきたのが五月、江戸留守居役兼奥家老の根黒久斎に挨《あい》拶《さつ》して、将棋家元伊藤宗印《いとうそういん》の屋敷に住み込み、ひたすら修業に打ち込む日々を過ごしております。

国許でも評判だった拓磨の凜々《りり》しい顔立ちは藩士の間で評判になり、その噂《うわさ》は奥御殿にまで届きました。

養泉院さまがめだか姫の習い事として将棋を選んだ裏には、腰元たちの強い推挙がありました。榊原拓磨は風見藩で一番将棋が強いのですから、めだか姫の師匠に選ばれることは間違いありません。そうなれば腰元たちも評判の拓磨の美貌を拝むことができます。

「でもさ、なぜ根黒さまに会われただけで、お裏さまと養泉院さまにご挨拶なさらなかったの」

「だって冷飯だもの。江戸で修業して六段になったら、将棋頭《がしら》として俸禄《ほうろく》をいただけるんですって」

「そんなことはどうでもいいわ。ああ、そのように美しい殿御なら、ぜひとも親しく言葉をかわしてみたいものだわ」

「どうにかして部屋でふたりきりになって……」

「なんとかして納戸《なんど》に連れ込んで……」

「力ずくで御蔵《おくら》に押し込めて……」

「あれ、もうもう」

「すうすう、はあはあ」

三人の腰元たちは息が荒くなってまいりました。

荒い息が聞こえてくるのは、衝立の陰からだけではありません。

来客を迎えるための御客様御仲番之間《おなかばんのま》に通じる廊下に面した各部屋の唐紙《からかみ》の隙間《すきま》から、自分の妄想に勝手に興奮して洩《も》らす妖《あや》しい吐息が漏れてまいります。奥御殿の腰元たちは、榊原拓磨の美貌を覗きみんものと総出で繰り出しているのです。

「き、きたわ……」

喉がつまったような囁き声がして、廊下中が静まり返りました。衝立の陰で、唐紙の隙間で、幾つもの濡《ぬ》れた瞳《ひとみ》が光を増し、桃色の視線は根黒久斎が案内してきた将棋の師匠に集中します。

その男の姿を捕らえるや、腰元たちの瞳は驚愕《きょうがく》のあまり満月のように丸くなりました。そして半開きとなった唇から、うめくような声が漏れます。

留守居役兼奥家老は、廊下を進むにつれて奇怪《きっかい》なうめき声が聞こえるので、背筋が寒くなりました。衝立はがたがたと揺れ、通り過ぎた部屋の唐紙はぶるぶると震えます。

「ま、まさかそんな」

「なにかの間違い……であってほしい……」

「ひどい……あんまりだわ」

なんだかそう聞こえる不気味な声に送られて、根黒久斎は御客様御仲番之間の唐紙に手をかけました。

唐紙が開いたので、めだか姫は居住まいを正しました。ところが、はいってきたのは諏訪《すわ》ただひとりです。

諏訪は御客様御仲番之間で将棋の師匠が来るのを待ち、ここ御対面之間まで案内してくるはずでした。いったい将棋の師匠はどうしたのでしょう。

それに、諏訪の様子が何だか変です。顔は真っ青、腰はふらふら、手は支えを求めるようにふわふわと宙をさまよっています。

そもそもこの諏訪、生まれ落ちた時から、いずれは姫君の守役《もりやく》にしようと親は考えておりまして、「すわ一大事」という時にお役に立つように「諏訪」と名付け、厳しく躾《しつ》けて育てました。少々の変事に動揺するようなやわな女ではないのです。その諏訪が、なにゆえこのように色を失っているのでしょう。

諏訪は崩れるように手をつき、思い詰めた表情で震える唇を開きました。

「あの、姫さま、大変申し上げにくうございますが」

「なあに」

「やっぱりやめにしましょう、将棋は」

めだか姫は驚きました。

「え。だって養泉院さまのお申しつけですよ」

諏訪は恨めしそうに横を向きました。

「それが……事情が少々変わりまして。いえ少しどころか、うーんと」

御客様御仲番之間で来客の到来を待ち兼ねていた諏訪は、根黒久斎が案内してきた将棋の師匠を見て、卒倒しそうになりました。

男は背丈こそ並ですが、下脹《しもぶく》れの顔に真ん丸な体。黒紋付の肩ははち切れそうですし、羽織の紐《ひも》は結ばずに垂れ下がっています。いえ、結ぼうったって、そもそも届きそうもないのです。後でわかったことですが、この羽織は男が師匠の伊藤宗印から借りてきたものでした。

「諏訪どの、これがお裏さまに将棋をご教授くださる天童小《てんどうこ》文五《ぶんご》どのじゃ。こう見えて六段の位をお持ちでな」

根黒の紹介を受けて、無造作に束ねたもじゃもじゃの総髪が少し前にかしぎました。どうやら会釈《えしゃく》をしたようです。

諏訪は驚きました。天童の挨拶がおざなりだったからではありません。頭が少し動いただけなのに、頬の肉がぷりんと大きく揺れたからです。

（お供え餅《もち》でも頬張っているかのよう）

濃い眉《まゆ》は八の字下がりに垂れ、小さな目が射抜くように諏訪を見つめています。

少し時代は下りますが、かの東洲斎《とうしゅうさい》写楽が寛政六年に出版した浮世絵に、大童山文《だいどうやまぶん》五郎《ごろう》という怪力の少年力士を描いた作品がございます。諏訪が見た天童小文五は、歳《とし》こそ二十代の終わりですが、容貌は大童山文五郎にうりふたつですので、興味がおありの方は博物館で写楽の浮世絵をごらんください。余計なお世話ですが、高価すぎて買うのは無理かと存じます。

さて、諏訪はあまりの驚きと失望に薄れ行く意識をなんとか持ち直そうと、自分の太股《ふともも》を鷲摑《わしづか》みにしました。

実は諏訪は、美貌の若武者、榊原拓磨と再会できると天にも昇る心持ちでいたのです。

再会。そう、諏訪は拓磨が江戸に到着し、藩邸に挨拶に訪れた際、その姿を見ていました。

その日、諏訪はめだか姫の待遇改善を要求するため、表御殿の根黒久斎の詰め部屋まで掛け合いに出かけました。

（まず、足袋を買わせねば。姫の足袋が二足しかないと知ったら、父君さまはこの藩邸に攻め寄せて火の海にしてしまわれることでしょう）

命まで賭《か》ける勢いで来た諏訪は、ちょうど根黒の詰め部屋を辞去した榊原拓磨と、顔と顔を見合わせてしまいました。

諏訪の膝《ひざ》はわなわなと震え、胸はどきどきと飛びださんばかりに脈打ちました。

拓磨の凜々しい美貌と涼しげなまなざしは、諏訪に生涯味わったことのない体のうずきを感じさせたのです。めだか姫のためにすべてを捧《ささ》げ、女であることを自ら認めまいとしていた諏訪の覚悟は、拓磨が慌《あわ》てて会釈をして消え去るとともに、雲の彼方《かなた》へと飛び去ってしまいました。

それからは、寝ては夢、起きてはうつつに、拓磨の幻影が瞼《まぶた》に浮かんで決して消えてくれません。

そんな自分を叱咤《しった》し、なんとか拓磨を忘れようとしていた折りも折り、めだか姫の習い事を養泉院さまが決めることになりました。

養泉院さま附きの腰元たちは、めだか姫になにを習わせればよいか決められずに悩む先代藩主の未亡人に、こぞって将棋を推奨しました。むろん、かねて噂の榊原拓磨をひとめ見たい一心で、です。

以上が諏訪が震える唇でめだか姫に語った、習い事が将棋に決まった経緯でした。

もちろん、自分も拓磨に魅せられてしまったことは隠し、腰元たちが拓磨に会いたいがゆえ、とのみ語ったのです。

「それは残念ですこと」

めだか姫は、なぜまた将棋か、との疑問が氷解し、笑みを浮かべました。拓磨の美貌を拝みたがっているのは諏訪も同じだろう、と看破してもいます。また、めだか姫自身、そのような美貌の若武者に会ってみたい、との思いもあります。会うだけならよい目の保養、夫に不貞を働くことにはなりませんし。

「よござんす。わたくしがその天童とやらを追い返せばよいのでしょう。さすれば榊原拓磨が将棋の師匠となり、皆も喜びますものね。さあ諏訪、天童どのをご案内なさい」

それに、習い事をしなくて済めば、風見藩隠密《おんみつ》として働く時間が増えます。

諏訪は目を輝かすかと思いきや、いまいましげに首を振りました。

「それが、誠にもって不作法な男でございまして。師匠が弟子に挨拶に行くという法はない、弟子の方から挨拶にこいと申すのです」

めだか姫は意気軒昂《けんこう》、かような不作法者はきつくこらしめてやらねばならぬ、と天童小文五の待つ客間に向かいました。

廊下には腰元たちが鈴生《すずな》りに集まり、唐紙の隙間から客間を覗き込んでいました。

「あれは人か、はたまた肉の山か……」

「ほんに、両国の見世物小屋にでも出ていそうな……」

「あれ、饅頭《まんじゅう》が見る見る消えてゆく……」

怖い物見たさで再び集まったようです。

「えへん」

諏訪が咳払《せきばら》いすると、腰元たちは箒《ほうき》で叩《たた》かれた御器齧《ごきかぶ》りの群れのように散り消えました。

めだか姫が客間に入ると、天童小文五は将棋盤を前に座り、頬の肉を揺り動かしながら饅頭を食べていました。めだか姫が座る間に、横の三方《さんぼう》に三つほど残っていた饅頭を懐紙に包んで懐《ふところ》にねじ込み、茶を啜《すす》って満足げに「ふう」と息を吐きます。

「めだかじゃ。よろしゅう」

「天童小文五。つまらぬ役をおおせつかった」

うんざりと言われて、めだか姫はかっとしました。

「こっちはもっとつまりません」

小文五の頬がぷるんと震えました。皮肉な笑みを洩らしたのです。

「あいにくですが、榊原拓磨は修業に打ち込まねばなりませんのでな。姫君の暇潰《ひまつぶ》しにつきあってはいられません」

どうやらすべてお見通しのようです。いえ、きっとお見通しなのは将棋家元の伊藤宗印なのでしょう。十六歳の美少年を女だけの伏魔殿《ふくまでん》に送り込むわけにはいきません。その点、この天童小文五ならばなんの心配もいらぬと考えたのです。

（姫君の暇潰しで悪うござんしたね。みてらっしゃい。すぐにぎゃふんと言わせてやるから）

めだか姫はこんなもっさりとした男、簡単に追い返せるわと思いました。どう見ても頭の回転が速いとは思えません。

「無駄口は時間の無駄。とりあえず一局指しましょう」

天童は太くて短い指を器用に動かして、錦織《にしきおり》の駒袋《こまぶくろ》から駒を振り出し、将棋盤に並べはじめました。

ぱちりと王将を打ち据えた時。天童小文五は「おや」と首をひねり、それまで気にも留めていなかった将棋盤を、上から横から検《あらた》めます。

この将棋盤はめだか姫が嫁入り道具として持参した数少ない品のひとつで、厚さこそ四寸と姫君の背丈に合わせて薄めですが、側面に磐内藩《ばんだいはん》名産の紅花が螺鈿《らでん》漆蒔絵《うるしまきえ》で描かれた逸品です。

天童小文五は小首をかしげ、二度三度と王将を打ち据えて駒音を確かめます。

「どうかなさいまして」

天童は小さな目をしばたかせて問い返しました。

「これは本榧《ほんかや》の盤ですな」

「そう聞いております」

「そして、駒は黄楊《つげ》虎斑《とらふ》漆盛り上げ。ふうむ。これは驚いた」

「……なにを驚いておいでなの」

「……いえ別に」

（ふん）

めだか姫は、五十万石の姫君の嫁入り道具とはいえ、あまりに盤駒が立派なので驚いたのだろう、と思いました。

「あなたにこの盤の本当の価値が判《わか》るのかしら」

姫君は鼻の脇《わき》に意地悪皺《じわ》を寄せて侮蔑《ぶべつ》します。

天童小文五は知らぬ顔で、何事もなかったかのように残りの駒を並べ終えました。

めだか姫は将棋を指すのは久し振りでしたので、飛車と角はどっちがどの位置だったか少々悩み、天童が並べた駒の左右を逆にすればいいのだ、と盗み見ながら並べました。

天童は一度置いた飛車と角を駒袋に戻しました。

めだか姫は父の西条綱道とは平手《ひらて》でしたが、駒落ちという強い方がいくつかの駒を使わない対戦方法があると、知識だけはありました。

(飛車角落《にまい》ちの手合いね。まあそんな所《とこ》でしょう。なんたって、そっちは六段なんだから)

天童は八の字眉をぴくともさせず、香車《きょうす》と桂馬《けいま》も駒袋に戻します。

(ずいぶんと舐《な》められたものね。ようし、ぎゃふんと言わせてやるわ)

父とはいい勝負だっためだか姫、いくら相手が六段でも、これなら勝てると自信満々です。

天童は頬の肉を揺らしもせず、金将と銀将を駒袋に戻しました。

(なんですって。これじゃ、王将と歩兵《ふひょう》だけじゃないの。人を馬鹿《ばか》にするにもほどがあるわ)

めだか姫の頭に血が昇りました。

天童はふっくらとした掌《てのひら》に九枚の歩兵を握り込み、うち三枚の歩を駒台に置くと、残りの六枚は駒袋にしまいました。

（………）

めだか姫は声が出ないどころか、頭の中に一文字も浮かびません。

天童小文五の陣地には、王将がぽつんと置いてあるだけで、あとはまったく駒がないのです。駒台の上に歩が三枚、戦力としてはそれだけしかありません。

（これでどうやって戦うというの）

天童はもじゃもじゃの総髪を傾けて会釈し、対局開始の意思表示をしました。駒落ち将棋は上手《うわて》、すなわち駒を落とした方が先手です。

姫君が慌てて会釈を返すと、天童は駒台の歩を摘《つま》み、めだか陣の角の上にある歩の頭に、無造作に置きました。

（なにこれ。ただじゃないの）

いま打たれた歩を、めだか姫は無条件で取ることができます。たった三枚しかない歩のうちの一枚をただでくれるなんて、天童はなんて気前がいいのでしょう。

（もしかして、歩を打つ場所を間違えたのかしら。でもいいわ。待ったなしですからね）

めだか姫の白魚のような指は瞬速の勢いで伸び、天童がいま打った歩を取って、自分の角頭《かくとう》の歩を進めました。

「はあ……」

天童小文五は溜《た》め息ともあくびともつかない息を洩《も》らし、いま空いたばかりのめだか姫の角の頭に、駒台にあった二枚目の歩を打ちました。

「きゃ……」

姫君は背筋に氷柱《つらら》を差し込まれたかのようにのけぞりました。

角の頭に歩を打たれてみると、角は前に進めないので、この歩を取ることができません。逃げようとしても、両方の斜め前には自分の歩があるし、斜め後ろにも香車と銀将があるので動けません。

このままでは、一番価値の低い駒である歩兵に、軍勢でいえば副将の位にある角が寝首を掻《か》かれてしまいます。

「ひ、卑怯《ひきよう》だわ」

ついめだか姫は口走りました。天童は冷たく返します。

「こんな手、子供だって食わないよ」

実は最初に天童が打った歩は、ただと見せかけた罠《わな》でした。角の弱点である頭を露出させるための犠牲だったのです。

そもそも「歩三兵《ふさんぴよう》」と呼ばれるこの駒落ちの手合いそのものが、下手《したて》、すなわち将棋の教授を受ける側が、どの程度将棋の知識を持っているかを試すためのものなのです。

一見ただに思える歩だが、それを取ると角の弱点が露出し、次に歩を打たれると角が取られてしまう。

敵がこの手を指した。自分がこう対応する。すると相手は次にこう指す（または、自分がこう指すと相手はこう対応するだろうから、自分は次にこう指せば良い）。これを「三手の読み」といい、将棋はこのような思考方法を連続させることによって成り立っているのです。

つまり、めだか姫は最初に打たれた歩が犠牲打であると看破し、その歩を取るのではなくて、角の頭を守る手段を講じるべきだったのです。例えば、角の右下にある銀を直進させるなどして。

「歩三兵」の罠にひっかかる初心者は、三手の読みができていないこと、それぞれの駒の特性（長所と弱点）を理解していないこと、そして守備が重要であることの三点を思い知らされます。

まあ、角を取られても、彼我の勢力の差は依然としてとても大きいのです。しかし初心者は角を取られたという一大事に、頭はくらくら胸はひくひく、自分のおかした大失態ばかりが重くのしかかり、ますます指し手は混乱します。

この時のめだか姫もそうでした。取られた角を自陣に打ち込まれ、その成り角で次々に駒を取られ、まるで天童に協力して自分の王将を危地に追いやっているかのよう。いくばくもなく姫君の王将は詰まされてしまいました。

天童小文五は深くうなだれているめだか姫を見て、小さな目をしばたいています。

（少々やりすぎたかな）

めだか姫が顔をあげた時、その目は尊敬のまなざしで天童を見つめておりました。そして明るく叫んだのです。

「負けました。あなたったら、すごいわ。お強いのね」

天童小文五は、この奇妙な姫君の純朴さに、思わず微笑《ほほえ》みました。

とかく将棋に負けた者は、口惜《くや》しさで不機嫌になりがちです。また、天童のように将棋を生業《なりわい》としている者は、負けてもその口惜しさを表情にあらわさない訓練を積んでいます。

このように負かした相手から賛嘆の声を掛けられたのは、天童にとって初めての経験でした。

微笑んだ天童小文五の頬の肉が、ぷりんと揺れました。

「どうも、困ったことになったわ」

その夜、暑さに眠れぬめだか姫はこうつぶやきました。

追い返そうと思っていた将棋の師匠、天童小文五がなんだか気に入ってしまったのです。天童は三日に一度、指南にくると言い残して去りました。

（将棋も案外面白そうだし。ますますもって大忙しになりそう）

つい数日前までは退屈で困っていたほどなのに、今のめだか姫はなにから手をつければよいのやら困るほど、やらねばならぬことがたくさんあります。

（とりあえず、六不思議から解いていきましょう）

風見藩と磐内藩が交わした密約の内容を知るには、まず風見藩の内情を知らねばなりません。上屋敷の六不思議を解いていくうちに磐内藩との接点が見えてくるのではないか、めだか姫はそう考えました。

（ええっと、壱番の「抜け穴はありやなしや」は直光《なおみつ》さまが解いてしまわれたのね。弐番はなんだったかしら）

めだか姫はむくりと起き上がりました。思い出したのです。弐番は「中間《ちゅうげん》長屋の幽霊」でした。

(幽霊といえば、今が旬《しゅん》の季節だわ。中間長屋ってのは、あの荒れ果てた長屋のことね)

抜け穴のある中間長屋があんなに人気《ひとけ》がなかったのは、幽霊が出るからに違いありません。恐れた中間たちは、表御殿の周りにある長屋の方に、みんな移り住んでしまったのでしょう。

磐内藩の中間長屋は、表御殿の周りにも奥御殿の周りにも数多くありましたが、すべてふさがっていました。藩主の登城はもちろん、姫君や奥女中の外出、そして数多い役付きの藩士の外出にも、若党中間が供についてゆかねばならぬからです。

風見藩は江戸藩邸の藩士の数が少ないので、中間も少なくて済みます。表御殿にある中間長屋で充分収容できるとなれば、幽霊の出る奥御殿の長屋はさびれて当然です。

「ひとつ偵察に行きましょう。どうせ眠れないのだし」

めだか姫はそうひとりごちて蚊帳《かや》から這《は》いずり出ました。いよいよ隠密《おんみつ》としての初仕事です。

夏ですので雨戸が閉まっているわけでもなく、抜け出すのはたやすいこと、はだしで庭に忍び出ます。

(足袋を履いたら、明日履く分がなくなってしまうものね)

めだか姫も少しは二万五千石の生活に慣れてきたようです。

あいにくの新月、夜の闇《やみ》はめだかの想像以上に深く濃く、なんだか息苦しさを感じるほど。もう少しで番所の板壁におでこをぶつけてしまう所でした。

(ここから築地《ついじ》の角を曲がるのね……)

手探りで進み、ようよう奥御殿と中間長屋を隔てる内塀に触れためだか姫は、ほっと息を吐いて……いえ、安堵《あんど》の息を吐こうとした所で、その息を胸一杯に吸い込んで立ちすくんでしまいました。

行く手の闇に、黄金色の吊《つ》り上がった目が不気味に光っているではありませんか。

(で、でた……)

背筋にも乳房の谷間にも、冷たい汗が筋をなして流れはじめました。

めだか姫は「うらめしや」の声がしないうちに、南無阿弥陀仏《なむあみだぶつ》か南無妙法蓮華経《なむみようほうれんげきよう》を唱えようとしましたが、ふと思いました。この目は人のものではなく、獣の目のようです。ずいぶん低い位置にありますし。すなわち、これは幽霊ではなく、妖怪変化《ようかいへんげ》の類《たぐい》です。

(妖怪変化は仏陀の教えを信じてたかしら)

唐《から》から飛び来《きた》った金毛九尾《きんもうきゆうび》の狐《きつね》は、誰がどうやって退治したんだっけ。とっさに思い出せずにいたその時です。

妖怪変化が啼《な》きました。

「にゃあご」

めだか姫は気が抜けて、大きく息を吐きました。

「おどかさないでよ、ココじゃないの。悪い子ね。おまえ、こんな所で夜遊びをしていたの」

叱《しか》られた三毛猫は、「ふーご」と不満そうな鼻息を洩らして、闇の中に消えてゆきました。

新米の隠密は胸を撫《な》で下ろし、ゆるゆると歩を進めます。すると、はだしの足の裏が、ぐにゃりと生暖かい物を踏みました。

めだか姫はうんざりと目を閉じました。ココが狩った獲物を踏んだのです。目を閉じたのは、何を踏んだか見たくないがため。まあ、どのみち目を開けていても、この闇ではしゃがみこんで目を近づけねば見えませんが。

(これが鼠《ねずみ》ならば、ココは晴れてネコと呼ばれる身となるけれど。なんとしても、いま踏んでいるのは死んだ鼠であってほしくない……)

見るべきか見ざるべきか。忠たらんと欲すれば孝ならず。そんな言葉が脳裏に浮かびました。多分、鼠からチュウという連想でしょう。

めだか姫は何も踏まなかったのだと自分に言い聞かせて、さりげなく内塀に足の裏をこすりつけて拭《ぬぐ》い、角を曲がりました。

そして今度こそ、本当に立ちすくみました。抜け穴のある部屋の二階の窓に、明かりが灯《とも》っています。あれは明かりでしょうか。幾本もの蠟燭《ろうそく》のともしびが揺れているようにも見えますし、人魂《ひとだま》がゆらゆらと動きはじめているようにも思われます。

めだか姫はごくりと唾《つば》を飲み、震える足を一歩二歩と進めました。

「ほう……ほう……ほほう……」

鳥とも獣ともつかぬ、不気味な啼き声が夜の静寂《しじま》を破ります。

（ぬ、鵺《ぬえ》だわ）

鵺は声こそトラツグミの声に似ていますが、頭は猿、胴は狸《たぬき》、尾は蛇、手足は虎《とら》という恐ろしい怪物です。さすがのめだか姫も、もう逃げようか、そう思いました。

鵺は退治できないわけではありません。はるか昔、源頼政《みなもとのよりまさ》が紫宸殿《ししんでん》の屋根にいた鵺を射殺した例があります。しかし。

源頼政が好きで、いろいろと調べたことのあるめだか姫は知っていたのです。頼政が射た双箆矢《ふたつののや》は、伊予国《いよのくに》の山奥深くにある赤蔵《あぞ》ヶ池《いけ》の近くでしか採れない、特殊な竹で作った矢でした。

（諏訪に矢竹を取りに行かせようかしら。でも、そうしたら自分で洗濯をしなくちゃ。……とりあえず今夜は鴆をそっとしておいて、幽霊をひとめ見て帰りましょう。もともと偵察だけのつもりだったし）

鴆を刺激しないよう、忍び足で進みました。しかし、鴆は幽霊に「人間が来たぞ」と警告したようで、窓の奥でゆらめいていた人魂はにわかに動きを増し、おどろおどろと蠢《うごめ》きます。

めだか姫が中間長屋の戸口まで達した、その時です。

どんどんがらがら、がっしゃーん。

鍋釜《なべかま》長持がひっくり返るような音がして、長屋全体が揺れました。

立ちすくんだ姫君の目の前の戸口がするりと開きます。

そこからにゅっと突き出た顔は……。目は落ちくぼみ頬はこけ、頭髪はずるりと抜け落ち、唇の肉はただれ乱杭歯《らんぐいば》がむきだし。傷を負った落武者が水一滴ない谷間に落ちて飢え死にしたかのような、それはそれは恐ろしい顔でした。

心の臓が止まったかのように凍りついた姫君の襟首に、冷たい塊がぬるりと落ちてまいりました。その得体のしれない塊は、まるで生きているかのように、背筋に入り込もうとします。

「う、うーんッ」

あわれめだか姫、白目をむいて気絶し、熊《くま》に張り手をくらった朽ち木のようにぶっ倒れてしまいました。

第五回

鵺《ぬえ》が啼《な》き
人魂《ひとだま》は舞い
賽《さ》子《い》は鳴る

「化け物なんているわけないだろ」

お仙は笑い飛ばしました。時は翌日の昼下がり、所はめだか姫が化け物と顔を突き合わせ、気を失った中間《ちゅうげん》長屋の前です。

「ポーポケト」とめだか姫がお仙から貰《もら》った鶯笛《うぐいすぶえ》を吹き鳴らすと（吹いた経験がないので、妙な音色になったのです）天狗《てんぐ》娘はうんざり顔で舞い降りました。

「へたくそ。近くにいるときゃ、声で呼べよ」

めだか姫は風見藩の内情を知るために六不思議について調べはじめたところ、とんでもない化け物に出くわした、と昨夜の恐怖を体を震わせながら語りました。

お仙は馬鹿馬鹿《ばかばか》しいとあきれ顔です。

「だって、本当に出たんですもの」

「けどよ、それが本当に化け物なら、あんたとっくに喰われちまって、今ごろは化け物のうんこになっちゃってんじゃないの」

「まあ、お下劣な」

眉《まゆ》はひそめたものの、めだか姫も少々疑いを抱きはじめました。

今朝気がついてみると、寝所の蚊帳《かや》の中できちんと布団《ふとん》に横たわっていたのです。まさか妖怪《ようかい》が送り届けはすまいし、誰かが運んでくれたとしか思えません。そしてその人物は、めだか姫の寝所のありかを知っているのです。

化け物なんているわけない、と笑い飛ばしたお仙は、

「まあ一応、どうなってるか中を見てみようぜ」

と提案しました。

めだか姫がとんとんと戸の上を叩《たた》いている間、お仙は上を見あげていました。ちょうど真上が、めだかが人魂《ひとだま》を見たという二階の窓です。

「背中に冷たい塊が入ってきたのも、このあたりかい」

戸を開けためだか姫はうなずきます。

「そう。ここで化け物と顔をつきあわせたの」

めだか姫は恐る恐る長屋に足を踏み入れました。

するとどうでしょう。昨夜大暴れをしていた長持や鍋釜《なべかま》は元の場所におさまってい

ますし、畳の埃《ほこり》も少々乱れている程度、しんと静まり返って化け物の出た形跡はございません。

「夢でも見たんじゃないの」

めだか姫は、夢だったのかしら、と思いましたが、かまどの焚口《たきぐち》になにやら引っ掛かっているのに気づいて、声を張ります。

「お仙さん、これをごらんになって。化け物の髪の毛だわ」

それは黄色と茶色の混ざった、長い縮れ毛の束でした。

めだか姫は、これこそあの化け物のずるりと剝《む》けた頭皮から抜け落ちた毛髪であると断言しました。

「ね。夢じゃなかったでしょ。化け物は本当にいたのよ」

お仙は縮れ毛を手に取りました。ためつすがめつ、とみこうみ。しまいには指先で潰《つぶ》し、爪《つめ》で切って確かめると、不気味な声を作ります。

「めだか、正体がつかめたぜ」

「な、なんですの」

「あの化け物はな……」

「は、はい」

お仙は馬鹿馬鹿しいと言わんばかりに、めだか姫に縮れ毛を渡しました。

「蜀黍《もろこし》らしいや」

「もろこし……ですか、あの、食べるもろこし」

お仙は、食べるもろこしは植物の実であり、実の一つ一つからこのような髭《ひげ》が生えているのだ、と説明します。

めだか姫は感心しました。

「きっと、蜀黍も年を経ると化けるのね」

お仙は溜《た》め息をついて首を振った拍子に、戸の横に古びた長い板が立て掛けてあるのに気づきました。畳の上に置くと、ちょうど階段まで届くぐらいの長さです。

「二階を見てみようや」

お仙のつんつるてんの小袖《こそで》の裾《すそ》をつかんで、めだか姫は階段を上がります。

「こりゃ驚いた。どうも化け物はきれい好きらしいぜ」

六畳の二階部屋には畳に埃ひとつ落ちていません。

お仙は畳の上を這《は》いずり回り、そここに蠟《ろう》のしずくがこびりついているのを見て、ふむふむと頷《うなず》きます。押し入れを開け、中に薄汚れた白い布と籐《とう》で編んだ湯呑《ゆの》みのような物を見つけました。

ぽかんと見ていためだか姫に、お仙は得意げに宣言しました。

「六不思議の弐番、『中間長屋の幽霊』の謎《なぞ》は、あたいが解いたぜ」


その日の深夜、めだか姫は眠れぬままに体を転々とさせておりました。

ヒュッと小さな口笛がして、お仙の声が闇《やみ》の底に響きます。

「化け物のお出ましだぜ」

姫君はえたりと立上がり、夕方磨いておいた薙刀《なぎなた》を取ります。

「物騒なものは置いときな。第一《でえいち》、せめえ部屋ン中じゃ使えねえだろ」

隠密《おんみつ》きどりの姫君は、しぶしぶ薙刀を長押《なげし》に戻しました。

庭に忍び出ためだか姫は、黒い顔と手足、渋茶の小袖が闇に溶け込んでしまっているお仙に手を引かれ、番所を過ぎ築地《ついじ》を曲がり、内塀の端までたどりつきました。

「顔だけ出して長屋の二階を見てみな」

お仙が囁《ささや》くので、めだか姫は顔半分だけ出して片目で中間長屋の二階を見ました。

明かりがついてはいますが、昨夜とは違い、人魂のようにふらふらとはしておりません。

「連夜のお出ましたあ、律義《りちぎ》な化け物だよな。……さて、ゆっくり十《とお》数えてから出といで。二階の明かりをよく見てるんだよ」

お仙は闇の中に姿を消しました。

深呼吸しながら十まで数え、一歩踏み出した途端。

静寂を破り、鵺《ぬえ》の啼き声が響きました。

「ほ……ほう……むぎゅ……」

(今夜の鵺は威勢が悪いわ。夏風邪でもめされたのかしら)

そう思いながらも、めだか姫は二階の明かりから目を放しませんでした。

なにやら人が右往左往するような慌《あわ》ただしい気配とともに、いくつかの明かりが人魂のように宙を舞いはじめました。

「わかっただろ、鵺が啼くと人魂が飛ぶって寸法さ」

いつ戻ったのか、お仙が耳元で囁きました。

「ぬ、鵺は……」

「当て身を食らって伸びてるよ。ほら、向こうっ方《かた》に古井戸があるだろ。あすこの陰に隠れて、人が近づくと化け物に知らせてたのさ」

「井戸の陰に。ずいぶん小さな鵺ね。まだ子供なのかしら」

「稼ぎはなさそうな鵺だったからな。女房《にょうぼ》子供はいねえと見たぜ」

どういう意味かはわかりませんが、いよいよ化け物と対決する時が来たようです。

「さあ、まいりましょう」

「まあ待ちなって。少しいらいらさせてやろう」

お仙は塀にもたれて、かすかに口笛を吹きはじめました。めだか姫も唇を尖《とが》らせて息をそっと吹いてみましたが、音は出ません。まだまだ修業が必要なようです。

それから二十も数えないうちに、二階の人魂は飛ぶのをためらうようになり、やがては静まりました。

階下に人の気配がしたかと思うと、戸がおずおずと開き、恐ろしげな顔がぬっと突き出ました。二階の窓から漏れる不確かな光だけでは定かに確認できませんが、あれこそ昨夜でくわした、出来損ないの木乃伊《みいら》のような化け物に相違ありません。

顔をぬっと出したものの、「ぎゃっ」とも「すう」とも反応がないので、化け物は出番を間違えて揚げ幕から顔を出してしまい、花道に飛び出すことも引っ込むこともできずにいる役者のように中途半端《はんぱ》でいましたが、やがてその肩口に男の顔らしきものがのぞき、これまた中途半端な声を出します。

「へこ松……おい、へこ松。おめえ、さっき啼いたよな……」

どうやらへこ松というのは鵺の名前のようです。しかし鵺はお仙に当て身を食らって伸びており、返事はできません。

人の顔を背負った化け物は、しばらくへこ松へこ松と未練がましく呼びかけていましたが、やがて引っ込み、戸が閉まりました。

お仙はしゃがみ込むとカチカチと火打ち石を叩き、付け木に火をつけます。小さな蠟燭《ろうそく》をともすと、懐《ふところ》から出した折り畳み式の強盗提灯《がんどうぢょうちん》に立てました。外側が銅の丸枠でできているこの提灯は、皆さまがお使いになる懐中電灯のようなもの、それを向けた方向だけに光が当たり、相手からは所持している者の正体が見えないというすぐれ物です。

「さあて、行こうか」

めだか姫はごくりと唾《つば》を呑《の》んで頷きました。

長屋の戸を音も無く開いたお仙は、続いて入ってきためだか姫に、戸の横に置いてあった物体を強盗提灯で照らして見せました。

「んまあ。あの化け物だわ」

姫君の囁き声がずいぶんとがっかりしているのは、化け物の顔が張りぼてに泥絵具で彩色し、蜀黍の髭をはりつけたものだとわかったからです。その首を竹の先に刺し、ぼろぼろの古着を着せたありさまは、できの悪い案山子《かかし》でしかありません。

お仙は畳の上に渡してある板を渡って、階段に忍び寄ります。

ここに至って、めだか姫にもおぼろげながら真相が見えてまいりました。どうやら二階に人が集まって、なにか悪さをしているようです。畳に板が渡してあるのは、埃が乱れて、人がこの二階に出入りしていると知られぬためでしょう。

お仙は強盗提灯を吹き消すと、階段を上ります。続くめだか姫の耳に、カラカラと賽子《さいころ》が壺《つぼ》の中で鳴るような音が聞こえ、ポンと壺を伏せるような音が届きました。

「五《ぐ》だ」

「ちっ。五の連続《つら》ときやがった」

「あーあ、ついてねえぜ、まったく」

低く押し殺した、しかし興奮は抑えきれぬ声が飛び交います。

続いて聞こえた声に、姫君の耳はぴんと立ちました。

「親の搔《か》き目（総取り）か。これはありがたい」

（あ……あの声は、まさか……）

お仙は唐紙《からかみ》に手をかけて、いいかいと目顔で問います。めだか姫は力強く頷きました。

「火付《ひつけ》盗賊改めでい。てめえら、神妙にしやがれッ」

お仙は大音声《だいおんじょう》をあげて、賽子博打《ばくち》に夢中になっている男たちの真ん中に飛び込みました。めだか姫も夢中で続きます。

車座になっていた男たちは我がちに逃げ出そうとしましたが、皆みな女忍者《くのいち》の釣独楽《つりごま》を額に受けてうずくまります。

時羽直光《なおみつ》はさすがに武士、泰然自若として座っているように見えましたが……実は腰が抜けて、逃げようにも立ち上がれずにいたのでした。

めだか姫は呆然《ぼうぜん》と口を開けている義弟をきっと睨《にら》みました。

「直光さま、これは一体なんの騒ぎですの」

昨夜気を失っためだか姫が化け物に喰われもせず、今朝目覚めると寝所の蚊帳《かや》の中に五体無事で横たわっていたのは、時羽直光が抱きかかえて運んできたからだったのです。

「あ、姉上、実はこれには深いわけが……」

しどろもどろに弁明しようとした直光の言葉を小耳にはさんだお仙は驚きました。

「あねうえだって」

「直光さま、だからご忠告申したではありませんか。連夜の開帳は危険だ、と」

背後から小声で文句を言われた直光は、顔をしかめて言い返します。

「しかたないではないか。わしは早急に金が必要だったのだ」

内輪揉《も》めに、めだか姫が割って入りました。

「後ろはどなた。顔をお見せなさい」

直光の陰に隠れていた、羽織を着た小柄な武士が膝行《しっこう》して進み出ると、平伏します。

「お許しください、ご正室さま。すべてはこの横井秀作めの仕業にございます」

「ご正室さまだってェ」

お仙はすっとんきょうに叫びました。

背筋を伸ばして座るめだか姫はあたかも南町奉行のよう、首を垂れて居並ぶ時羽直光、横井秀作、そして中間《ちゅうげん》ども（もみあげを伸ばしたのや眉毛《まゆげ》を剃《そ》り落としたの、どうみても質《たち》の良くない手合いです）は、白洲《しらす》に引き据えられた罪人のよう。

お仙は片隅にあぐらをかき、めだか姫を横目で睨んでは「だましやがって」だの「だからお屋敷者は信用できねえ」だの、「いつも姫君の格好してやがって、おかしいと思ってたんだ」とぶつぶつこぼしております。

めだかが藩主時羽直重《なおしげ》の正室と知り、倉地政之助《まきのすけ》と自分の正体を明かしてしまったことを後悔しているのです。

めだか姫は吟味を始めました。

「六不思議の弐番、『中間長屋の幽霊』というのは、賽子博打に気づかれぬよう、人を寄せつけないための詐術《さじゅつ》だったのね」

「……はあ……まあ……」

もごもごと直光は自白に及びました。

見張りの鵺は当番制で、その合図を聞くや、蠟燭を手に持ち揺り動かして人魂《ひとだま》に見せていました。戸口まで来た者は張りぼての化け物で脅し、さらに二階の窓から糸で吊《つる》した蒟蒻《こんにゃく》を背筋に滑り込ませて気絶に追い込みます。張りぼては村芝居の小道具掛りに銭を払って手に入れたものでした。

「わたくしだったからよかったものの、本当にお役人にでも見つかったら、どうなさるおつもりでしたの。殿さまにも累《るい》が及ぶかもしれませんでしょ」

「はあ……ですが、兄上だって……」

「なんですの、はっきりおっしゃいな」

「兄上もご存じなのです」

「な、なんですって」

時羽直光は、この賭場《とば》が成立したいきさつを、伏し目がちに語りはじめました。

今を去ること五十年前、先々代藩主光猶院《こうゆういん》さまの御代《みよ》のことです。

とある中間が、空き家となっていたこの二階長屋に風を入れに来て、偶然裏通りへの抜け穴を見つけました。

博打好きのこの中間、これはしめたと悪い友人仲間を誘い、賭場を開帳します。

そもそもどこの藩でも、中間長屋はこういった博打に使われがちなのです。なにしろ藩邸は治外法権、町奉行の手入れを食う心配がありませんから。ただし藩邸の目付に見つかれば仕置を受けることになります。

さいわいここは人跡稀《じんせきまれ》な空き長屋、目付にみつかることもなく数か月が過ぎました。

ところが、光猶院の弟君と小姓が、今とちょうど同じ夏の夜、暑さしのぎの肝試しをしていて偶然賭場に足を踏み入れてしまいました。

貧乏藩の冷飯若君は、小遣い稼ぎのまたとない機会に出くわした、と喜びました。もちろん、自分が博打をするなどという損になりそうなことはいたしません。みずから胴元となり、場所代《しょばだい》こみで寺銭《てらせん》を取ることにしたのです。

こうして最初は冷飯若君の小遣い稼ぎでしたが、若君附きだった小姓が次第に出世して、ついには勘定役となった時、風見藩そのものが胴元として一枚嚙《か》むことになりました。

なにしろ風見藩は貧乏、江戸藩邸の運営にかかる費用にもことかくありさまです。在府の藩士を必要最小限に減らし、中間もなるべく雇わぬようにはしていますが、それでも二万五千石なりの格式は維持せねばなりません。

とある年の暮れのことです。他藩への祝儀《しゅうぎ》の金、それもたったの銀一枚なのですが、藩邸のすみずみまで探してもついに用立てることができません。小姓あがりの勘定役は若君にこれこれこういうわけと苦衷を打ち明け、寺銭の半分を藩の収入として回してもらうことにしました。

「こうして代々の冷飯は小遣いにありつけるようになりまして。いえ、冷飯だけではなく、兄上だって父が存命の頃は、小遣いとしてなにがしかを受け取っておったのです」

直光の言う父とは、先代藩主時羽直周《なおちか》です。直周には弟がいなかったので、寺銭は子供の直重と直光に回ってきたのです。

ここで横井秀作が涙ながらに訴えました。横井は風見藩江戸上屋敷の財布の紐《ひも》を握る勘定役で、寺銭をごまかされぬよう、直光とともに監視していました。

「お裏さま、ひとつここは見て見ぬ振りをしてはいただけませんか。寺銭がなくなったら、その分をどう捻出《ねんしゅつ》すればよいか。勘定役横井秀作、とてもそんな知恵はございませぬ。なにとぞ、なにとぞッ」

横井が畳に頭をこすりつけると、小鬢《こびん》に稲妻形の剃りこみを入れた中間どもの兄貴株も揉み手をします。

「へへ、ご正室さまですってね。お初にお目にかかりやす。まあ、あっしらはこちらの中間ではございやせんので、お目にかかる折りはねえわけだが」

この中間どもは他藩の雇人で、例の抜け穴から藩邸に出入りしていました。六不思議の壱番は「抜け穴はありやなしや」でしたが、ありやなしやどころか、ずいぶん多くの者に存在が知られているようです。

「ともかくお裏さま、賽子博打《ちょぼいち》はあっしら中間のうさ晴らし、そう大きな銭が動くわけでなし、斬《き》ったはったの騒ぎを起こしてお家にご迷惑もかけやせん。ひとつここは……おいてめえら、狭《せ》え金魚鉢に詰め込まれた鮒《ふな》みてえに口ぱくぱくしてねえで、頭さげろい」

中間どもは柄の悪さを競う髷《まげ》の品評会のように、めだか姫に頭の天辺《てっぺん》を向けます。

「……ひどいわ……」

めだか姫がそう呟《つぶや》いたので、一同奇妙な顔で見ますと。

「直光さまひどいわ。こんな楽しみがあるのなら、どうしてめだかに教えてくださらなかったの。ちょぼいちですって。なんだか双六《すごろく》よりも面白そう」

一同はのけぞりました。なんとものんきな姫君です。

「おいおいやる気かよ、冗談じゃねえ。博打は銭のある奴《やつ》が勝つに決まってんだ。五十万石が後ろに控えてるんなら、負けるわきゃねえや」

お仙は小声で吐き捨てました。

「それはともかく。では、六不思議の壱番の『抜け穴はありやなしや』も、弐番の『中間長屋の幽霊』も、不思議でもなんでもなかったのね」

めだか姫は大いに落胆した様子です。

抜け穴は冷飯若君と勘定役が代々申し送りをして、そのありかを伝えていたでしょうし、幽霊は博打場に近づく者をおどかすための詐術でした。

「直光さま。わたくしとても感心したのよ。あなたが中間長屋に床の間があるのはおかしいと思って抜け穴を見つけた、そうおっしゃった時」

めだか姫にはもう博打開帳はどうでもよく、直光にだまされていたことの方が大問題なのです。六不思議の解明は、大きな楽しみになっていましたから。

「申し訳ありません。ついその、自分の知恵のように言って誇ってしまいまして」

直光があやまると、めだか姫はせきこんで尋ねます。

「まさか、参番から六番も、実は不思議でもなんでもない、なんておっしゃるんじゃありますまいね」

直光は指を折りながら首をかしげます。

「参番の『廊下の足音すがたは見えず』、これは藩の者ならば意味は明白ですが、また姉上にはわかっていただけますまい。四番の『井戸底の簪《かんざし》』、そして五番の『下《しも》は築地《つきじ》で在所が知れぬ』、これは真の不思議……」

「もう結構です。聞きたくありません」

めだか姫は耳をふさぎました。これ以上講釈好きな直光の解説を聞いていると、不思議がどんどん不思議でなくなっていくような気がしたのです。

壱番は直光の導きで抜け穴のありかを知り、弐番はお仙に解かれてしまいましたが、参番以降は必ず自分が解いてみせる、そう心に誓ってめだか姫は立上がりました。

「それでは、お遊びをお続けなさい。わたくし、眠くなりました」

さて、その翌日。天童小文五は客間に座り、饅頭《まんじゅう》を食べておりました。八の字さがりの眉がひくひくしているのは、部屋の隅に八人の腰元たちが座り、こちらをじっと見ているからです。

そのありさまは、あたかも珍奇な動物でも見物しているかのよう。

「また食べたわ」

「頬の肉がぷりぷり動いて」

「吉宗《よしむね》公の御代に渡来した象という生き物は、きっとあんなだったに違いないわ」

ひそひそこそこそ鼠鳴《ねずな》きをされ、居心地の悪いのなんのって。

（無礼な女どもだ。人を人とも思っておらん）

やがて唐紙が開いて、諏訪《すわ》とめだか姫が入ってまいりました。

腰元たちは反対側の唐紙から押し出された心太《ところてん》のように逃げ出します。

「お待たせしました。では、はじめましょう」

めだか姫は着座したものの、なにやら前にぽっかりと空間があるので、とまどっています。

「あら、前がさびしいはずだわ」

将棋盤と駒《こま》がありません。天童からにらめっこの指南を受けるのではないので、から手で顔を突き合わせていても始まりません。

「諏訪、盤と駒を」

諏訪は首をひねります。

「わたくし、ちゃんとしつらえておきましたが」

「わしが参じた時はありませんでした」

天童の証言を聞いた諏訪は、色を失いました。

「まあ大変。まさか盗まれたのでは。どういたしましょう姫さま。大殿さまにお作りいただいた高価な盤ですのに……」

「盗まれたとはかぎりますまい。そこらを探してごらんなさい」

めだか姫はのほほんと命じました。


諏訪は腰元たちに聞いて回りましたが、誰も将棋盤を見たものはおりません。誰か藩士が持って行ったのでは、と表御殿に偵察に赴きました。

「おかしいわねえ。将棋の盤なぞ盗んで、どうするつもりでしょう」

首をかしげるめだか姫に、天童小文五は小さな目をしばたかせながら言いました。

「漆蒔絵《うるしまきえ》の大名道具、売ればいい金になりましょう」

「まさかそのような。そりゃ確かにこの藩は貧乏ですが、貧乏藩の藩士とはいえ武士のはしくれ。盗品を売って金を得るなどと、さもしい真似《まね》をするはずがございませんし」

めだか姫はきっぱりと否定しました。

「となれば、将棋盤の中に隠されていた物が目当てとなりますな」

「なんですって」

「あの盤は中が空洞、隠し物入れになっていると見ました」

天童はめだか姫を「歩三兵《ふさんぴよう》」で粉砕した折りに、将棋盤に駒を打ちつけて奇妙に感じました。四寸の将棋盤に黄楊《つげ》の駒を打てば、それは冴《さ》えた駒音がするものです。しかし、これまで幾多の銘盤名駒《めいく》を用いてきた小文五の耳は微妙な音の違いを聞き分け、指先は駒から返ってくる手応《てごた》えの違いを感じ取っていたのです。

そしてあの時。「盤は本榧《ほんかや》か」と聞かれためだか姫は、「あなたにこの盤の本当の価値が判《わか》るかしら」と答えました。

その言葉で天童は謎《なぞ》を解いたのです。この将棋盤は中がくりぬかれ、大切な物を隠せるようになっているのだ、と。

しかし、将棋一途《いちず》の天童にとって、盤は盤でしかありません。秘密に気づいた、などと誇ってもせんないこと、知らぬ振りをしました。

図星を指されためだか姫は、目を丸くしております。確かに、あの盤は中に秘密の宝物が隠せるよう、めだか自身が特別に指示して作らせたものでした。

「まあまあ、すごいわ天童さま。駒音ひとつで盤の秘密を聞き分けるなんて」

めだか姫はぱちぱちと拍手しました。

こうまで素直に称賛されると、なんとも照れくさくてなりません。天童はこめかみを掻《か》きながら尋ねます。

「なにか盗まれるような物が隠されていたのですか、あの盤に」

「いいえ、何も。このめだか、夫に隠さねばならぬ物なぞございませんもの。ほんのいたずらで職人に命じて物入れを作らせただけ。そもそも、隠し物入れになっていると夫に教えてしまいましたし」

めだか姫は一度だけ時羽直重と将棋を指しました。しかし、どちらもへぼ将棋、いつまでたっても敵の王将を詰ますことができません。二人は大笑いして引き分けにしました。その折りに、この将棋盤は隠し物入れに使えると教え、こう言ったのです。

「なにか大切な品があれば、入れていただいてよくってよ。めだかの物は殿の物。ご自由にお使いくださいな」

それっきり中を検《あらた》めてはいませんが、直重が何か入れたとは思えません。

「すると、やはり金が目当てと見えますな」

めだか姫の胸に、黒い疑惑が渦を巻きました。

「まさか……お仙さんが……」

「え、誰ですって」

「天童さま、ちょっと失礼いたします」

はあ、と気の抜けた返事を返す天童を残して、めだか姫は裾《すそ》を乱して走り去りました。

天童小文五は頬をぷるんと動かして微笑《ほほえ》み、肩をすくめました。

「やれやれ。置いてけ堀の河童《かっぱ》か。長く待たされるのなら、饅頭のおかわりが欲しいな。茶の替えも……」

「見損なわないでおくれ。盗みをするほど落ちぶれちゃいねえや」

ここは二階長屋の前。めだか姫にけたたましく呼ばれて松の木から舞い降りたお仙は、これこれこういう騒ぎと聞いて、唇をへの字に曲げました。

「金ならあんたが稼いでくれた分がたんまりあるしさ」

「そうね。ごめんなさい……」

わずかなつきあいですが、冷静になって考えてみれば、お仙は金銭欲とは無縁の天《てん》狗《ぐ》娘です。一時《いっとき》なりとも疑った自分が恥ずかしくなりました。

「では一体、誰が盤を盗んだのかしら」

「倉地の旦那《だんな》でもないね。あたいと同様、将棋盤があることすら知らないんだし、金に困ってもいない。ただ、奇妙なのは……」

お仙は昨日、幽霊の正体を摑《つか》むために夜も風見藩上屋敷に張り込むことになったと倉地に告げました。すると倉地は、では夜の見張りを終えたら昼過ぎまで休め、その間はわしが見張っていよう、と胸を叩《たた》いて見せました。

ところが、今日昼過ぎにお仙が来てみると、政之助の姿がありません。

「頼りない旦那だけど、なにしろ役目を果たして家禄《かろく》を増やそうと必死だからね、見張りを怠るはずはないんだ。一体どこへ消えちまったんだろう」

将棋盤だけではなく、幕府お庭番も消えてしまったようです。

二人はこの謎を解かんとそれぞれ必死で考えておりましたが、突然めだか姫が額をぱんと叩きました。

「まさか……」

昨夜、ある人物が「早急に金が必要なのだ」と吐露《とろ》していたのを思い出したのです。
その人物とは。そう、年上の義弟、冷飯若君の時羽直光でした。

第六回

波銭《なみせん》の名月冴《さ》える盆の庭

「……誰かいる」

廊下を進んでいたお仙は、時羽直光《なおみつ》の居室が近づくと、小声で警告しました。

「……直光さまでしょ」

思わずめだか姫の声も低くなります。

切禿《きりかぶろ》の髪が跳ねてかぶりを振りました。

「部屋をあさっているようだぜ」

お仙は右袖《みぎそで》をまくりあげると、手を上下させます。釣独楽《つりごま》がうなりをあげはじめました。

袖をまくったのは、いつものつんつるてんの単衣《ひとえ》ではなく、小朝の小袖を着ているからです。めだか姫が面白がって、腰元に変装させたのでした。

お仙にしてみれば小袖が振袖に感じられますし、丈も長すぎるので帯の下でお端折《はしょ》りをしており、動きにくいことこの上ありません。

　めだか姫はすっと息を吸って気を落ち着けると唐紙《からかみ》の前に立ち、お仙に開けるよう顎《あご》で指示しました。

　大丈夫かい、そう目顔で尋ねたお仙は釣独楽を操るのを止《や》め、膝《ひざ》をついて唐紙を音も無く開きます。

「おや、どなたですの」

　めだか姫の声に、押入れから半分突き出ていた袴《はかま》の尻《しり》が、ぎくりと動きを止めました。もじもじと後退《あとずさ》りして現れたのは、顔を真っ赤に染め、それでも威厳を保とうと肩を怒らせている留守居役兼奥家老、根黒久斎でした。

「根黒ではないか。大掃除でもなさっておいでかえ」

　めだか姫は袖を払って座り、お仙はその後ろにかしこまります。

「いや、それが……」

　根黒はへどもどと口ごもります。

「じ、実は直光さまにその……そう、笑い絵をお貸ししておりましてな。それを返していただこうと……」

　慌《あわ》てた根黒、わけのわからぬ言い訳をします。

首をひねったためだか姫の耳に、お仙が口を寄せて解説します。聞いた姫君は顔を朱に染めて叱《しか》りつけました。

「笑い絵とは」

「まあ根黒。年甲斐《としがい》もない」

「いや、ちと急な入り用がござって。直光さまはご不在のよう、また出直してまいりましょう」

ますます惑乱した根黒久斎、もう自分がなにを言っているのかわかりません。あたふたと部屋を出ようとしましたが、ふとお仙に目を留めます。

(やけに色の黒い、ちっぽけな腰元だ。髪も切禿……)

「おや、こんな腰元がおりましたかな」

お仙はぎくりとして俯《うつむ》きます。

めだか姫はびくともせず、声鋭く叱責《しっせき》しました。

「これは小朝ではないか。腰元の顔も判《わか》らぬ奥家老がおろうか」

「さようさよう、小朝でござった。ではお裏さま、お達者で」

奇妙な辞去の挨拶《あいさつ》をして、蒼惶《そうこう》と根黒久斎は去りました。

正体を見破られずに済み、冷や汗を拭《ぬぐ》うお仙に、めだか姫は舌を出してみせます。

「ばれるもんですか。このわたくしでさえ、小朝がどんな顔をしていたか、あやふやになっておりますもの」

「六不思議の参番は変えた方がいいんじゃねえかい。『廊下の足音すがたは見えず』じゃなくて、『腰元いずこへ顔知れず』って」

めだか姫はくすくす笑いました。

「ほんに。さてと、部屋におられない所を見ると、やはり将棋盤を盗んだのは直光さまのようね」

「一応探してみようか」

お仙は根黒久斎が開け放して去った押入れを顎で指します。

「いえ。もう抜け穴から持ち出したあとでしょう。あの盤を売るつもりなんだわ。なぜだかわからないけど、かなり切羽詰まっておられたのね」

昨夜、勘定役横井秀作は「連夜の開帳は危険だと忠告したのに」と直光に文句を言いました。それに対し、直光は「早急に金が必要だったので」と弁解していました。

時羽直光はどうしても寺銭の分け前が必要だったとみえます。だからこそ、その前夜にめだか姫が賭場《とば》に接近し、博打《ばくち》開帳の事実が明るみに出る危険性があったにもかかわらず、連夜の開帳に及んだのです。

「ともかく追おうぜ。金を何に使うのか知りたいしな」

お仙は飛び上がって部屋を出ました。

めだか姫はおっとりと立上がりましたが、ふと眉《まゆ》をひそめました。

(根黒久斎は、何を探していたのかしら……)

諏訪《すわ》から将棋盤の紛失を聞いて、探索の手伝いをしていたのでしょうか。いえ、それにしては見つかった時の慌てようはただ事ではありませんでした。

この時はじめて、ただのうるさい老人だと思っていた根黒久斎の存在が、めだか姫の中で大きくふくれあがってまいりました。


時刻は少々溯《さかのぼ》ります。幕府お庭番倉地政之助《まさのすけ》は、風見藩上屋敷の裏通りに置かれた天水桶《てんすいおけ》を撫《な》で回していました。

(あの腰元と奇妙な浪人者は、ここから屋敷内に入っていきおった。抜け穴があるらしいが、どういう仕掛けになっておるのだろう)

この抜け穴が利用できれば、田沼意次《おきつぐ》から命ぜられた風見藩の内偵がたやすくなります。倉地政之助は幕府隠密《おんみつ》ではありますが、れっきとした旗本、すなわち武士です。お仙やその父の五兵衛《ごへえ》のような忍びの者ではありません。松の梢《こずえ》から二階長屋の屋根に飛び移り、さらに飛び下りて藩邸に入るなどという芸当はできないのです。

（あわわ）

天水桶がごとごとと揺れたので、倉地政之助は泡を食って飛び退《の》きました。松の木の背後まで退却して、様子を窺《うかが》います。

天水桶から這《は》いずり出たのは、先日腰元を誘《いざな》って抜け穴に入っていった、あの浪人者でした。

（おや、妙だぞ。あやつ、なにやら重そうな包みを背負っておる）

大きな唐草模様の風呂敷《ふろしき》を背負い、浪人はふらふらした腰つきで歩み去りました。

倉地政之助は迷いました。昼過ぎに来るお仙と交代するまで腰元の合図を待つ、それが倉地の役目です。しかし、かくも怪しげな行動を見せられては、幕府お庭番たるもの見逃すわけにはいきません。

倉地は決意を固め、風呂敷包みを背負った浪人のあとを尾行しはじめました。

天水桶から裏通りに出ためだか姫とお仙は、それぞれ裾《すそ》をはたきました。お仙はつんつるてんの単衣に戻り、めだか姫が腰元姿に変装しております。

「さてと。直光さまは、どこで将棋盤をお金に換えるつもりかしら」

「その将棋盤だけど、姫君道具なら、さぞ豪勢なものなんだろうね」

「たいしたことないわ。囲碁盤と両方で、百両しかかからなかったと父が申しておりましたから」

「……世間じゃ、そういうのを豪勢っていうんだよ。となれば、そこらの道具屋で扱える額じゃねえや。よっぽど裕福な骨董《こっとう》屋か、さもなきゃ七つ屋だね」

「ななつや、ってなんですの」

「質屋さ」

「しちや、って」

天真爛漫《らんまん》に聞くめだか姫に、お仙は質屋の稼業《かぎょう》がどのように成り立っているかを説明しました。

「ああ、大名貸《だいみょうが》しみたいなものね」

めだか姫は納得しましたが、今度はお仙がわかりません。めだか姫は、大名貸しとは、札差《ふださし》などの豪商が大名に高利で金を貸すことで、翌年翌々年の年貢《ねんぐ》が担保となっているのだ、と教えます。

「へえ。大名も庶民も、懐《ふところ》が苦しくなりゃあ頼るのは商人《あきんど》か。そのうち天下の銭は、みーんな商人の蔵ン中に積み上げられちまって、その銭金の多い少ないで偉い偉くないが決まるようになるんじゃないかねえ」

お仙は資本主義経済の到来を予感したようなことを申しております。

「直光さまは先日、あちらに行かれました。きっと同じ方角ですわ」

めだか姫は確信ありげに歩きだしました。

「へっ、蜻蛉《とんぼ》じゃあるめえし」

お仙は肩をすくめます。山育ちのお仙は、「とんぼ道」と言って、蜻蛉は毎日同じ時刻に同じ場所を同じ方角に飛ぶ習性があることを知っています。

めだか姫の確信は、はやくも一つ目の辻《つじ》で崩れ去りました。

「ええと、ここはどっちに曲がったのだったかしら」

お仙がめだか姫の袖を摑《つか》みました。

「右だよ右」

「どうしてわかるの」

お仙は藩邸の塀を指差しました。そこには蠟石《ろうせき》で小さな相合傘が悪戯《いたずら》書きしてあります。しかし子供の悪戯にしては、思い思われの男と女の名が書いてありませんし、なによりも相合傘の下端が右に曲がっているのが奇妙です。

「これは顎《くらち》の旦那《だんな》の合図さ。どうやら冷飯若君を尾行しているようだ」

お仙は、相合傘の下端が曲がっている方に角を曲がれと教えます。曲がっていなければ、真《ま》っ直《す》ぐ進めばよいのです。

二人は勇躍、相合傘の示す道筋を進みはじめました。

「どうも困ったことになったぞ……」

蕎麦《そば》屋の上がり框《がまち》に腰掛けてひとりごちているのは、言わずと知れた倉地政之助。はてさて何に困っているのでしょう。

倉地は謎《なぞ》の浪人の後を追い、銭亀屋《ぜにがめや》という質屋に入ってゆくのを目撃しました。質屋から出てきた浪人は、持ちつけぬ大金を入手した者の常として、懐手をしています。風呂敷に包んでいた何かを質入れして、得た金をしっかと握り締めているのです。

(手なずけた腰元の衣装を質入れして、女郎買いにでも行く気かな)

浪人は足を早めて越後屋を過ぎ、瀬戸物町を突っ切って荒布橋《あらめばし》を渡り、照降町《てりふりちょう》の裏通りで路地に入りました。

倉地が後を追うと、路地の突き当たりには朽ち果てた木戸が立ち、覗《のぞ》いてみると崩れ落ちそうな棟割《むねわ》り長屋がありました。

倉地政之助がその木戸から一歩も足を踏み入れることなく退散したのは、塵芥《ごみ》と溝《どぶ》の臭《にお》いで鼻がもげそうになったからではございません。突然顔を覗かせた侍の姿に目を止めて、井戸端でひそひそ囁《ささや》き交わしていた女房連中が一斉に吠《ほ》えかかったためです。

「おや、二本差《りゃんこ》しが迷い込みやがった」

「物好きな野郎だぜ」

「槍《やり》でも磨きてえってんなら、おいらの女陰油《ほとあぶら》を塗ってやるんだが」

「ひひひ。磨くどころか、腐り落ちるが関《せき》の山《やま》だ」

「なんにしても、こちとら取り込み中でえ。帰《けえ》った帰《けえ》った」

「まてよ。女郎屋の用心棒が様子うかがいに来やがったんじゃねえか」

「お糸ちゃんを連れに来たんだ。そうと決まった」

「大変《てえへん》だ。男ども、出てきておくれ。薪《まき》ざっぽう忘れんなよッ」

倉地政之助、幕府隠密ともあろう者が、土佐犬に吠えられた子猫のように横っ飛びに逃げ出しました。後にも先にも、こんなに怖い思いをしたことはございません。

ようよう善良な町人の暮らす表通りに逃れ出ると、倉地政之助は蕎麦屋の看板に相合傘を蠟石で書き、その傘を丸で囲みました。

相合傘を丸で囲むのは、あとから来る同輩に「ここで待つ」との合図。むろん、追って来るであろうお仙のための目印です。

蕎麦屋に入った倉地は盛り蕎麦を誂《あつら》え、汗を拭《ふ》いてひとりごちたのでした。

「どうも困ったことになったぞ。浪人の住居をつきとめ天水桶の仕掛けを聞き出せば風見藩上屋敷に忍びこめると思ったが。あの長屋は藩邸よりも警備が厳重だ。ここはひとつ、お仙が援軍に駆けつけるのを待つとしよう」

盛り蕎麦をひとくち啜《すす》り込んで、倉地は舌打ちしました。

「しまった。田沼さまから軍資金を十両お下げ渡し頂いたのだった。ここはひとつ阿《お》亀《かめ》と奢《おご》ればよかった。つい自分の銭で食うのだと思い、倹約をしてしもうた」

蒲鉾《かまぼこ》も椎茸《しいたけ》も湯葉も、とんとご無沙汰《ぶさた》です。

おのれの吝嗇《りんしょく》を嘆いていた倉地の肩がぽんと叩《たた》かれました。

肩を叩いたのはもちろんお仙。その背後では、初めて入った蕎麦屋に漂う鰹節《かつおぶし》の出《だ》汁《し》の匂《にお》いに、めだか姫が鼻をひくひくさせておりました。

「しかし困った。ううむ、弱った」

もう何度こう呻《うめ》いたかわかりません。呻いていても問題は解決しないのですが、時羽直光に今できることといえば、困った弱ったと、溜《た》め息をつくことぐらいです。

　ここはさきほど倉地が覗いた、からむし長屋と呼ばれている貧乏長屋の一室です。長屋の名の由来は、越後縮《ちぢみ》の原料である苧《からむし》を栽培している……からではなく、空《から》っ尻《けつ》の、虫のような連中の住家ということでこの名がつきました。

　直光の隣りでは貧しい身なりの若い男が同様に首を垂れていましたが、ついに堪《こら》えきれなくなって涙を拭い、自分の腑甲斐《ふがい》無さが情けないとばかりに、剝《は》げちょろけた畳を殴りました。

「お糸ちゃん、すまねえ。直次郎の旦那が工面してくださった金に、おいらが幾らかでも足すことができれば……」

　どうやら時羽直光、ここでは直次郎と名乗っているようです。

「いや、辰吉《たつきち》、わしが悪かった。なまじ金はわしがなんとかしようと胸を叩いてみせたばかりに……」

　二人の前にきちんと座り、頭《こうべ》を垂れていた娘が顔を上げました。

「いえ、もういいのです。ご迷惑をおかけして申し訳ございませんでした」

　その声と同様に、お糸の顔は堅くこわばり、なんの表情も浮かんではおりません。

年の頃は十七、八、美人とはいえませんが、笑えばその笑顔を見た者まで楽しくなってしまうような、愛嬌《あいきょう》のある顔立ちの娘。その娘が、とうに涙は出尽くしたらしく目の下に隈《くま》をこさえ、声を震わせまいと唾《つば》をのみのみ低く礼を言います。

その背後で、痰《たん》を切ろうとする弱々しい咳《しわぶき》が聞こえました。お糸は振り返り、薄い布《ふ》団《とん》にくるまって寝ている祖父の様子を見やっていましたが、寝息が安らいだのに安《あん》堵《ど》して、再び直光と辰吉に顔を向けました。

「糸はもう覚悟を決めました。ただ、気に掛かるのは一人残してゆく祖父のこと。この分では死に水も取ってはあげられません。辰吉さん、そして長屋の皆さまにお願いするしかございません……」

覚悟を決めたと言ってはいても、さすがに声がつまり、俯《うつむ》きます。

そんなお糸の様子を見るにしのびない辰吉は、再び畳を殴って叫びました。

「おらあ嫌だ。お糸ちゃんを女郎になんざしたくねえ。畜生、金ができねえとなりゃあ、力ずくだ。おらあ手足がちぎられようと、お糸ちゃんを渡しゃあしねえぞ」

時羽直光は、びくりと体を震わせました。辰吉は決して直光を責めているのではありません。しかし、現実にお糸を救うことができないとわかった今、直光はすべての責任が自分にあるように感じられてならないのです。

その時、表で女たちが騒ぎました。

「やあ。また来やがった。とっとと帰りやがれ」

「お糸ちゃんは渡さねえって言っただろ」

「男ども、出ておいで。薪ざっぽうでぶんなぐっておやり」

お糸は身をすくめ、辰吉は土間に飛び下りて磨《す》り減った菜切包丁を手にします。さきほど女たちが騒いだので一度は退散した女郎屋の使いが、今度は援軍を連れてお糸を連れに来たと思ったのです。

女房連中は、長屋の男たちが薪ざっぽうを持って待ち構えているように叫んでいますが、現在この長屋にいる男は、直光と辰吉の二人だけです。その他の男たちは、自分と家族にその日の飯を食わせるための稼ぎに出ています。お糸のために稼ぎを一日休む、それができぬほど、この長屋で暮らす人々の生活は苦しいのです。

時羽直光は身をこわばらせ、目をつぶりました。膝《ひざ》においた手は震えています。その指を刀にかけることができれば、あるいはお糸を救えるかもしれません。しかし、それはできないのです。

直光が浪人ならば、たとえいかなる処罰がのちに課せられようとも後先構わず、刀を抜いて戦うことができます。

ですが、直光は小なりとはいえ、風見藩二万五千石の藩主の弟です。身分を浪人と偽って遊び歩いたあげく、町方のいざこざに巻き込まれて刀を振るい、人を傷つけ殺《あや》めたとなれば、事は直光ひとりの処分にはとどまりません。

（戦うどころではない。ここにわしがいたと知られぬために、この場を鎮《しず》めねばならん。辰吉が女郎屋の者を傷つければ、町奉行が調べに乗り出すだろうからな。となれば……わしはお糸を女郎屋に売るのに力を貸すことになってしまう……）

どうすればよいのだ、と困惑する直光の耳に、女たちのとまどう声が届きました。

「な、なんでえ、てめえは……」

明るく朗らかな少女の声がなだめます。

「まあまあ姐《ねえ》さんたち、そう吠えずに道を開けとくれ。心配ねえよ、ただの人探しだ。ここに浪人者が来ただろ。どの長屋だい。……ここ。ありがとよ」

破れ障子の隙間《すきま》に矢絣《やがすり》の模様がちらちら見えたかと思うと、戸が開いて入ってきたのは、腰元姿のめだか姫でした。お仙と、怯《おび》えた様子の倉地政之助が続きます。

「直光さま、探しましたよ」

「あ、姉上……」

時羽直光は目を丸くしております。

「直光だって。直さん、直次郎じゃねえのかい」

辰吉の疑問の声に、倉地政之助の驚きの声が重なります。

「姉上だと……」

めだか姫は楽しげに問いました。

「さあ、直光さま、すっかり話していただきますよ」

直光は年下の義姉に平伏して頼みました。

「話します。が、その前に姉上、金が至急入り用でして。十両なんとかなりませんか」

めだか姫は驚きました。倉地政之助の話では、直光は将棋盤を質屋に入れて金を得たとのことでした。

「あの将棋盤ならば、五十両にはなったはず。まだ足りませんの」

「……十両しか貸して貰《もら》えませんでした」

「んまあ」

めだか姫は柳眉《りゅうび》を逆立て、お仙は倉地に囁きました。

「足元を見られたんだ」

「ともかく姉上、七つ前までにあと十両いるのです」

姫君は部屋の中を見回しました。なんとも貧しい住まいです。

奥には老人がふせり、鬢《びん》をほつれさせて俯いている娘の粗末な単衣《ひとえ》には継ぎが当たっています。膝小僧の突き出た股引《ももひき》を揃《そろ》えて座っている若者も、気は荒そうですが悪い人間には見えません。

「どなたか、紙と矢立《やたて》を」

お仙は倉地政之助の脇腹《わきばら》に肘鉄《ひじてつ》をかましました。江戸市中の風聞を集める役目から、矢立を所持しているのを知っていたからです。

めだか姫は倉地の差し出した紙になにやら認《したた》めながら、こう命じました。

「倉地さま、これを磐内藩《ばんだいはん》上屋敷の父に届けてください」

幕府隠密《おんみつ》の体がこわばりました。

「ば、磐内藩の父ですと……」

お仙はにやにや笑いながら、めだか姫の正体を明かします。

「めだかはね、風見藩主時羽直重《なおしげ》の正室なのさ。つまり、磐内藩主西条綱道の娘ってこと」

「ままままさか……」

「父に五十両無心いたしました」

倉地は蜘蛛《くも》の巣でも払うかのように眼前で両手を振り回します。

「わしが磐内藩藩邸に入れるわけがない。だってわしは幕府お庭……あわわ」

「幕府お庭番でしたわね」

　めだか姫はにっこり笑いました。

「ですから、風見藩士に化けるのです。わたくしの使いとして。ただし、磐内藩上屋敷の探索はまた次の機会にしてくださいね。今は急ぎますから。いえいえ、一度顔を覚えてもらえば、次に行った時に大歓迎してもらえますわ」

「別に、大歓迎はして欲しくござらんが……」

「五十両受け取ったら、帰りに質屋から将棋の盤駒《ばんこま》を返して貰ってください。忘れてはなりませんよ」

　倉地政之助はめだか姫から書状を受け取り、直光から質札《しちふだ》を渡され、訳が判《わか》らぬと首を振り振り長屋を出ました。

「さあ直光さま、それでは事の次第を話していただきましょうか」

　めだか姫に促され、冷飯若君はこの長屋に出入りするようになったいきさつを語り始めました。

　時羽直光が浪人者のなりをして江戸の町を遊び回るようになったのは、もう二年も前、兄直重が藩主の座についた頃のことです。

幽霊長屋の博打部屋《ばくち》で、負けがこんで裸になった中間《ちゅうげん》が残していった半纏《はんてん》を手にした直光は、こう考えました。

(これで変装すれば、外で遊べるな)

その翌日、時羽直光は褌《ふんどし》いっちょうに半纏をまとい、髷《まげ》を隠すために頰被《ほおかぶ》りをして、抜け穴から裏の通りへと出ました。

しかし、こと志とは違い、楽しく江戸の町を遊び歩くというわけにはまいりません。そもそも中間という存在は、大名旗本の権威を笠《かさ》に着て威張り散らす輩《やから》が多く、民百姓の嫌われ者だったからです。

直光が道を聞こうとしても皆が避けるばかり。ほかの中間に出くわすと、喧嘩《けんか》を吹っ掛けられます。言葉がていねいすぎて嘗《な》められたようです。なにしろ中間言葉は博打場で聞いてはいても、それを操るほどには至っておりませんから。

(どうも中間に化けたのは失敗だった)

直光は竹馬に古着を掛けて売っている古着屋から、浪人が着ていてもおかしくない単衣を求めました。むろん、博打の寺銭から得た銭で、です。

納戸《なんど》の奥に転がっていたいつの時代の物だかわからぬ刀を差し、浪人者のみなりとなって、ようやく言葉にもそう困らずに江戸の町を歩けるようになりました。

春は飛鳥山《あすかやま》に遊び桜を愛《め》で、夏は大川端の茶屋で素麺《そうめん》を啜る。秋は道灌山《どうかんやま》に寝転び松虫の音を楽しみ、冬は不忍池《しのばずのいけ》の雪見に転ぶ。

金を溜めて吉原《よしわら》の昼三《ちゅうさん》（昼夜で揚代三分の高級女郎）に筆下ろしをしてもらい、晴れて男となりました。

江戸の町にも慣れ、少々の酒を嘗めながら蕎麦《そば》を啜《すす》るのが楽しみとなった頃のことです。照降町の小さな煮売酒屋《にうりざかや》で、直光は昼間から飲んだくれている老人に目を止めました。

上がり框《がまち》に腰掛けて好物の葱鮪《ねぎま》でちびちび飲んでいた直光は、隣りの老人が奇妙な行いに熱中しているのに気づきました。

「これをちょっくらちょとこうやって……」

奇妙な鼻唄《はなうた》を歌いながら、貧しい身なりのその老人は、震える手で盆の上に乗っている物をあちらこちらと動かしています。

銚子《ちょうし》を右へ。盃を左へ。とっくに空になっている小鉢は上へ。割り箸《ばし》を真ん中に並べて置き、白髪頭をかしげて上から斜めから、目をしばたかせながら眺めます。

鼻唄がやみ、ふんと不満そうな息が洩《も》れました。今度は銚子を上の方に滑らせ、小鉢を右側に置きます。

ふんふんとひとりで合点しましたが、「ん」と顎《あご》を突き出して、なにか物足りない素振りです。割り箸を摑《つか》むとへし折り、四本の短い折れ箸にして、盆の中央に並べました。

小柄な瘦《や》せた老人はまだ満足せず、ぶつぶつなにか言いながら、どろんとした目で左右を見ます。

直光は驚きました。老人の手が直光の盆に伸び、葱鮪の横に置いた箸を奪い去ったのです。

老人は直光の箸もぽきんとへし折りました。それも加えて全部で八本の折れ箸が盆の中央に並びます。

老人は濁った目でしばし眺めていましたが、

「……だめだ」

としわがれ声で呻《うめ》き、不満げに銚子を倒し、折れ箸を土間に投げ捨てました。舌打ちをして、ごろんと横になって肘枕《ひじまくら》、いびきをかいて眠り込みます。

あっけにとられた直光は亭主を手招きしました。

「へい」

「あのな……箸を取られてしもうた」

「へ。ああ畜生、善庭《ぜんてい》の爺《じい》さんまたやりやがったか」

亭主は新しい割り箸を直光に渡してあやまります。

「お武家さま、たいへんご無礼しやしたが、この通り、相手は耄碌《もうろく》しきった年寄りで。ご勘弁なすっておくんなさい」

「いや、かまわぬが……この老人、何をしておるのだ、盆の上で」

「さあ。いつもこうで。盆の上の物をあっちに動かしちゃ溜《た》め息、こっちに動かしちゃ忍び笑い。ま、頭のねじの狂った爺さんのするこった、あっしには見当もつきやせん。どうか、こん次からは少し離れて座っておくんなさい」

亭主は軽くいなして去りました。

直光は藩邸に帰ってからも、善庭老人の奇妙な行いが頭の隅にこびりついて離れません。

（あの老人は一体何をしていたのだろう）

その謎《なぞ》が解けたのは、翌日、奥御殿前の池の鯉《こい》に餌《えさ》をやっている時のことでした。

鯉と言っても、高価な錦鯉《にしきごい》が貧乏藩に飼えるはずもありません。とある藩士が近くの堀で釣ってきた野鯉《のごい》です。食べるには小さいと池に放したのですが、直光の与える僅《わず》かな飯粒を糧《かて》として肥え太り、今では一尺を越える立派な池の主となりました。

鯉に飯粒を与えた直光は、ふと顔を上げました。時は初秋、左手の築山《つきやま》には芒《すすき》が茂り、池の向こうに一本だけ立っている楓《かえで》はようよう色付き始めています。

（手を入れれば、これでなかなか風流な庭だが。しかし、楓が一本ではあまりに淋《さび》しいな……）

そう思った瞬間、冷飯若君は、ばね仕掛けの人形のように立上がりました。煮売酒屋で老人が何をしていたのか、今わかったのです。

次に藩邸を抜け出した時、直光は真《ま》っ直《す》ぐに例の店に行きました。

善庭老人は先日と同様、盆の上の物をあちこち動かしながら、「これをちょっくらちょとこうやって……」と鼻唄を歌っています。

直光は少し離れて席を取りました。また箸を奪われては困るので。今日は少し奢《おご》って、卵のふわふわに海苔《のり》をかけてもらいます。

食べ終えると、その皿を持って老人の隣りに腰掛けました。

「ご老人、池がなくては庭とはいえぬ」

そう言って、皿を差し出します。

時羽直光は、善庭老人が以前は庭師だったのではないか、と推測したのです。小鉢を築山に、銚子は灯籠《とうろう》に、折れ箸は樹木に見立てて、盆の上に箱庭を作っていたのではないでしょうか。

先日、善庭は結局満足のいく作品を仕上げられずにいました。

それは、池に見立てることができるような皿がなかったからではないか。貧しくて、突き出しの小鉢で酒を飲むのが精一杯、料理を頼むだけの銭がなかったのだ、直光はそう思ったのです。

善庭はびくりとして直光を見ましたが、おとなしく皿を受け取ります。盆の下の方にその皿を置き、銚子と小鉢、割り箸を按配《あんばい》すると、満足そうに手をひとつ打ちました。

「できた……」

呟《つぶや》いた老人は直光に会釈《えしゃく》し、できたできたとひとりごちながら、肘を枕に横になりました。

すやすやと眠る老人の満足そうな寝顔を見て、直光は微笑《ほほえ》みました。波銭をひとつ取り出すと、盆の斜め上の畳に置きます。

「中秋《ちゅうしゅう》の名月だ。少々ちいさいがな……」

三月ほどして、また煮売酒屋を訪れた際、直光は血を吐いた善庭が土間に転がっている所に出くわしました。おろおろする亭主を叱《しか》りとばし、通り掛かった男たちに頼んで戸板に乗せます。亭主の案内でかつぎこんだのが、この長屋のこの部屋。老人の息子夫婦は病で死に、孫娘のお糸が針仕事のかたわら長屋の独身男の洗濯や飯の支度をしてわずかな銭を得ておりました。

それ以後は時折見舞いに訪れましたが、直光とてそう銭がある身ではなし、生卵の二つ三つも差し入れするのが精一杯です。

お糸は病人の養生には朝鮮渡来の人参《にんじん》が良いと聞き、大家から借金をしては薬種屋《やくしゅや》に足を運びます。因業《いんごう》で知られるこの貧乏長屋の大家が、お糸には笑顔で金を貸していたのも道理。大家はお糸を金で縛り、女郎屋に売り飛ばす狙《ねら》いだったのです。

「いつしか借金は二十両にまで増えてしまい、今日の七つまでに返せねば、お糸さんは女郎に身を落とさねばならない所まで追い詰められてしまいました」

身を乗り出して義弟の話を聞いていためだか姫は、懐紙《かいし》で目頭《めがしら》を拭《ぬぐ》いました。

「そうでしたの。お役に立てて、めだかはうれしい……。で、おじいさまのご容体はいかが」

お糸は力無くかぶりを振ります。

「……それが……一向に良くは……」

「変だぜ。朝鮮の人参といやあ、効き目はてきめんだって言うじゃねえか。少しは効いてもよさそうなもんだ」

お仙は小首をかしげます。めだか姫はお糸に尋ねました。

「その人参、まだ残っておりますの」

こくりと頷《うなず》いたお糸は、老人の枕元にあった薬の袋を取ってめだか姫に差し出します。

「これを朝夕、少しずつ煎《せん》じて飲ませました」

薬袋の中には、二股《ふたまた》に分かれた乾いた根っこが入っていました。めだか姫はくんくんと匂《にお》いを嗅《か》ぎ、小さな歯の先で少し噛《か》み取って、舌の上で転がします。

「これは……朝鮮の人参ではないわ。苦みが全く異なります」

直光辰吉お糸は目を丸くしました。

根っこをひったくったお仙が、味を確かめて叫びました。

「あたいは人参ってもんは食ったことないけど、これなら知ってらあ。こいつは、ひね大根を干したもんだ」

第七回

切餅《きりもち》をほどけば娘あとずさり

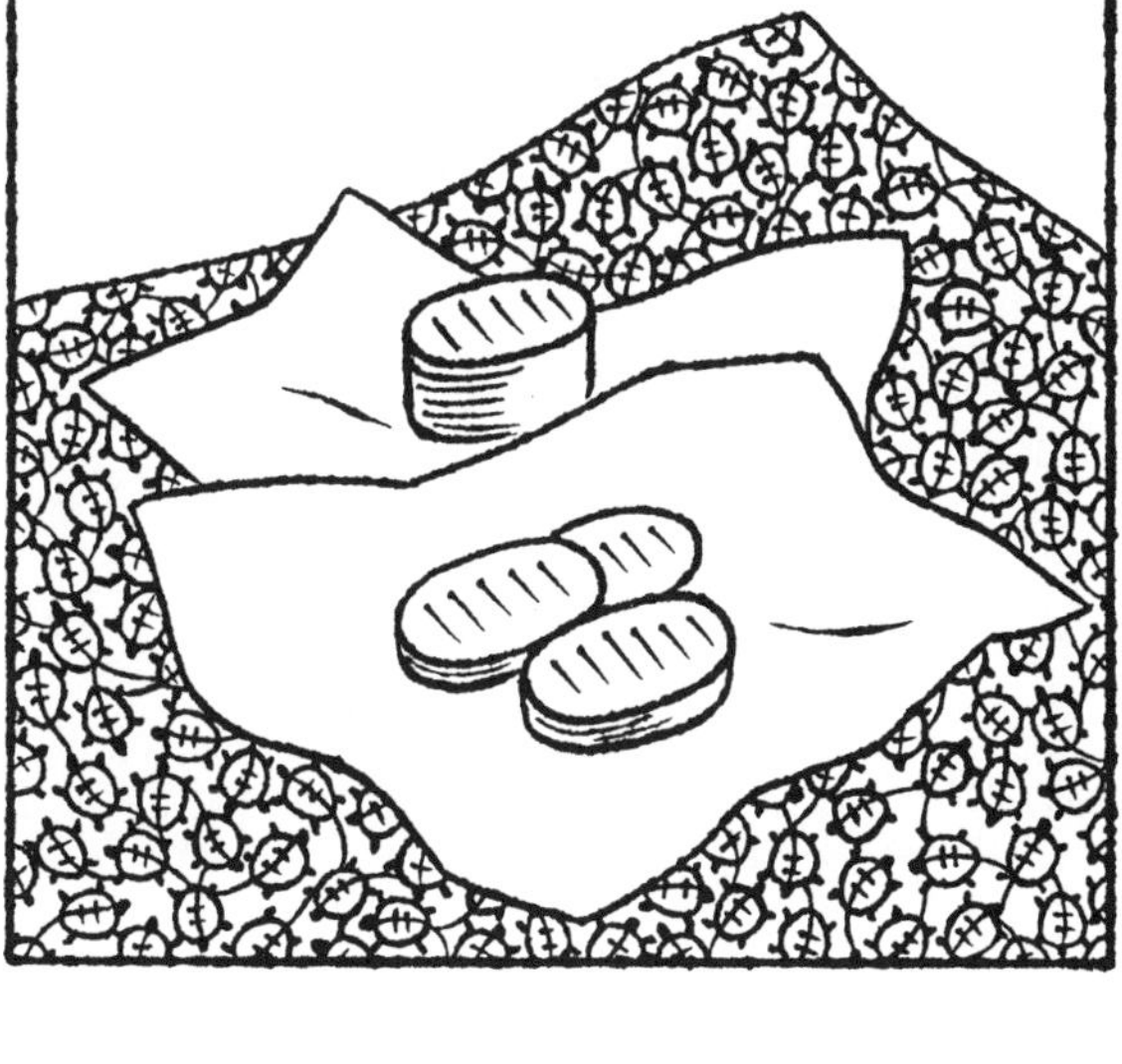

「頼もう」

ここは磐内藩上屋敷《ばんだいはん》の門前。倉地政之助《まさのすけ》は声を震わせぬよう自分に言い聞かせながら大声で叫びましたが、残念ながらその声は少し震えていました。

五十万石の大藩の上屋敷に乗り込むなんて、へその緒切って以来初めてですし、使番《つかいばん》にしては肩衣《かたぎぬ》もつけぬ黒羽織姿、供のひとりも連れてはいません。

物見窓から応《こた》えた門番にめだか姫の使いと告げると、門が開きました。応対に出た御門物頭《ごもんものがしら》に、風見藩使番・蔵前政之助と名乗ります。本名を言うわけにはいかぬと気づいたのがたった今、名字を少し変えるのが精一杯でした。

御門物頭につきそわれ、石畳を踏んで表御殿に入り、小部屋で取次役に引き渡されます。めだか姫の書状を渡すと、「暫時《ざんじ》お控えあれ」と言われ、茶菓をふるまわれました。

（やれやれ、どうやら怪しまれてはおらぬようだ。しかし、ここで金と返書を受け取って帰るのでは、藩邸内の探索も糞《くそ》もないな）

倉地政之助が落胆しつつ落雁《らくがん》を頬張り掛軸の落款《らっかん》を判読しようとしておりますと、取次の藩士が戻ってまいりました。

「こちらへ」

（やれやれ、今少し奥を見られるようだ。大方奥家老あたりがあらわれて、頼まれた金を渡そうというのだろう）

取次役に導かれて廊下を進む倉地は、あちこちと目を配りますが、廊下は四方八方に延び、唐紙《からかみ》はすべて閉じてあります。部屋の様子が知れるどころか、藩邸のどのあたりにいるのかすら摑《つか》めません。

七度ほども角を曲がって、倉地は四畳半のこぢんまりした部屋に通されました。庭に面した障子は開け放たれ、池を吹き渡る涼しい風が入ってまいります。

麻の単衣《ひとえ》を着た老人が政之助を見て顔をほころばせ、それまで使っていた扇子で前に座るように促しました。

（さすがに五十万石の大藩の奥家老ともなると、瀟洒《しょうしゃ》な身なりの爺《じい》さんだ）

倉地は少しほっとして、軽く会釈《えしゃく》して座り、にこりと笑みを返しました。

「西条綱道じゃ」

政之助の笑顔が凍りつきました。

「めだかは息災《そくさい》か」

倉地政之助は三尺ほど飛び退《す》さり、畳に額をすりつけます。

「こ、これはご無礼つかまつりつり……」

あまりの驚愕《きょうがく》に舌がもつれております。

「ああ、よせよせ。この暑いのに息が詰まる」

五十万石の太守は、扇子をはたはたと動かして命じます。

「顔をあげよ。直答《じきとう》許す。近う寄れ。あぐらをかいても屁《へ》をひっても苦しゅうない」

「……は、はあ」

ようよう顔をあげた倉地政之助、鰓《えら》の張った顎《あご》から垂れ落ちようとしている汗を懐紙で拭《ぬぐ》います。

（磐内藩主は高齢ゆえ参勤交代を免除されている、そう田沼さまから聞いておったが。この様子だと、蝦夷《えぞ》地《ち》まで馬を飛ばしてもけろりとしていそうではないか）

「めだかはどうじゃ。相変わらずなにかにと悪戯《わるさ》をしておるか」

倉地政之助、めだか姫が風見藩主の正室であると知ったのもついさきほど、答えようもありません。目を白黒、舌をへどもどさせるばかりです。

「……などと色々聞きたいが、書状には急ぐとあった。今日はこれを持って帰るがよい」

西条綱道は切餅《きりもち》（二十五両の包み）をふたつ、無造作に投げ出して立ち上がりました。

「蔵前政之助と申したな」

「は、はい……いえ、御意」

「また参れ。いつなりとも大歓迎じゃ。めだかの様子を聞かせてくれい」

そう言い残して庭に出ます。へへえと平伏する幕府お庭番の羽織の背中は、冷や汗がしみとおって色が変わっていました。

倉地政之助は体を震わせながら磐内藩上屋敷を辞去しました。半町ほど歩いてやっと足がまともに動くようになると、胸をそらして強がりを言います。

「ふん。磐内藩も大したことないのう。わしが正体を見破れぬとは。……馬鹿《ばか》な藩主だ、また来いと言っておった。これでどうやら内偵が進みそうだわい。しめしめ……」

倉地が肩をそびやかしていた頃、西条綱道は池の畔《ほとり》で涼風に吹かれて微笑《ほほえ》んでおりました。

「めだかめ、なにを考えておるのだ。幕府隠密《おんみつ》と友達になったと書いてきおった。ふふ。なにやら面白くなりそうだのう」

倉地政之助が質屋から将棋の盤駒《ばんこま》を請け出し、風呂敷《ふろしき》包みを背負うという隠密らしからぬなりでからむし長屋に戻ると、めだか姫は「大儀でした」と迎えました。

「ええと、盤駒を請け出すのに十二両かかり申したで、残りは三十八両でござる」

倉地が切餅ひとつと十三両を差し出すと、めだか姫はお仙に命じました。

「お仙さん、二十両お糸さんに差し上げてくださいな」

お仙は切餅をほどいて二十両渡そうとしますが、お糸は腰を引き、首を横に振ります。

「いえ、わたし受け取るわけには……」

めだか姫は凜《りん》として言いました。

「ほどこしではありません。いずれ返していただきましょう。今は急場をいかに切り抜けるか、それさえ考えればよいのです」

お糸の頰に涙が伝ったその時です。表から女房衆の囀《さえず》りが聞こえてきました。

「やあ、大家だ」

「銭を取り立てに来やがったんだ」

「借金のかたに店子《たなこ》を女郎に売るなんて、金の亡者《もうじゃ》のするこった」

しわがれた声が叫びます。

「ええ、うるさい。店賃を払ってから文句をいいやがれ」

腰高障子《こしだかしょうじ》を開けて入ってきたからむし長屋の大家は、因業《いんごう》の国から因業を広めにきたような無慈悲者。還暦を過ぎても金勘定が唯一《ゆいいつ》の楽しみとあって、眼鏡が手放せません。本来の名前は吉左衛門《きちざえもん》、しかし陰では皆々、吝嗇左衛門《けちざえもん》と呼んでいます。

吉左衛門は、お糸の長屋に人が溢《あふ》れそうなので驚きました。

なにしろ四畳半に、めだか姫お仙直光《なおみつ》倉地お糸辰吉《たつきち》が座り、奥の布団《ふとん》には善庭老人が寝ています。

吉左衛門以上に驚いたのが、時羽直光と倉地政之助。声を揃《そろ》えて叫びました。

「おぬしは質屋の主人《あるじ》ではないか」

「これはお武家さまお二人、さきほどは結構な商売をさせていただきまして。たった一時《いっとき》ほどの間に利が二両。これから毎日お通いくださいまし」

吉左衛門はひっひっと笑います。

「どうもこの様子ではお糸坊の借金も面倒を見ていただけるようで」

舌なめずりする因業大家を見ていると、めだか姫は体中に毛虫が這《は》い回っているような気持ち悪さに、身が震えます。

「お仙さん」

姫君にうながされて、お仙はいまいましげに二十両を畳に置きました。とうてい手渡しする気にはなれません。

大家は抜く手も見せずに小判の山をひっ摑み、摑んだと思ったその時には、もう懐《ふところ》の中に二十両がおさまっていました。それはあたかも蝦蟇《がま》が蠅《はえ》を捕らえたかのよう。

「うひゃあ」

肌に粟《あわ》が生じたお仙は、体中をかきむしり始めました。

「ひひひ、礼を申しておきましょう。これで女郎屋に連れて行く手間がはぶけた。そのぶん稼業《かぎょう》にいそしめますからな。こちらに損があるでなし。では、おいとま」

吉左衛門は去り際《ぎわ》に振り向き、目を光らせて言い残しました。

「お糸坊、店賃がよっつ溜《た》まってるぜ。月おわりにまとめて払っておくれ」

障子が閉まると、一同は一斉に大きく息を吸いました。吉左衛門がいるうちは、息をすると身が汚《けが》れるような気がしていたのです。

「大家と質屋を兼ねておるとは……」

倉地政之助は首を振りました。辰吉はうつろな声で、この長屋の者の稼ぎは、みんなあの因業老人に吸い取られてしまうのです、とつぶやきました。

この長屋の者は、いずれもその日暮らしのはかない稼ぎ。土《つち》こね（左官の下働き）や叩《たた》き大工、そして辰吉のような振り売りは、雨が降れば商売になりません。煎餅《せんべい》布団を質に入れて米を買い、飯が終われば今度は釜《かま》を担保にして布団を請け出し夜の眠りにつく、そんなぎりぎりの暮らしを送っています。質屋と大家が同じ人物なのですから、稼ぎのほとんどを持って行かれることになります。

貧にあえぐ暮らしぶりを聞いて、思わず辰吉から目をそらせた倉地政之助の視線が、彼のいない間に持ち出された薬袋に止まりました。倉地は思わず大声で叫びます。

「まさかこれは。お糸とやら、そなたもしかして、この薬もあの大家から買わされていたのではあるまいな」

「なんですって」

めだか姫は驚いて口を開け、お仙が尋ねます。

「旦那《だんな》、なぜまたそんなこと……」

幕府お庭番は、震える指で薬袋を示しました。

「だって、銭亀屋《ぜにがめや》と書いてある。あの大家の営む質屋も同じ屋号だ」

　お糸はこっくりと頷《うなず》きます。

「はい。わたしが人参《にんじん》が切れたというと、大家さんは書き付けを渡して、自分の店へ行けとおっしゃるのです。薬種屋では、番頭さんが奥から人参を出してきて……」

　お仙が割って入ります。

「ち、ちょっと待った。あたしゃ、わけわかんなくなっちまった。お糸ちゃん、じゃああんた、借金をした相手から人参を買わされてたのかい」

　なんと、お糸は一度も金を手にしたことはないのです。もし吉左衛門が経営する薬種屋で渡される人参が偽物《ぎぶつ》ならば、お糸は何一つ得ずに借金で縛られていたことになります。

「めだか、本当にこれは人参じゃないのかい。ひね大根なのかい」

　めだか姫は頷きました。実は姫君、過去に本物の人参を舌で味わった経験があるのです。

　磐内藩の代々の藩主はいずれも英明、殖産興業に心を砕き、民の暮らしを豊かにしようと努力してまいりました。

特に熱心だったのが、現金収入を得るための特産品の開発です。

すでに盛んな紅花以外に、なにか磐内藩の気候に合った産物を作れないか。そう思っていた西条綱道の元に、ひとりの才人が面会を求めて訪れました。

発明家であり戯作者《げさくしゃ》であり、物品博覧会を開いて各地の産物を江戸に集めて紹介したその奇人は、皆さまどなたもご存じの高松藩浪人、平賀源内その人でした。

源内は西条綱道に、朝鮮特産の人参を磐内藩で栽培してみませんか、と勧めました。

平賀源内は高松藩松平家では薬園《やくえん》掛りを勤め、江戸に出てからは本草《ほんぞう》学者田村藍水《らんすい》のもとで朝鮮人参の栽培を学んでおります。

源内は半年ほど磐内藩に滞在し、城内の薬草園で人参の栽培をはじめましたが、やがてふいと姿を消してしまいました。

西条綱道は心利《き》いた者に後をまかせ、二年後に人参が江戸藩邸に届けられました。ところが、薬種屋から取り寄せた人参と味を比べてみると、滋味といい辛さといい、本物に及ぶべくもありません。

平賀源内は人参栽培を始めて半年経《た》った時点で、もうこれは失敗だったと察知したのでしょう。だから訳も告げずに磐内藩から退散したのです。

平賀源内は高松藩から浪人するにあたり、「お構《かま》い」の処分を受けています。「お構い」とは、高松藩は他藩が源内を取り立てることを認めない、という宣言です。したがって、源内は諸藩や幕府に仕官して禄《ろく》を貰《もら》うことのできない身の上なのです。

おのれの才知に絶対の自信がある源内は、なんとか高松藩から「お構い」の処分を解いてもらい、大藩または幕府に高禄で迎えられ、銭金の心配をせずにさまざまな研究に打ち込みたい、そう渇望《かつぼう》していたはずです。

磐内藩主西条綱道に朝鮮人参の栽培を勧めたのも、成功したあかつきには褒美《ほうび》として高松藩に掛け合って「お構い」を解いてもらおう、そう思っていたからでした。

「わたくしは父とともにその人参を味見しました。ですから断言できます。吉左衛門とやらがお糸さんに渡した人参は偽物です」

「ちっきしょう。あの蝦蟇じじいめ」

お仙は憤然と立ち上がりました。

「みんな、じじいのいかさまをあばいてこらしめようぜ」

「すてきすてき。わたくしもそう考えておりましたの。よい筋書きも思いつきました」

めだか姫の作戦はこうです。

まず、お糸が再び大家へ借金を申し込み、人参という名のひね大根を手に入れる。それを腰元のなりをしためだか姫が薬種屋銭亀屋へ持ち込み、「偽物だ」と騒ぐ。吉左衛門は、それが朝鮮人参ではないことは認めるでしょうが、この店で売ったものではない、ととぼけようとするでしょう。その時お糸が現れ、この人参はさきほど自分が受け取った物だと証言するのです。

「そこに偶然通り掛かったのが、天下の南町奉行。騒ぎを見咎《みとが》め、偽《にせ》の人参を売ってお糸さんのお祖父《じい》さまの命を縮めようとした科《とが》で吉左衛門に縄を打つ。これでいかが」

「おもしれえ。それで行こう」

さすがに姫君は頭がいいぜ、とお仙に褒められて、めだか姫は得意満面です。

しかし、倉地政之助は首をひねりました。

「ですが姫さま、そううまく南町奉行が通り掛かってくれますかな」

めだか姫は憤然として倉地を指差します。

「なにをおっしゃるの。あなたが連れてくるに決まっているではありませんか」

「拙者がですか……」

「もちろん。幕府お庭番でしょう。町奉行とも懇意のはずです」

倉地政之助は慌《あわ》てて首を振りました。

お庭番は将軍家の直属で、大名や旗本の不行跡に関する情報を収集するのがその役目です。町方の犯罪を取り締まる町奉行とは、職務上なんの関連もありません。懇意どころか、顔を見たことすらないのです。

「ええい、面倒臭え。倉地の旦那に南町奉行に化けてもらい、無礼討ちだってんでずんばらりんと斬《き》り捨ててもらおうぜ」

お仙は手間暇かけるのは大嫌いです。

「馬鹿を申すな。それが顕《あらわ》れてみよ、わしは責任を取ってずんばらりんと自分の腹を切らねばならぬ」

倉地政之助は身を震わせます。

「あのう、ちょっと待っておくんなせえ」

辰吉がおずおずと倉地に尋ねました。

「大家が死んだら、この長屋は誰の物になるんでしょう」

「身寄りの者ではないか」

「吉左衛門に家族親類はござんせん」

「では、地所はいったんご公儀の所有となり、誰か近くの地主が株を買って新しい大家になるだろう」

「そ、そいつは困る」

辰吉は慌てて手を振ります。

「そうなったら新しい大家は店賃を上げるに違《ちげ》えねえ」

なにしろからむし長屋は、江戸で最も店賃の安い長屋のひとつです。だからこそ、振り売りの辰吉や酒浸りの祖父を抱えたお糸、稼ぎの少ない亭主とくっついた女房連中がここで暮らしているのです。

もし吉左衛門がお縄になり、大家が代わって店賃が上がったなら、もうここに住めなくなってしまいます。

めだか姫は嘆息しました。

(因業大家にこのような目にあっていながら、その我が身の生き血を啜《すす》る蛭《ひる》をかばわねばならぬとは。貧にあえぐ下々の暮らしは、かくも辛《つら》いものなのね……)

めだか姫、直光、お仙、そして倉地政之助は、黙って俯《うつむ》いてしまいました。それぞれの心の中に、とても恥ずかしい考えが、ほんのちらっとですが、顔を覗《のぞ》かせたからです。

(こんな暮らしをせずに済んでよかった……)

めだか姫を首魁《しゅかい》とする一党は、蕎麦《そば》屋まで退却しました。

時羽直光と倉地政之助は無言で盃のやり取りをし、めだか姫とお仙は俯いて茶を啜っています。

「倉地さま、お仙さんに十両渡してください」

「は……」

とまどいながらも、倉地は命ぜられるままに小判を渡しました。

「めだか、なんであたいにこんな大金を……」

「どこか確かな薬種屋を選び、本物の朝鮮人参を求めて、お糸さんに届けてくださいな。今わたくしたちにできるのは、ご老人に養生をさせてあげることだけですものね」

お仙はどんと胸を叩きました。

「まかせてくんな。いい人参がなかったら、朝鮮までひとっ走りして取ってくらあ」

お仙なら本当にそうするかもしれない。めだか姫は対馬《つしま》から朝鮮めざして抜き手を切って泳ぐ天狗《てんぐ》娘の勇姿を想像して、ようやく元気を取り戻しました。

「さてと。ここでそれぞれ自己紹介をいたしましょう。わたくしと直光さまは身分を偽っておりましたし。それから自分が今、何をしたいのかも。嘘《うそ》はつきっこなしですよ。これからみんなで仲間になって、力を合わせてゆくのですから」

行く川の流れは絶えずして、娘心はひとつ所にとどまりません。

姫君は風見藩の隠密《おんみつ》になりたいと思っていたのをもう忘れ、今度は百七人の豪傑を集めて親分におさまるつもりでおります。

なんと、中国三大奇書のひとつ、「水滸伝《すいこでん》」をこの大江戸で演じようとしているのです。

めだか姫は、直光から聞いた六不思議を解こうと思っている、と口火を切りました。

直光は、自分はただ抜け穴を利用して町を遊び歩いていただけだ、とぼやきます。

お仙は、あたしゃ行方不明の兄貴を探していてめだかと知り合ったのだと語ります。親父《おやじ》の五兵衛《ごへえ》が倉地家の手先なので、あたいも政之助の旦那の手伝いをしなきゃならねえ。

倉地政之助は、かくなるうえは仕方がないと、御側衆《おそばしゅう》筆頭、田沼意次《おきつぐ》の命を受け、密約の内容を知るために風見磐内両藩を調べ始めたところだ、と白状しました。

「そうそう。密約について調べてほしいのでしたね」

めだか姫は微笑《ほほえ》みました。

「わたくし調べてみましたのよ、夫の居室を。でも密約の存在を示すような証拠はなにひとつございませんでした」

倉地は首をかしげます。

「では田沼さまは偽の情報に踊らされておられるのか。いや、まさか田沼さまほどのお方が……」

「お待ちになって。実はわたくし、ひと所《ところ》だけ調べ忘れていたの」

めだか姫はお仙に命じて、倉地が吉左衛門の質屋から請け出してきた将棋盤をひっくり返させました。

将棋盤の裏には、職人が「臍《へそ》」と呼ぶくぼみがあります。別名を「血溜《ちだ》まり」という、観戦中に助言した者の首をはねてこの部分に乗せ、助言無用の戒めとした、という説がございますが、これはもちろん俗説です。これが真説ならば、日本中の盤が血に塗《まみ》れてしまいますし、そもそもひっくり返して首を乗せたら、続きを指すことができません。まあ、このような説ができるほど、見物人のちょっかいは忌《い》み嫌われていたということですね。そういえば、将棋盤の脚はくちなしの実の形をしていますが、これもまた助言を嫌ってのことです。「口無し」という洒落《しゃれ》でして。

「臍」は正式には「音受け」といい、駒音《こまおと》を響かせる効果があり、かつ盤のひび割れや狂いを防ぎ、乾燥を促進する目的でうがたれています。

さて、「臍」は通常四角い穴の中に四角錐《しかくすい》の山が彫られているのですが、めだか姫の将棋盤の臍は、駒の形をしております。

一同が好奇の眼を向ける中で、めだか姫は駒袋から飛車を取り出し、臍にはめ込みました。かちりと止め金のはずれる音がして、五寸四方の隠し蓋《ぶた》がせりあがります。すべすべに見えた盤の裏にこのような隠し物入れを作ったとは、職人の腕の冴《さ》えを感じます。

「おやまあ。なにやら書状が入っておりますわ」

めだか姫はびっくり仰天しました。夫直重《なおしげ》には隠し物入れのことは話してありましたが、まさか本当に用いていたとは思ってもいませんでした。

めだか姫はわななく指で、固く封のされた二通の書状を引き出しました。

まだ新しい書状の表には、夫・時羽直重と父・西条綱道の署名が並んで記されています。そして、もう一通のずいぶん古びた書状には、時羽光晴《みつはる》と西条兼忠《かねただ》の署名が。

めだか姫の胸はどきどきと脈打ちました。風見藩と磐内藩は本当に密約を交わしていたのです。しかも、それはかなり昔から続いているようです。

古い書状に署名している時羽光晴は夫の、西条兼忠は父の、それぞれ祖父にあたります。先々代の藩主同士が取り決めた密約の期限が切れ、夫と父が再び取り交わしたと想定できます。

めだか姫の脳裏に、父が風見藩への輿入《こしい》れを告げた時に浮かべていた、にやにや笑いが蘇《よみがえ》りました。

(あの謎《なぞ》の笑みは……やはりそうだったのね。父上はわたくしを政略の道具に使ったんだわ)

めだか姫は、密約を交わしている風見藩との絆《きずな》をより深めるために、時羽直重と結婚させられたのです。

茫然《ぼうぜん》としている姫君に、倉地政之助が震える声で頼みました。

「中を開き、読んでお聞かせくだされ」

思わず封を切ろうとしためだか姫を、時羽直光が慌てて止めます。

「姉上、なりません。幕府隠密に、いや田沼意次に内容を知られては……」

めだか姫の手が止まりました。

倉地政之助は目を尖《とが》らせて、冷飯若君を横目で見ます。

(密書を奪うためには、この若君を斬らねばならぬ)

時羽直光は、刀の柄《つか》に手をかけようかと迷っております。

（密書を守るためには、この隠密を斬らねばならぬ）

緊迫した空気の中、一人だけ我関せずで隠し物入れを覗き込んでいたお仙は、細長い紙片を摘《つま》みだしました。

「なんだろこれ。なんか書いてあるが、あたい崩し字は読めねえ。めだか、読んでくんな」

めだか姫は慌ただしく紙片に目を走らせます。その顔がなごみ、くすくすと笑いはじめました。

「なんだよ。気持ちの悪い。なんて書いてあったんだい」

お仙は焦《じ》れ、倉地と直光は気勢をそがれてぽかんと口を開けます。

「夫の筆跡《て》でこう記してあります。『めだか、読むでないぞ』と」

めだか姫は、胸の奥が熱くなるのを感じました。

わずか九文字の走り書きです。しかし、その短さに、めだか姫は夫の信頼を感じました。

読むな、とひとこと書いておけば、妻は読むまい。そう信じて疑わず、宝物を隠す子供のように、楽しげに筆を走らせている直重の姿が目に見えるようです。

紙片と二通の書状をしっかと懐《ふところ》に納めためだか姫は、きっぱりと言いました。

「夫が読むなと命じた書状を開いては、婦道にそむきます」

「いやしかし……」

倉地政之助は口ごもりました。密約の内容を調べ、証拠の書状を手に入れる。それが田沼意次から命ぜられた使命なのです。

「そうそう、倉地さまにはわたくし頼まれておりましたわね。密約について調べてほしいと。わたくし胸を叩《たた》いて承知いたしました。その約束は忘れてはおりませんよ」

「でしたら、その……書状を渡していただくというわけには……」

「それは無理ですわ。ですけど、わたくしだってそりゃあもう、この書状を開いて両家がいかような密約を結んでいるのか、知りたくて知りたくてたまりませんのよ」

「だったらなおのこと……」

「なりません。ですが、めだかは心に決めました。この書状を開くことなく、密約の内容を突き止めてみせます」

めだか姫は声高らかに宣言しました。

(見てらっしゃい、父上、直重さま。あたしだってただのめだかじゃなくってよ)

政略の道具に使われたことを、怒ってはおりません。父は五十万石の藩主として、当然のことをしたまでです。

そして夫は、「読むな」と書いておけば妻は読まぬと信じて、大切な密書を託してくれました。四国讃岐《さぬき》への長旅に持参して存在が家臣に知られたり、あるいは紛失するのを恐れてのことでしょう。

（来年お戻りになったら、ぎゃふんと言わせてさしあげるわ。密書を読まずに秘密を突き止めたと知ったら、藩主を代わってくれとおっしゃるかもしれない）

わくわく胸を躍らせて、めだか姫は一同に頼みました。

「みなさん、めだかに力を貸してくださいますわね」

お仙は勇んで飛び跳ねます。

「面白え。あたいは乗ったぜ」

直光は頭を抱えました。

「止めても無駄のようですな……」

めだか姫はあっけにとられている倉地に微笑みかけます。

「倉地さまにはすでに磐内藩上屋敷に入る方策を授けましたし、明日は風見藩邸にも潜入させてさしあげます。ですから密書のありかは知らぬ振りをしてくださいな」

「し、知らぬ振り、ですか」

倉地は姫君のあまりの無邪気ぶりに言葉を失いました。幕府に内緒の密約、その内容によっては、弱小外様《とざま》大名の時羽家はもちろん、五十万石の西条家だって改易に追い込まれるかもしれないというのに。

「このわたくしでさえ、密書を読まずに約定の内容を探り当てようとしているのです。倉地さま、ここで密書を奪って中を読んだら、めだかに負けることになりますわよ」

(そんな勝ち負けに挑んだ覚えはないが……)

倉地政之助はなんだか頭がくらくらしてきました。

(さりとてこの天女のような姫君を斬《き》るわけにもいかんし……。まあここは一歩引いて、言いなりになっておくか。風見磐内両藩の内情を探ってから密書を奪えばよいのだ)

倉地はいつしかめだか姫の思う壺《つぼ》にはまっていました。

時羽直光は、汗を拭《ぬぐ》ってぼやきます。

「しかし、驚きました。わしは密書の入った将棋盤を質入れしたのですな」

「そして、請け出したのは拙者でござる。密書が入っておると知っておったなら、これを担《かつ》いで田沼さまの許《もと》に走ったものを」

「ところで姉上、この十両をお納めください」

直光は吉左衛門の質屋から借りた十両を差し出しました。

「利子として取られた二両は、いずれお返しいたします」

めだか姫はかぶりを振りました。

「それは直光さまが取っておいてください。今後の軍資金として。いかなる機会にお金がいるかわかりませんものね」

父から借りた五十両はいくら残っているのか、とめだか姫は倉地に尋ねます。将棋盤を請け出すのに十二両、吉左衛門に返したのが二十両、お仙に渡した人参《にんじん》代が十両。八両残っていました。

「では倉地さま、夏足袋を十足買ってくださいな」

「た、たびって、足に履く足袋でござるか」

「手に履く足袋はございません。風見藩上屋敷では女物の足袋が大層不足しておりましてね。明日磐内藩の使者として屋敷に届けてくださいな。さすれば倉地さまは藩邸に潜入できますでしょ」

「……なるほど」

「残りの金子《きんす》は軍資金としてお持ちなさい」

(幕府隠密が、調べる相手から軍資金を得てよいものだろうか……)

倉地政之助の悩みも知らぬげに、めだか姫は明るい声で宣言いたします。

「さあ、これでみんな仲間ですよ。風見藩上屋敷の六不思議を解き明かし、磐内藩と結んだ密約の内容を調べるために力を合わせるのです。いざ、金打《きんちょう》」

時羽直光と倉地政之助はつい乗せられて大刀を引き寄せ、小柄《こづか》で刃を叩きました。お仙は釣独楽《つりごま》をひと唸《うな》りさせ、にやりと笑います。

さて、梁山泊《りょうざんぱく》ならぬ蕎麦《そば》屋に集《つど》いし豪傑たち、これより力を合わせて八面六臂《はちめんろっぴ》の大活躍が始まります。

(この蕎麦屋の床下には石碑が埋まっていて、「替天行道《てんにかわりてみちをおこなう》」と「忠義双全《ちゅうぎならびまったし》」って彫ってあるんだわ。そして列記してある百八星の一番目はもちろんわたくしの名前、「天魁星《てんかいせい》めだか姫」よ)

姫君の瞳《ひとみ》には、星が宿っておりました。

第八回

どの門に回れど同じ赤い痣《あざ》

倉地政之助《まさのすけ》は風見藩上屋敷の裏門で、元気な声を出しました。

「頼もう」

声が元気なのは、昨日まがりなりにも磐内藩《ばんだいはん》上屋敷に潜入し、見事帰還することができたからです。

(五十万石の大藩でさえ騙《だま》しおおせたのだからな。二万五千石の風見藩ごとき、ちょろいものだ)

もちろん、倉地が無事生還できたのは、めだか姫の書状によって幕府隠密《おんみつ》であることが西条綱道に筒抜けだったからなのですが、政之助はそれを知りません。

「頼もう」

倉地は再び呼び掛けました。しかし応《こた》えはなく、門は固く閉ざされたまま、びくともしません。

（おかしいな……留守かな）

いくら小さいとはいえ、ひとつの藩邸がからっぽのはずがありません。そもそも十足の足袋を持って、磐内藩の使いとして奥御殿を訪れるよう頼んだのは、めだか姫自身なのです。

とまどい顔の倉地は、照りつける日差しに月代《さかやき》を焦《こ》がしながら藩邸の塀に沿って半周し、本門にたどりつきました。

「た、頼もう……」

渇いた喉《のど》で叫ぶと、物見窓が開き、こめかみに赤い痣《あざ》のある藩士が顔を覗《のぞ》かせます。

「どうれ」

「磐内藩使番《つかいばん》、蔵前政之助でござる。藩主西条綱道より、めだかの方さまあての書状を持参いたしておる」

痣のある藩士は、眉《まゆ》をしかめます。

「これはしたり。お裏さまへのご使者ならば、裏門に回られたい」

「それが……どうも門番が不在のようで、応えがござらなんだもので」

倉地がへどもどと説明すると、痣のある男は声を高めます。

「これはご使者どの、当藩邸の扱いに粗略があったと申されるか」

「い、いや、決してそのような……」

「では裏門へ回られたい」

冷酷な声とともに、ばたんと覗き戸が閉じられました。

（………）

倉地は手ぬぐいで額の汗を拭《ふ》き、あまりの暑さに悪態も出ぬまま再び藩邸を半周して、裏門に戻りました。

「頼もうッ」

やけくその大声を出すと、まるで待ち構えていたかのように物見窓が開いたので、ほっとしました。しかし、そこから覗いた顔を見るや、わが目を疑います。

「どうれ」

答えた藩士のこめかみには、赤い痣があったのです。

「き、貴公は……」

「何用でござろう」

言葉は平静ですが、痣の藩士は顔一面に汗を浮かべ、少し息も切れているようです。

「……磐内藩使番、蔵前政之助。めだかの方さまへの書状を……」

政之助が皆までいわぬうちに、痣の男がかぶせました。

「これは、磐内藩のご使者か。すぐに門を開き申すで、そのまま式台へと進まれよ」

確かに門はすぐに開きました。ですが赤痣は案内に出ず、ひたひたと敷石の上を走り去る足音が聞こえました。

（そういえば、そのまま式台まで通れと申しておった）

倉地政之助はおずおずと歩を進め、敷石なりに一度折れて、奥御殿玄関の式台の前に立ちました。

「……頼もう」

声を掛けると、出てきたのは皆さまのご想像どおり、こめかみに赤い痣のある藩士でした。

（まさかまた口上を述べねばならぬのではあるまいな）

うんざりした政之助に、男は汗を拭き拭き挨拶《あいさつ》します。

「やあ、これはご使者どの。いや、委細は御裏門物頭《おうらもんものがしら》より聞いております。拙者は取次役、上林《かんばやし》十郎太。以後お見知りおきを。さあさあ、あがられよ」

倉地は上林に導かれて客間まで進みながら、こう思いました。

（まさかこの上林十郎太なる者は三つ子で、痣まで同じ場所にあり、ひとりは御門《ごもん》物頭、ひとりは御裏門物頭、そして十郎太が取次役なのでは……あるものか馬鹿馬鹿《ばかばか》し

い）

諏訪《すわ》は十足の足袋を受け取ると、大喜びしました。

「まあ、助かります。さすがは大殿さま、気がお利《き》きになること」

簞笥《たんす》に大切にしまっておきます、そう言って足袋を胸に抱きかかえた諏訪が退出するのを待って、めだか姫は幕府隠密に微笑《ほほえ》みかけました。

「倉地さま、いえ、蔵前さまでしたわね。めだかの策略はいかが。風見藩には磐内藩の使者と言い、磐内藩には風見藩の使者と言う。これなら両方の藩邸に出入りできますでしょ」

「はあ……まあ」

「どうかなさいまして」

「いやその……。姫さま、この風見藩上屋敷には一体何人の人間が暮らしておるのか、ご存じですか」

「おや、さっそくお調べですの。そうねえ……」

めだか姫の実家、磐内藩の場合、江戸在府の藩士は三百人あまりです。藩直属の足軽中間《ちゅうげん》、そして藩士が個人で雇っている若党《わかとう》中間小者《こもの》、腰元と端女《はしため》まで含めると、総勢二千人が上中下《かみなかしも》の屋敷に居住しております。一番人口の多い上屋敷で暮らしているのは、千人ぐらいでしょう。

では、風見藩ではどうか。そもそも風見藩の藩士は士分で百人をやっと越える程度です。仮にその半分が江戸在府としても、わずか五十人。足軽中間若党小者をすべて加えても、総勢三百人ぐらいと推定されます。

風見藩には上下ふたつの江戸屋敷がありますので、上屋敷の方が多いとすると、藩士は三十人、総勢二百人といったところではないでしょうか。

「でも、これはわたくしの推測でしかありませんよ」

めだか姫は、なぜ藩邸の人数が気になるのか倉地に尋ねました。

「いやその、この藩邸はずいぶん手不足なのではないか、そう思ったもので……」

倉地はさきほどの体験を語りました。裏門には門番がおらず、本門に回ると裏門へ戻れと言われた。裏門に戻ると、本門と同じ男、上林十郎太なる者が門番として出てきた。そして上林は、取次役も兼ねているらしい。

「どうやら上林、本門でわしに応接するや、廊下を走り藩邸を横切って裏門でまた迎え、さらに駆け戻って取次を務めたようです」

めだか姫は目を丸くして聞いていましたが、やがてにっこり笑って、ぱちぱちと拍手します。

「な、なんでござる」

からかっているのか、と思い、むっとした倉地ですが。

「さすがさすが。それでこそ幕府隠密だわ」

ぎっくりをした（目をむいてじっと睨《にら》む見得を切った）役者にするように、めだか姫が賞賛しているのだと知ると、今度は尻《しり》がこそばゆくなりました。

「……と、おっしゃいますと」

「おかげで六不思議の参番が解けました」


勘定役、横井秀作は廊下にかしこまりました。

「横井秀作、まいりましてございます」

「……おはいり」

中では、めだか姫が暗い顔でうつむいていました。

横井は狛犬《こまいぬ》のように手をついて挨拶をはじめます。

「ご正室さまにはご機嫌うるわしゅう……」

「あのね、横井」

「はあ」

「わたくし淋《さび》しいの」

めだか姫は振袖《ふりそで》で目尻を拭《ぬぐ》いました。

「殿が国許《くにもと》へお戻りなされてもう三月《みつき》、ひとりぼっちで残されためだかは、なんだか淋しくて淋しくてならないの」

「ご心中お察しいたしまする」

とまどう横井を横目で見ながら、めだか姫は鼻を啜《すす》ります。

「それでね、芝居でも見れば心が晴れるかと思うの。中村座の桟敷《さじき》をお願いね」

横井秀作は戦慄《せんりつ》しました。桟敷席がいくらするものなのか、芝居茶屋にはどれほど払えばよいのか、かいもく見当もつかなかったからです。風見藩江戸藩邸にそんな金がないのは、勘定役の横井自身が一番よく知っています。

「いやしかしお裏さま……」

横井は弱り切った面持《おもも》ちです。

「あら、ごめんなさい。わたくしとしたことが、気づかぬこと。奥向きの金子《きんす》の管理は、そちの役目ではなかったわね。誰に頼めばよいのかしら」

「それは……奥家老根黒久斎さまを通じて、御奥算用方《おんおくさんようかた》が……」

「おや、そう。でも、根黒は許さぬでしょう。吝《しわ》い老人だもの。ではその、御奥算用方に直接頼みましょう。これへ呼んでたもれ」

横井秀作は、ぎくりと体を震わせました。

「いやそれが。実はお裏さま、たまたまわたくし、御奥算用方も兼任いたしておりまして……」

「まあ、横井はよほど役に立つのね。では頼みましたよ。まず中村座、つぎに市村座、最後に森田座、この順番で見ることにいたしましょう」

江戸三座を制覇する気と知って、横井は仰天しました。

「あの、お裏さま。お言葉ではございますが、今は夏、聞けば三座の桟敷はことのほか蒸すとの噂《うわさ》。それに蚊はぶんぶんと飛び、ちくちくと刺して芝居見物どころではございません。暑さも峠を越え、蚊もいなくなる彼岸過ぎまで待たれてはいかがでしょう。俗に『秋の三座は彼岸から』と申しますで……」

「それを言うなら、『暑さ寒さも彼岸まで』でしょう」

おろおろと芝居見物を止めさせようとする横井に、めだか姫は噴き出しそうになるのを堪《こら》えております。

「そ、そうでしたかな」

「でも、横井がそう言うのなら、芝居見物は秋まで待ちましょう」

姫君があっさり頷いたので、勘定役兼御奥算用方は安堵《あんど》の吐息をつきました。

「おやおや、これはわたくしとしたことが、つい話に夢中になって。……これ諏訪、茶をもて。諏訪……」

次の間に呼び掛けますが、返事はありません。めだか姫は、はたと膝《ひざ》を叩《たた》きました。

「そうそう。諏訪は買物方に会うため、御小座敷《おこざしき》にいるのでした」

横井秀作の肩がぎくりとこわばりました。

「か、買物方ですか」

「ええ。なんでも足袋が足りぬとか申しておりました。御小座敷で、小朝が買物方を呼んでくるのを待っているはずですわ」

横井は額に噴き出した汗を手の甲で拭い、膝でにじりさがります。

「お裏さま、それでは失礼いたします。はは、ちと拙者、仕事が溜《た》まっておりまして」

あたふたと去る勘定役の後ろ姿に、めだか姫はいたずらっぽく舌を出しました。

(さぞお仕事が溜まってるでしょうともさ)

襖《ふすま》が開き、次の間で廊下の気配を窺《うかが》っていた倉地政之助が入室しました。

「いや、姫のおっしゃる通りでござった。廊下を走り去る轟音《ごうおん》が聞こえたので、すぐに覗《のぞ》いて見たが、すでに姿は影も形もござらなんだ」

めだか姫はくすくす笑いました。

「さて、諏訪はうまくお芝居してくれるかしら」


ここは御小座敷。まだ荒い息が静まらぬまま、横井は自己紹介しています。

「買物方、横井秀作でござる。なんでも、足袋の一件でお話がおありとか」

諏訪は涼しい顔で答えました。

「そのことでしたら、もうようございます」

「へ」

横井は鳩《はと》が豆鉄砲を食らったような顔になりました。

「たまたま磐内藩から足袋が届きましてね。もう不足はございませんの」

「……それはようございました」

勘定役兼御奥算用方兼買物方は汗を拭いながら、ほっと息を吐きました。

「まことに。ところが横井どの、いまひとつ大問題が持ち上がりました」

「な、なんでしょう」

「腰元たちが、食事が粗末すぎると言いだしまして。この七日の間に、ひじきと油揚げの煮つけが五日も出たのだとか」

「……さようですか」

「無論、横井どのには関わりのないことですけれども。小朝が首領となって腰元を糾合し、謀反《むほん》の計画を立てているようです」

「む、謀反ですと」

「はい。食事が粗末なのは、御台所算用方が費用《かかり》を削り、着服しているに違いない、そう申しまして。その者を捕らえて吊《つる》し上げ、割り竹で叩きのめすと息巻いております」

横井秀作は割り竹で叩かれたかのように、びくりと身を震わせました。

「まさかそのような。着服など決して……」

「ですわよねえ。ともかく、腰元たちに納得のいく説明をするようにと、御台所算用方に伝えてはいただけませんか」

「し、承知しました。ではさっそく……」

蹌踉《そうろう》たる足取りで退出する横井に、諏訪は楽しそうに教えてやりました。

「腰元たちは小朝の部屋におります。長局《ながつぼね》の一番手前ですわ」

どどどどどと走る足音がしたので、諏訪は慌《あわ》てて廊下に顔を突き出しましたが、すでに横井秀作の姿はありません。

「まあ。姫のおっしゃった通り。『廊下の足音すがたは見えず』だわ」

横井秀作は精も根も尽き果てて、長局の一番手前の部屋の唐紙《からかみ》に手をかけました。

「……御台所算用方……横井秀作……ごめん……」

息も絶え絶え、言葉もとぎれとぎれの横井、小朝の部屋に誰もいないのを知って目を丸くします。その膝が崩れ、万年床にばたりと打ち伏して、ぜいぜいとあえぎます。このまま眠れるなら、どんなに幸せでしょう。

しかし、勘定役兼御奥算用方兼買物方兼御台所算用方の休息は、長くは続きませんでした。

「横井秀作」

鈴を振るような声に、首だけをねじ曲げて見上げた横井は、仰天して飛び起き、平伏します。

めだか姫はやさしく横井をいたわりました。

「さぞ喉《のど》が渇いたであろう。茶を進ぜよう。わらわの部屋へまいれ。……もう走らずともよくってよ。歩いてね」

めだか姫と『磐内藩士・蔵前政之助』は、横井秀作から風見藩上屋敷の六不思議の参番、「廊下の足音すがたは見えず」の講釈を聞いております。

ここ風見藩上屋敷の人口を、めだか姫は士分の藩士三十人、総勢二百人と推定しましたが、実はもっとずっと少なかったのです。

藩士が二十人、若党中間足軽小者腰元端女《わかとうちゅうげんこものはしため》を含めての総勢でも、百人に届きません。無論、すべては経費節減のためです。

たった二十人の藩士で五千坪の藩邸を運営せねばならぬのですから、どうしても藩士は役職を兼任することになります。いくら小藩とはいえ、小藩なりの格式は維持せねばならず、役職を減らすわけにはいかないからです。

例えば、金を扱う役職は、すべて横井秀作の担当です。表と奥の両御殿の管理維持経費、藩主一族の経費に始まり、対外的な進物の費用、商人からの物品食品の購入費にいたるまで、およそ金銀銭の出納《すいとう》に関しては、みな横井秀作が算盤《そろばん》をはじいています。

また、表御殿の調度を管理する大納戸頭《おおなんどがしら》は奥御殿の人々の衣服調度を管理する小《こ》納戸頭を兼務し、さらにひまな折りには作事方《さくじかた》として藩邸の修理に携わっています。
赤痣《あかあざ》のある藩士、上林十郎太が本門と裏門の御門物頭、そして取次役を兼ねていることは、すでに皆さまご存じの通りです。しかし、実は上林、藩士と出入りの商人が用いる切手門の門番でもあります。

ひとりで三つの門の番をするのは、さぞや大変だろうとお思いでしょうが、そうでもありません。なぜならば、藩邸という所は、一見《いちげん》の客が訪れることは滅多にない場所だからです。

藩士はもちろん、出入りの商人も、そして他藩の使番も、風見藩上屋敷に門番がひとりしかいないことは、とうの昔から承知しています。

したがって、藩士は外出の際、本門で上林に切手を見せてから切手門を出て外出し、帰りも本門で切手を返し、切手門に回って藩邸に入ります。出入りの商人は本門で許可を得て切手門から入り、用件が済むと本門で上林に暇乞《いとまご》いして切手門から帰ります。

他藩の使番は、表御殿への使いは当然本門にまっすぐ訪れます。そして、奥御殿への使者であっても、まず本門で用向きを告げます。それから、上林十郎太が息せききって藩邸を横断しなくて済むよう、ゆっくりと裏門に向かいます。裏門でなにくわぬ顔をして待っている上林に、再び用向きを唱えて藩邸に入れてもらうのです。

三百諸藩の使番で、風見藩のこのやり方を知らない者は、もぐりだと言われるほどです。

さて、たったの二十人で風見藩上屋敷の運営をつつがなく行わねばならぬのですから、とてものんきに藩邸内を歩いてなどいられません。こちらの仕事が終わればあちらへ走る。あちらが済めば彼方《かなた》へ飛ぶ。足音がした時にはすでに姿が見えぬほど、藩邸内を駆けずり回らねばなりません。このため、江戸藩邸には足が達者な者が選抜されて送られるのが通例となっています。

「それでもやはり心身の消耗は激しいようで。ある時わたくしが統計をとりましたら、江戸勤番《きんばん》は国許勤めの者よりも、十年がとこ寿命が短いと出ました」

そう言って横井秀作は話をまとめました。

めだか姫はつまらなそうに肩を落としました。

「なあんだ。実は不思議でもなんでもなかったのね」

倉地政之助は姫君をなだめます。

「まあ、そうがっかりなさるな。面白いではござらぬか。激務をものともせずにきちんと務め、はたから見ればこっけいな己の姿を『廊下の足音すがたは見えず』と洒落《しゃれ》のめすとは。いや、拙者はいたく気に入りました」

そういえば、いつぞや直光《なおみつ》は六不思議の参番について、

「藩の者ならば意味は明白ですが、まだ姉上にはおわかりいただけますまい」

と言っていました。確かに、ひとりの藩士がひとつの役職を勤めるのが当然の大藩から嫁いだ姫君に、貧乏小藩のやりくり工夫が理解できるはずがありません。

（でも……わたくしも、少しは廊下を走りはじめたかしら）

めだか姫はそう思って微笑《ほほえ》みました。

今のめだか姫は、夫直重《なおしげ》が国に帰り、暇を持て余していた頃の退屈姫君ではありません。磐内風見両藩の密約について調べねばなりませんし、六不思議もまだ半分しか解いていません。

おやおや、どうやらめだか姫、お仙の兄一八《いっぱち》の消息を調べるのをとんと失念してしまったようです。

まあいいでしょう。実は一八の失踪《しっそう》にはなんの秘密もなく、まして今回のお話とはまったく関係がないのです。

四月に倉地政之助とともに風見藩の探索に出かけた幇間《たいこもち》の一八は、四国讃岐《さぬき》ののんびりした人情風土に魅せられてしまいました。自分の意思で風見藩に残り、友人にな

った冷飯食いの飛旗数馬《とびはたかずま》という男とつるんで、今も藩内のあちこちを遊び歩いておりますので、どうぞご心配なく。

さて、めだか姫は次に解かねばならぬ不思議へと頭を切り換えました。

「ええと、六不思議の四番目はなんだったかしら」

「『井戸底の簪《かんざし》』でございます。……おお、いかん」

横井秀作は打てば響くように答えましたが、なにやら急に慌てだしました。

「き、今日は何日でしたかな」

「さあ」

日付などとんと覚えていたためしのないめだか姫に代わって、倉地政之助が答えます。

「七月の五日でござる」

これは困ったとばかり、横井秀作は額に手をやります。

「となれば明日は六日、明後日は七夕。ああ弱った。うう恐ろしや。七夕なぞ来なければよいのに……」

横井は俄《にわか》に頭痛を催したよう、困った困ったと連発しつつ、挨拶《あいさつ》もそこそこにあたふたと部屋を出て行きました。

「まあ、いったいどうなさったのかしら。わたくし、七夕を怖がる人は初めて見ました」

めだか姫にしてみれば、七夕は牽牛星《けんぎゅうせい》と織女星《しょくじょせい》の年に一度の逢瀬《おうせ》の伝説に思いを馳《は》せつつ、短冊《たんざく》に願い事を書いて竹に吊し、素麺《そうめん》を啜《すす》り、夕方になれば竹を川に流すという楽しい行事です。

はてさて横井秀作、なぜ七夕が来ると困り弱り恐ろしいのでしょう。はたまた、「井戸底の簪」という不思議と七夕が、どこでどうつながってくるのでしょう。

第九回

古井戸や
簪《かんざし》飛び込む
水の音

そもそも七夕とは、徳川幕府が定めた五節句のひとつでして。正月七日の人日《じんじつ》（七草）、三月三日の上巳《じようし》（雛祭《ひなまつり》）、五月五日の端午《たんご》、七月七日の七夕《しちせき》、九月九日の重陽《ちようよう》、これで五節句。

なあに、別に徳川幕府が案出したわけではございません。中国の行楽行事をそのままいただいちまっただけなんです。

さて、五節句のひとつの七夕ですが。これはどうも、日本古来の信仰と、中国の伝説と、やはり中国伝来の乞巧奠《きこうでん》行事が習合してできたらしゅうございます。

日本古来の信仰とは、棚機《たなばた》つ女《め》、すなわち水辺の機屋《はたや》を祭場として神を迎え、穢《けが》れ祓《ばら》いをする巫女《みこ》に対する信仰です。七夕の竹や供物《くもつ》を川に流すのは、穢れ祓いの意味が残っているのでしょう。

中国の伝説は皆さまご存じの、牽牛星《けんぎゆうせい》と織女星《しよくじよせい》が天の川をはさんで年に一度の逢瀬《おうせ》をするという、あれです。

乞巧奠はもともと中国の風習でしたが、奈良時代に日本に伝わって宮中の行事となりました。初生《はつなり》の桃や瓜《うり》、そして干し鯛《だい》などの供物《くもつ》と、五色の糸を通した針や琴を庭で二星にそなえ、裁縫や音曲などの技芸の上達を祈る行事です。

現在も行われている竹に短冊を結びつけるやり方は、実は江戸庶民がはじめたことで、これが江戸城大奥にも伝わりました。ご大層に「五節句として定める」なんて偉そうにしている幕府が、民間のならわしを取り入れていたとは、少々面白うございます。

竹に吊《つる》した短冊や色紙に歌を書き、書道の上達を祈るようになったのも、手習いの師匠が考え出したやり方です。昔から教育者は、あの手この手で生徒にやる気を出させようとしていたんですね。

「はいはい。七夕については、もうすっかりわかりました」

めだか姫は、それまで得々と七夕の縁起について語っていた時羽直光《なおみつ》を押しとどめました。直光は残りの四節句の説明もしたいようですが、このまま語らせておいたら、明後日の七夕が過ぎてもまだ終わらないのではないか、と心配になったからです。

「それで、七夕と『井戸底の簪《かんざし》』の謎《なぞ》が、どう結びつきますの」

六不思議の四番目について横井秀作に尋ねると、勘定役は「七夕が怖い」と謎の言葉を残して去りました。その言葉の意味を直光ならば知っているのではないか、そう思ってめだか姫と倉地政之助《まさのすけ》は冷飯若君の居室を訪れたのでした。

「どう関係あるって、そりゃ姉上、決まっているではありませんか。七夕はなにしろ七月七日ですからな」

時羽直光は説明不要とばかり軽く手を振ります。

「……七夕は三百諸藩どこでも七月七日です」

めだか姫は直光が何を言いたいのかわかりません。

「これはしたり。姉上はご存じないのですか、七月七日に七夕以外に何が行われるのか」

まったくご存じないめだか姫は、倉地政之助に「ご存じか」と目顔で尋ねますが、倉地もとまどい顔でかぶりをふるばかり。

その時です。

「ええもうじれってえ。そんなこと決まってんだろ」

部屋の隅の畳がかしぎ、お仙が這《は》い出てまいりました。床下で三人の話を聞いていたのです。

お仙は、ちんとかしこまって座りました。あぐらをかかないのは、時羽直光と倉地政之助に大切所を覗《のぞ》かれないため。どうやらこの天狗《てんぐ》娘にも、男の目を気にするだけの羞恥心《しゅうちしん》が芽生えたよう。めだか姫とつるんで歩いた影響が出始めたとみえます。

「七月七日は井戸さらいの日さ」

江戸の長屋衆は、七月七日は稼ぎを休んで井戸の掃除を行います。七夕の日は御輿《みこし》をかつぐわけでもなし、竹を飾ってしまえばすることもないので、この日に井戸さらいをしてしまおうという庶民の知恵です。

「さようさよう。当藩邸でも、七夕に屋敷内の井戸さらいをするのが恒例となっておりまして……」

藩邸内に十数か所ある井戸を、七夕の一日でさらいます。大藩ならば専門の井戸職人に頼む作業を、この貧乏藩では藩士若党が総出でもろ肌脱いで行います。

「なにしろ井戸職人を頼めば銭がかかりますからな」

当然のごとく言う直光に、倉地政之助が尋ねました。

「藩士若党が総出とおっしゃいましたが、中間《ちゅうげん》小者は加わらぬのでござるか」

倉地も少しは隠密《おんみつ》として成長したようで、重箱の隅をつつくようになりました。

「やあ、それが。井戸さらいを行う者には、藩士で一朱、若党ならば二百文の日当が出る定めとなっておりましてね」

中間小者にまで日当を出すほど風見藩は裕福ではないのだ、と直光は胸を張り、妙な自慢をします。

勘定役、横井秀作が七夕を恐れていたのは、日当として渡す金を捻《ひね》り出さねばならないからでした。

めだか姫は首をかしげました。どうせ銭金を使うのならば、専門の職人にしてもらった方が上手に井戸掃除をして貰《もら》えるでしょうに。

「なんと姉上、まだお判《わか》りいただけませんか。まず第一に、井戸職人は屋敷の外の者。どうせ銭を使うのならば、藩士に払って少しでも暮らし向きの役に立てさせたほうが得策でしょう。そして第二に、井戸さらいは武士の本業ではありません。俸禄《ほうろく》に含まれぬ労役をさせるのですから、特別の役料を払ってしかるべきです」

直光によれば、もともと禄高の少ない風見藩士にとって、井戸さらいで得る小遣いは嬉《うれ》しい余得、外に出てなにか美味《おい》しいものを食したり、帰藩の際の土産物代に使うのだそうです。

（まあ、なんと涙ぐましい……）

五十万石の姫君は小藩の藩士のつつましい暮らしぶりに、あやうく落涙するところでした。ですがまだ、「井戸底の簪」という言葉の意味はわかりません。そこでそう問いますと。

「百聞は一見にしかず。井戸さらいを見ていただければすぐにお判りいただけるのですが。しかし弱りましたな。むくつけき男どもがもろ肌脱いで働く姿を藩主の正室が見るというのはどうも。それに、藩士たちも武士らしからぬ姿を見せとうはあるまいし……」

直光はしばし首をひねっていましたが、はたと膝《ひざ》を叩《たた》きました。

「ご一同、いかがでしょう。ひとつ我々で井戸さらいをしてみませんか」

「わたくしたちで……」「井戸をさらうのでござるか……」

めだか姫と倉地政之助は目を丸くします。

例の幽霊長屋の横、へこ松が隠れていた古い井戸は、用いることがないため井戸さらいが行われないのです。あの井戸をここにいる者でさらい、「井戸底の簪」の謎を解こうではないか、そう直光は提案しました。

「まあまあなんと面白そうな。やりましょうやりましょう」

めだか姫はわくわくと胸を躍らせます。

「やだよう。あたしゃ降りた」

　お仙は俄《にわか》に顔色を失いました。畳の端をぽんと叩くと、畳がかしぎます。畳が元に戻って埃《ほこり》が舞ったときには、お仙の姿は床下に消えておりました。

　かぶき者だろうが幽霊だろうがものともしない女忍者《くのいち》のお仙が、たかが井戸さらいで顔色を失って逃げ出すのはなぜでしょう。めだか姫は不思議に思いました。

「体を動かすのは厭《いと》いませぬが」

　倉地政之助は小首をかしげます。

「井戸さらいにはいろいろ道具が必要でござる。どこで手に入れればよいか……」

　天童小文五は、きまりわるげに咳払《せきばら》いしました。

　ここは奥御殿の客間、前にはめだか姫の将棋盤が据えられ、横には饅頭《まんじゅう》を山盛りにした三方《さんぼう》が鎮座ましましております。しかし天童、その饅頭を食うどころではありません。なぜなら、八人の腰元がすぐ近くに座り、くすくすそわそわ互いを肘《ひじ》でつつきあいながら小文五を見守っているからです。

「ふふふ」

「可愛《かあい》い」

「鉞《まさかり》を担《かつ》がせ腹掛けをさせたら金太郎さんになるかしら」

「頰のぷるぷるをつんつんしてみたい」

どうやら腰元たち、美貌《びぼう》の若武者榊原拓磨《さかきばらたくま》との対面がならぬと悟るや、天童小文五に興味を切り換えたようです。

なにしろ今日は七夕、牽牛と織女が年に一度の逢瀬をする日です。自然と心も浮かれようというもの。

天童はとうてい美男子とはいえませんし、今も女どもに囲まれて苦虫を嚙《か》み潰《つぶ》したような顔をしています。しかし、女の鋭い嗅覚《きゅうかく》は、こんな顔をしているのは恥ずかしがり屋が防御を固めているのだと嗅《か》ぎわけたのです。天童の持って生まれた愛嬌《あいきょう》は、腰元たちの悪戯心《いたずらごころ》をくすぐり、こうして案外な人気者となってしまいました。

「そんな難しいお顔をなさらず」

「にこりと笑ってくださいな」

「頰がぷりんと揺れるのが見たい」

「ぷりぷりほっぺをすりすりさせて」

（ええい、煩《うるさ》い）

天童小文五が大喝しようとした時です。諏訪《すわ》が入室、天童を取り巻いている腰元たちを見て、眉根《まゆね》に皺《しわ》を寄せます。

「みなさま、七夕の支度はお済みなの」

腰元たちは遠浅の引き潮時《どき》のように退却しながら、

「わたくしは盥《たらい》に水を汲《く》んで据えました」

牽牛織女の二星を映すためです。

「初生物《はつなりもの》もお供えしましたわ」

「琴も据えました」

「わたくしはお三味線を」

「竹に五色の短冊も結びました」

口々に己《おの》が功名を並べます。

「おや、小朝はどこに」

諏訪の問いに、腰元たちは知らぬとかぶりを振ります。

「さあ。針に糸を通すのに、ずいぶん手間取っておりましたけど」

金の針七本、銀の針七本に五色の糸を通すのは、裁縫の上達を祈るためです。針に糸も通せぬ小朝に祈られたのでは、織女星もさぞ困惑していることでしょう。

「いかに七夕で心が浮《うわ》ついているにしても、姫君の将棋のお師匠さまに戯《たわむ》れかかるとは、なんと淫《みだ》らな。さあ、行って素麺《そうめん》でもお茹《ゆ》でなさい」

諏訪に叱《しか》られて、腰元たちは流し素麺が樋《とい》を滑るように消え去りました。

「天童さま、まことに申し訳ございません。お昼食《ちゅうじき》のあと、姫はいずこに消えられたか行方《ゆくえ》しれずなのでございます」

天童小文五は無精髭《ぶしょうひげ》の生えかかった顎《あご》を撫《な》でます。

（まあ、むさいお方。姫にお目にかかる折りは、髭くらい剃《そ》ってらっしゃるべきだわ）

諏訪の不快も知らぬげに、天童はぼそりと呟《つぶや》きました。

「よく物の無くなるお屋敷ですな。前回は将棋盤が消え、今度は姫君が行方しれず。次はわしかもしれん」

諏訪はあやうく笑いそうになりました。しかし、これしきで笑っては老女の威厳が損なわれます。ことさらいかめしい表情を作って言いました。

「天童どのがここにおられては、腰元たちが浮つきます。諏訪の部屋でお待ちください。茶などおもてなしいたしましょう」

諏訪に急《せ》かされて、天童は客間を出ます。

（しまった。三方の饅頭がそのままだ）

天童の無念をよそに、諏訪はなんだかふわふわと雲の上を歩くような気分でした。なにしろ、男を自室に導き入れるなど、母の胎内より出《い》でて以来初めてなのですから。

（お茶のあとで、髭を剃ってさしあげましょう。男ぶりが少しはあがるかもしれませんものね）

諏訪はかつて男に触れさせたことのない乳房の奥が、どきどきと脈打ち、じんじんと熱くなってきていることに、まだ気づいていませんでした。


「こりゃどうも、まっぴらごめんなすって」

幽霊長屋の前で元気に挨拶《あいさつ》したのは、からむし長屋の辰吉《たつきち》です。

「その節はお世話になりました」

辰吉の背後で、あやうく女郎屋に売られる所だったお糸が頬を染めて頭をさげます。

「こんちは。しかし不用心なお屋敷だよ」

「御免なさい。門番は下痢でもしてんのかい」

「邪魔するよ。まったく、屑屋《くずや》がまぎれこんで湯文字の一枚《いちめえ》でも盗まれても、文句の持ってき所《どこ》がねえぜ」

好き放題さえずりながら、ぞろぞろと現れたのは、お蛸《たこ》お鍋《なべ》お魚《いを》の女房ども。その後ろには旦那《だんな》と呼ぶはばかりある亭主連中、外では稼ぎに身を磨《す》り減らし、内では猛妻の尻《しり》に敷かれ、生きているのが精一杯といった情けない男たちが続きます。

腰がひょろついているのは、あるいは先に滑車のついた棒をかつぎ、あるいは長い縄を腰に巻き付け、別の男は幾つもの手桶《ておけ》を両腕に通しているからです。桶の焼き印が風見藩の紋所、「違い鶏《とり》の羽《は》」であるのは、この手桶を裏通りの天水桶の上から拝借してきた証拠です。

一同は天水桶の抜け穴からではなく、お仙が錠を開けておいた裏門の潜《くぐ》り戸から、正々堂々と入りました。裏門に門番がいないのは、すでに皆さまご承知のはずです。

勢揃《せいぞろ》いしたからむし長屋の住人たちに、めだか姫は礼をいいます。

「まあみなさま、本日はご苦労さま……」

その声が少し沈んでいるのはなぜでしょう。

実はめだか姫、直光の提案を受け、今日七月七日に、我が手を濡《ぬ》らして井戸さらいをするつもりでした。無論、六不思議の四番、「井戸底の簪《かんざし》」の謎《なぞ》を解かんがためです。

ところが、いざとなると人手が足りなくなってしまいました。

お仙は何が嫌なのかはわかりませんが、とにかく「井戸さらいなんてまっぴら」の一点張り。倉地政之助も、「体を動かすのを厭うのではござらんが、衣服を汚しては義父義母《ちちはは》に申し訳がない」と渋面を作ります。なにしろ政之助は倉地家の養子ですから。

めだか姫と時羽直光だけでは、とうてい井戸さらいは行えません。そこで、お仙の提案でからむし長屋の人々に助《すけ》っ人《と》を頼みました。お糸の窮地を救った際に、「何ができるってえわけじゃござんせんが、おいらたちでよけりゃ、なんなりとお役にたちますぜ」と辰吉が言ったのを、お仙は覚えていたのです。

依頼を受けた辰吉は、「お安いご用」と胸を叩きました。

「しかし、姫御前《ひめごぜ》と若様はかえって足手まとい。あっしらだけで充分でさあ」

からむし長屋の人々は、午前中にちゃっちゃと長屋の井戸をさらってしまい、おっとり刀ならぬおっとり手桶で風見藩上屋敷に駆けつけてきたのでした。

長屋衆をここまで案内してきたお仙は、何を嫌ってか中間長屋の屋根から松の枝に飛び移り、高みの見物を決め込んでおります。

「そーりゃ、引けーい」

辰吉あにいの掛け声で、からむし長屋の人々は綱を引きます。

綱は井戸の脇《わき》に立てた滑車を通り、大きな桶に結んであります。その大桶で、井戸の水を汲み出しはじめた所です。

「井戸替えは深さを横に見せるなり」

川柳にもあるように、長屋の衆が引く綱の長さで、その井戸の深さがわかります。汲み出した水は辰吉が大桶を傾けて溝に流します。いくばくもなく、井戸は八分通り汲み干されました。

この井戸は神田上水から伏管《ふせかん》を通ってきた水を、呼樋《よびどい》という竹の筒で導き入れた上水井戸です。井戸さらいの時は呼樋を閉じて、水が井戸に入らぬようにしてあります。

「よーし。降りるぜい」

辰吉は褌《ふんどし》一丁になると袖《そで》無し半纏《ばんてん》をまとい、綱から大桶をはずして、我が身の脇の下を縛り上げました。男一匹晴れ姿。辰吉はお糸に微笑《ほほえ》んでみせました。お糸はぽっと頬を染めます。

「降ろしとくんなッ。隠密の旦那、合図を頼《たの》まあ」

倉地政之助の合図で、長屋の人々は綱をゆっくりゆっくり緩めます。めだか姫と時羽直光が井戸端から覗《のぞ》き込むと、辰吉は大きな束子《たわし》で、井戸の内側を上から洗い落としている所でした。

「まあ、面白い。でも大変な作業ね。足で支えているから宙ぶらりんにはならないけれど。ぬるぬるして足は滑るでしょうし、束子でこするには腕の力もさぞいるでしょう」

めだか姫は、もし自分で井戸さらいをしていたら、小半刻《こはんとき》もしないうちに手と足の力を失って、井戸の中に奇妙な果実となってぶら下がっていただろう、と思いました。

いつしかお仙も松の梢《こずえ》から降り、辰吉が井戸を洗う様子を覗き込んでいます。その黒い踝《くるぶし》を、小さな舌が嘗《な》めました。

「わわわっ」

お仙は奇声を発して飛びすさりました。その踵《かかと》は三毛猫を蹴飛《けと》ばし、着地した足の裏が柔らかい物を踏みました。

恐る恐る足を上げたお仙は、何を踏んだか見届けるや、

「ぎゃー」

と魂《たまぎ》消るような絶叫を発して飛び上がり、中間《ちゅうげん》長屋の壁をよじ登り、松の梢に消えてゆきました。

蹴飛ばされた三毛猫は「ふぐう」と不満を表明し、踏みつぶされた獲物、小さな雨《あま》蛙《がえる》を爪《つめ》の先でおもちゃにします。

「まあ、ココ。おまえ、蛙を捕ったのね」

めだか姫は、鯉《こい》を引き上げて以来ココだった愛猫《あいびょう》の名が、カコに変わったことを知りました。そして、なぜお仙が井戸さらいを嫌がっていたのか、その理由も。

お仙は蛙が大の苦手だったのです。

のちにお仙は、蛇ならば大好物（焼いて塩をふると、なんとも言えず美味《おい》しいのだそうで）なのですが、蛙は見ただけでも陰門《あそこ》が痒《かゆ》くなるのだと白状しました。

熊野《くまの》の隠れ里で暮らしていた頃、蛙に小便をかけた所、まだ毛の生えていなかった蚫《つび》が真っ赤に腫《は》れ上がったのだとか。「蛙とは関係なく、漆の木に触った手で大切所を悪戯したのではないか」との倉地政之助の問いに、お仙は憤然として否定しましたが、その顔は少し赤くなっていました。


「手桶を降ろしてくんな」

辰吉の声が井戸底から響きました。上から八分がた洗い終え、底に残った、洗い落とした汚れが混ざった水の部分にたどりついたのです。

お蛸の亭主、左官職のこね甚《じん》が綱に手桶を結びつけて降ろします。辰吉は井戸底を洗いながら手桶に汚水を汲み、こね甚がそれを引き上げます。

「よおよおッ。こいつは大漁でい」

辰吉の叫びに、めだか姫は首をひねりました。

「大漁ですって。井戸底に鯨でもいたのかしら」

時羽直光はいたずらっぽい目で年下の姉を見ました。

「姉上、辰吉が何を見つけたかあててごらんなさい」

めだか姫は、はたと手を打ちます。

「わかったわ。簪ね。簪が落ちていたんでしょう」

直光は莞爾《かんじ》として微笑みました。

「さよう。これこそ六不思議の四番目、『井戸底の簪』でござる」

洗い終えた井戸に蓋《ふた》をしてお神酒《みき》と塩を供えると、辰吉の音頭《おんど》でしゃんしゃんと手締めをします。

「それでは長屋の衆、姫君若様隠密《おんみつ》の旦那。お手を拝借。よーおッ」

男衆はするめを肴《さかな》に酒を飲み、お糸と女房連中は冷やしておいた西瓜《すいか》にかぶりつきました。これらはみな、めだか姫が倉地政之助に買わせておいたもの。

めだか姫は待ち兼ねたように、辰吉が井戸端に置いた手桶に走り寄りました。

手桶の中には、二枚の櫛《くし》と五本の簪が泳いでいます。井戸側から落とした汚れの混ざった水の中にあるので、飾りまではわかりません。

『井戸底の簪』の言葉どおり、簪は五本もござった」

倉地政之助が首をひねります。

「しかし、どうしてここに。この井戸は用いておらぬのに」

「この井戸に限らず、井戸さらいをすると、所々方々の井戸で櫛や簪が引き上げられるのです」

時羽直光によれば、櫛簪はいずれも、端女《はしため》が用いるような粗末な品ではありません。しかし、腰元に見せても、自分のだと名乗り出る者はいないのです。櫛も簪も女にとっては大切な装身具、失って嬉《うれ》しいはずはないのに、なぜ自分の物だと認めたがらないのでしょう。はたまた、誰も持ち主だと認めないのならば、我が物にしようと嘘《うそ》の名乗りをあげる女がいてもよさそうですが。

「古いのもあるけど……」

ようよう戻り、足の裏を束子で皮が剝《む》けるほどこすって蛙の臭《にお》いを落そうとしていたお仙が、倉地と直光の脇の下から背を伸ばして簪を手に取りました。

「ごらんよ。これなんか、まだぴかぴか光ってらあ」

お仙は銀の簪を袖にこすりつけ、ぬめりを除きました。

その飾りを見て、めだか姫は驚きました。

「ち、ちょっと見せてくださいな」

銀簪の飾りは、重ね扇と環菊《かんぎく》を表裏に打ち分けた模様です。この模様ならば、めだか姫は以前に見た、いえ、我が髪に差した記憶があります。

皆さまは覚えておいででしょうか。めだか姫が初めて藩邸を抜け出した折り、小朝の部屋で腰元姿に変装しました。その時、髪形は変えられないからと、簪だけを替えましたが、その簪の模様こそ、重ね扇と環菊でした。

（これは小朝の簪。あれからまだ幾日もたっていないけれど、小朝はここに来たのね。井戸端で、いったい何をしていて簪を落としたのかしら……）

行儀見習いなんてまっぴら御免と藩邸内を遊び歩き、めだか姫の部屋には寄りつこうとしない小朝が、何をして遊んでいて簪を井戸に落としたのか。どのような格好をしていたから、髪から簪が抜け落ちたのか。

謎を解こうとする姫君の脳の中は、まるで幾百万の小さな稲光が輝いているかのよう。もしも夜だったならば、めだか姫の頭部は鬼火のように青く輝いていたでしょう。

「わかった。簪の謎が解けたわ」

姫君が小躍りする様子を、一同は口をぽかんと開けて見ておりました。

居室に戻っためだか姫は、意気揚々と口を開きました。小朝の銀簪を前に、お仙、倉地政之助、時羽直光が固唾《かたず》を呑《の》んで見守っています。

「さてみなさん」

残りの簪と櫛は、長屋の女房連中に下げ渡しました。どうせ持ち主は名乗り出ないのですから、女衆に使って貰《もら》った方が成仏《じょうぶつ》できるというものです。

めだか姫は井戸さらいの礼に小判を渡そうとしたのですが、辰吉は「とんでもねえ。銭金が欲しくてお手伝いしたんじゃございません」と固辞しました。お糸を救ってもらったのをよほど感謝しているのでしょう。

その日の暮らしに追われ、店賃《たなちん》を滞納している長屋の衆も、辰吉に文句を言う者はおりません。

貧なれど卑ならず。まことに見上げた心掛けです。

「この簪は、小朝の持ち物です。そして、残り四本の簪と二枚の櫛も、小朝か他の腰元の物なのでしょう」

めだか姫に言われて、直光は首をかしげます。

「ではなぜ、持ち主が名乗り出ないのですか」

「それは……簪の持ち主と知られては困るからです。いいえ、簪の持ち主が、井戸端でなにをしていたかを知られては困る、と言うべきかしら」

姫君の頬は、少し朱に染まっていました。

「なにをしていたか、って……水を汲んでいたのでござろう」

倉地は野暮な堅物《かたぶつ》、他に井戸の用い方を知らぬようです。

「でも、あの井戸はもう長い間、用いていないのですよ」

「そうでしたな」

倉地は肩を落としました。

「なあんだ、そうか。けっ、馬鹿馬鹿《ばかばか》しい」

お仙がぴしゃりと額を叩《たた》きました。

「なんだお仙。お前、本当にわかったのか」

「わからいでかい。ちっ、くだらねえ。腰元衆、井戸端で男とつるんでやがったのさ」

お仙のむきつけな言葉に、めだか姫の頬は真っ赤に染まりました。

「……わたくしもそう思います」

どうもこの屋敷の腰元連中は浮気者ぞろいらしく、夜陰にまぎれ、あるいは白昼堂々と人気《ひとけ》の無い所、例えば幽霊長屋横の井戸端で、男との逢瀬《おうせ》を楽しんでいるのです。

井戸端で事を行うとなれば、本手取り《せいじょうい》は無理、女は井戸の蓋に手を掛けて尻《しり》を突き出し、男は女の裾《すそ》をまくって棹《へのこ》を押し込む、という方法を取らざるを得ません。

女はいつしか夢中になり、手にも力が入って井戸の蓋がずれる。頭は髷《まげ》が緩むほど前後上下に動き、ついには櫛簪がぽろりと落ちて……。

「古井戸や簪飛び込む水の音」

字余りでなければ、芭蕉翁《ばしょうおう》はこう詠《よ》んでいたかもしれません。

「ななな、なんと不埒《ふらち》な……」

直光は耳朶《みみたぶ》まで真っ赤になって絶句しました。

「これはひとつ、目付に命じて取り締まらせねば」

「およしよ。色事がお上の沙汰《さた》で止《や》むもんかい」

お仙はその道の達人のように醒《さ》めた感慨を洩《も》らします。

なにしろ風見藩士は貧乏、女郎買いにだってそうそう行けません。幾名か色好みの腰元がいて、藩士の欲求不満を解消してくれるのは、むしろ好都合……と言っては、世の女性がたに叱《しか》られるでしょうか。

「そうね……。まあ、放っておくしかないでしょう。誰が困るというわけではなし」

めだか姫が同意したのは、風見藩に輿入《こしい》れして、直重《なおしげ》との夜の営みを楽しむようになったからこそです。もしまだ磐内藩《ばんだいはん》のおぼこな姫君のままであったならば、直光のように肩を怒らせ、腰元衆を呼び集めて不埒な犯人を成敗しようとしていたかもしれません。

「しかしですぞ。楽しみにふけるだけならば結構ですが、赤子でもできたらどうします」

なおも言い募る直光を横目で見て、お仙はあきれたと首を振りました。

「子供だねえ、あんた。なぜ井戸端で楽しんでるのか、まだわかんないのかい」

お仙は女の手の内を明かします。

「因果骨《いちもつ》と女陰《めめつこ》を洗うのに便利だからじゃないか。それに遊び慣れた女なら、壺《つぼ》の奥に詰め紙をしておくもんさ」

どうもお仙、江戸市中の探索において、最も興味を示したのは吉原《よしわら》だったようです。娼家《しょうか》の風呂場《ふろば》で、女郎が詰め紙をほじり出している所まで覗《のぞ》き見たのでしょう。

(詰め紙ですって。これは覚えておかなくては)

めだか姫は頭の中の手控えに、「詰め紙」とお家流で書いておきました。跡継ぎを孕《はら》まねばならぬ身ですから、当分は必要のない手管ですが、いつか役立つ日がくるかもしれません。

「ともかく、これで六不思議の四番目、『井戸底の簪』の謎は解けましたわね」

めだか姫は晴れ晴れ晴れと宣言しました。

「あの、まことに申し上げにくいのでござるが……」

倉地政之助が、膝《ひざ》を一寸ほど遠慮がちに進めて切り出しました。

「拙者、もういろいろとお役に立ったかと存ずる。そこで……そろそろ本腰を入れて例の密約について調べたいと思うのでござるが……。お力添えいただけますかな」

めだか姫はころころと笑います。

「まあまあ、そうでしたわね。すっかり忘れておりました」

お仙と時羽直光は、あきれて顔を見合わせました。

調べられる当事者に協力を頼むお庭番もお庭番ですが、笑って頷《うなず》く姫君もなかなかの人物と言えましょう。

「いっけねえ。忘れてたァ」

お仙が突然、すっとんきょうな声をあげました。

「倉地の旦那《だんな》、覚えてるかい。磐内風見、どっちかの藩に田沼と内通している奴《やつ》がいるって、あたしゃ言っただろ」

幕府隠密は記憶をたどったうえで頷きました。あれはめだか姫が茶汲み娘となって大人気を博した日のこと。御側衆《おそばしゅう》筆頭、田沼意次《おきつぐ》が密約の存在を知ったのは、いずれかの藩に田沼の息の掛かった者がいて、その者が密約をかぎつけたに違いない。そうお仙は推理したのでした。

「あたしゃどうも、そいつを見つけたらしいんだ」

第十回

意次《おきつぐ》の子は にぎにぎを よく覚え

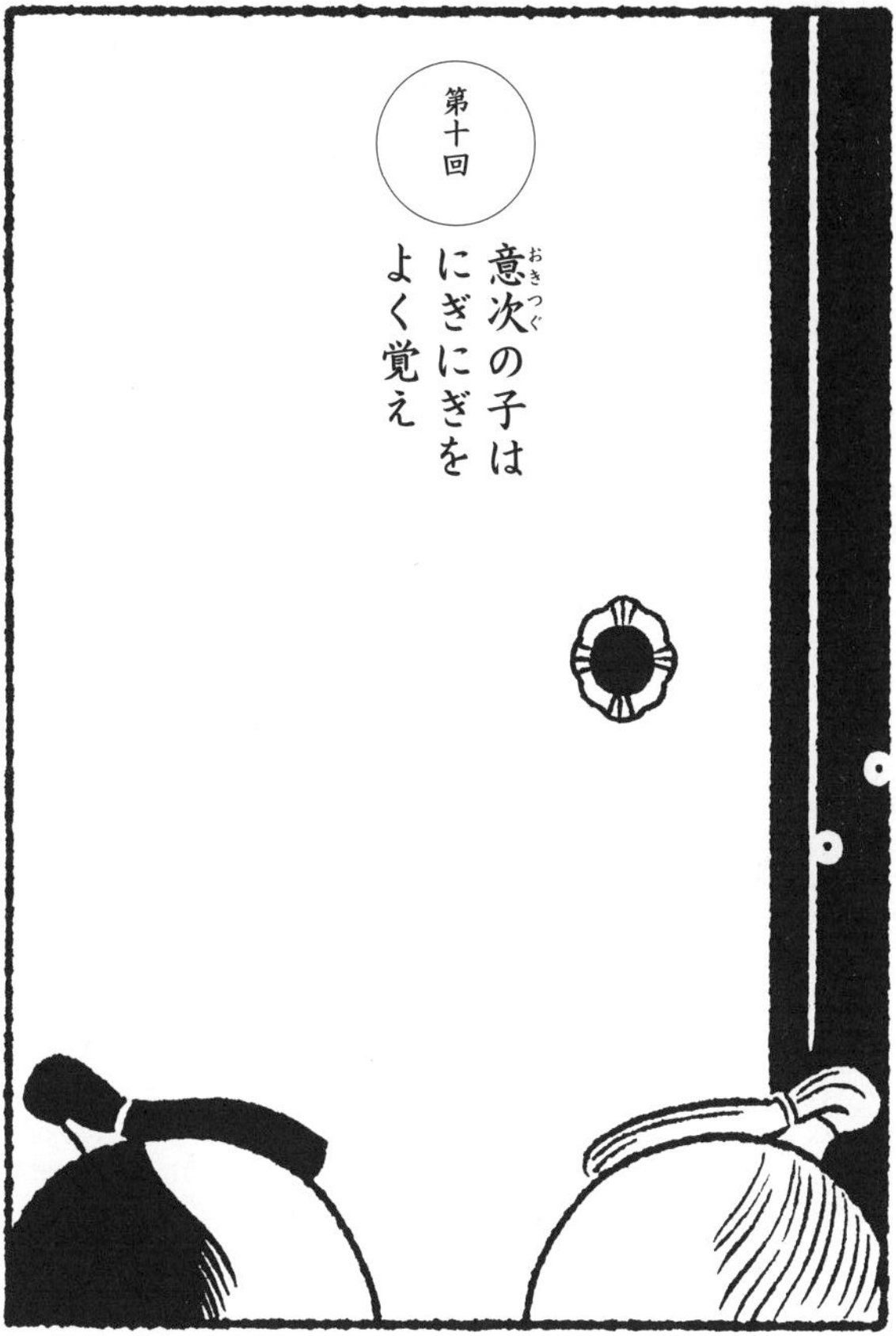

「昨日の夕方のことだけどさ。松の上で待っていてもめだかが呼ぶじゃなし、飽きちまって帰ろうとしたら……」

お仙は目をきらきら輝かせて語り始めました。

裏門の前を通りかかると、潜《くぐ》り戸がかたことと音を立てます。

お仙が松の陰に隠れると、頭巾《ずきん》で面《おもて》を包んだ武士が人目を避けるようにして出てきました。腰が少し曲がっている所から察するに、かなりの年配のようです。

(この暑いのに頭巾たあ、ただごとじゃねえ)

ぴんと来たお仙は松の梢《こずえ》を飛び渡り、塀の上を這《は》って尾行を開始しました。

男はまっすぐ呉服橋に向かい、広壮な屋敷の裏手で立ち止まりました。衣服を整え、頭巾を脱いで白髪頭を撫《な》でつけます。

塀の上にへばりついて見ていたお仙は、息を呑《の》みました。

（奥家老のじじいだ。たしか、根黒久斎といったっけ）

いつぞや直光《なおみつ》の部屋をごそごそ家捜《やさが》ししていた根黒を、お仙は見ております。

根黒久斎はほとほとと潜り戸を叩《たた》きます。来訪は予定のようで、すぐに戸は開き、根黒は邸内に姿を消しました。

（まさか、ここは田沼意次《おきつぐ》の屋敷で、あいつめ、風見藩の内情を伝えるために訪れたんじゃ……）

お仙は戦慄《せんりつ》しました。江戸留守居役兼奥家老が内通者、そんなことがあるのでしょうか。

（ともかく、ここが田沼屋敷かどうか確かめなくちゃ）

お仙は、首を伸ばして邸内を覗《のぞ》き込もうとしました。

「な、なんでえ、おめえは」

思わず声が出たのは、すぐ目の前に、若い男の顔があったからです。

「そ、その方こそ何者だ……」

お仙以上に驚いた様子で、若い武士は誰何《すいか》しました。

塀の上の人影を見咎《みとが》めて、梯子《はしご》を立て掛けて登ったらしく、首から上しか見えませんが、年の頃は十六、七というところ。神経質そうな細面《ほそおもて》、声も震えていて、ずいぶん臆病《おくびよう》な若者のようです。

「あたいは……天狗《てんぐ》さまのお使いさ。ここが誰の屋敷か調べに来た。さあ、きりきり白状しな。まずあんたの名前を教えてもらおうか」

開き直ったお仙は、塀の上にあぐらをかきました。内股《うちもも》が多少見えても、構っているる余裕はありません。それを気にして正座しては、なんとも礼儀正しい天狗の使いになってしまいますから。

「わしは……わしは龍助《りゆうすけ》……」

龍助はお仙の黒い脛《すね》と白い太股に目を奪われ、一度は気まずそうに目をそらしましたが、見えそうで見えない肝心どころによっぽど興味があるらしく、ちらちらと横目で窺《うかが》っています。

「で、龍助。ここは誰の屋敷なんだい」

若者の目に狡猾《こうかつ》な光が宿りました。唾《つば》を呑みつつ、もったいをつけます。

「教えてもよいが……」

「じゃ教えろよ」

「その……もうちょっと、裾《すそ》をまくってくれぬか」

「な、なんだって」

天狗娘は、慌《あわ》てて股ぐらを両手で隠しました。

「よいではないか。人に物を尋ねるのに、土産なしという法は無かろう」

龍助はいつしか怯《おび》えを捨て、舌なめずりせんばかり。

「隠しどころを見せてくれ。さすれば屋敷の主人《あるじ》を教えてやる」

お仙の右手に釣独楽《つりごま》が現れました。回している暇はないので、握り締めて若者の額に叩きつけます。

「助平野郎。五人組《せんずり》でも掻《か》きやがれッ」

あわれ龍助、額に釣独楽の烙印《らくいん》を押されて梯子ごと庭に倒れ、ぎゅうと呻《うめ》いて意識を失いました。


「龍助と名乗ったのか、その若者は」

舞台はめだか姫の居室に戻ります。お仙の話を聞いていた倉地政之助《まさのすけ》は、思わず膝《ひざ》を立てました。

「そうだよ」

「さすればそこは田沼屋敷に間違いない。お仙が会った若者は龍助意知《おきとも》どの、田沼さまのご長男だ」

倉地によれば龍助は十六歳。今年の正月に将軍家治《いえはる》さまに初のお目見《めみえ》、菊の間広縁《ひろえん》に控えるよう命ぜられました。

「田沼の倅《せがれ》か。どうりで、屋敷の主《ぬし》を教えるかわりに賄賂《まいない》をよこせといいやがった。親が親なら子供も子供だ。一句できたぜ。『意次《おきつぐ》の子はにぎにぎをよく覚え』」

お仙の詠《よ》んだ句の冒頭が「役人」に変わって、あの有名な川柳になったとか。

「まあまあなんと。内通者が根黒久斎であったとは。なぜまた留守居役ともあろう者が……」

直光の部屋を家捜ししているのを見て、なにやら怪しいと感じてはいましたが、さすがに驚きを隠せないめだか姫です。

腕組みをして黙考していた時羽直光が唇を開きました。

「いや、有り得ぬ話ではございません……」

根黒久斎は今でこそ風見藩上屋敷の大黒柱としての要職にありますが、昨年の暮までは、江戸留守居役兼奥家老附き用人として走り使いをしていたにすぎませんでした。

前任者の稲見増蔵は昨年末、小藩留守居役の年忘れ会に出席、意地汚くも注がれるままに盃を重ねました。帰路ふらつく足が乱れて掘割にざんぶと転落、溺死《できし》してしまいます。駕籠《かご》代を倹約したのがあだとなったのです。

稲見の急死によって、繰り上がったのが根黒久斎でした。

本来ならば江戸留守居役兼奥家老は国許《くにもと》で家老職の格でなければその座につけませんが、急なこととて根黒に暫時《ざんじ》その任をまかせたのです。

正式な後任は、帰国した藩主時羽直重《なおしげ》公が来年ご参府の折りに、帯同してくる予定になっています。

すなわち根黒久斎は一時《いっとき》の「つなぎ役」で、後任が来れば再び走り使いに降格される運命なのです。

もう還暦を過ぎた根黒久斎、再び走り使いに落とされる屈辱を甘受するよりは、田沼意次に取り入って田沼家の用人になるほうが高禄《こうろく》にありつける、そう考えたのではありますまいか。そこで、留守居役兼奥家老になって嗅《か》ぎつけた磐内《ばんだい》風見両藩の密約を手土産に、田沼に接近したのです。

直光の部屋を探っていたのは、藩主直重は帰国にあたり、密書を弟に預けていったのではないか、そう考えたからでしょう。

「根黒はわたくしが密書を所持しているとは、夢にも思っていないようね」

めだか姫自身、将棋盤の隠し物入れを開いてみるまでは、密書を預かっているとは夢にも知りませんでした。

密約の相手である磐内藩から嫁入りした姫君は、完全に根黒の探索の盲点に入っていたのです。

「根黒はわたくしが庭に出ただけでも嫌な顔をして、部屋で座っていろと叱《しか》ったけれど、あれは密書を探す邪魔をされたくなかったからなのね」

めだか姫はようよう納得しました。

「しかし……風見藩の江戸留守居役ってのは、大した仕事はねえんだな。走り使いしてた爺《じい》さんがそのままなれるんだから」

お仙は感心することしきりです。

「ははは。当藩はなにぶん小さいでな。大藩とは違い、ご公儀より普請《ふしん》の手伝いを仰《おお》せつかることもなく、勅使伝奏役《ちょくしでんそうやく》などという銭金のかかる役を押しつけられる訳でもない。小藩どうし、時折留守居役が集まって酒を飲んでおればそれで済む」

時羽直光は笑いました。どうやら風見藩士が忠臣蔵を演ずる機会は永遠に訪れないようです。

「こほん」

倉地政之助は咳払《せきばら》いして、めだか姫におずおずと提案します。

「姫さま。この際でござる。手間を省いて、密書の封を開いてみませんか」

「とんでもございませんッ」

めだか姫は柳眉《りゅうび》を逆立《さかだ》てました。

「あれは夫がわたくしを信じて預けてくださった大切な書状。その信頼を裏切るぐらいなら、懐剣《かいけん》で喉《のど》を突き、舌を噛《か》み切り、大川に身を投げ、枝振りのよい松を探してぶらさがりますッ」

啖呵《たんか》を切ると、

「密書はもう将棋盤から出して、別の所に隠しちゃいました。あっかんべえ」

と舌を出します。

実は密書は隠し物入れにしまったままです。しかし幕府隠密《おんみつ》にしては人を信じやすい性質《たち》の倉地のこと、こう言っておけば将棋盤を調べたりしないでしょう。

「ねえ旦那《だんな》」

お仙は猫撫で声でそそのかします。

「旦那も幕府隠密のはしくれ。密書を読んで内容を知るんなら、手習い子だってできらあ。ここはひとつ、旦那の手腕《うで》を見せてごらんよ」

時羽直光も大きく頷《うなず》きます。

「お仙の言《げん》やよし。わしも幕府隠密がいかにして藩の秘密にたどりつくか、この目で見てみたい」

「そ、そうはおっしゃるが……」

調べる当の相手に見守られて、いかにして調べればよいのでしょう。倉地は困惑して頭を抱えました。

「どこで何を誰から聞き出せばよいのか、闇《やみ》の中で烏《からす》を捜すよう、かいもく見当もつき申さぬ」

心優しいめだか姫は少し気の毒になり、助け船を出します。

「あら、簡単じゃございませんか」

「と、おっしゃいますと」

縋《すが》る思いの倉地に、めだか姫は微笑《ほほえ》みかけました。

「裏切り者の根黒久斎を見張ればよいのです」


「せんごく……千石……一千石……」

呪文《じゅもん》のように唱えながら、とぼとぼと歩いているのは、風見藩江戸留守居役兼奥家老、根黒久斎です。

ここは築地《つきじ》界隈《かいわい》、諸藩江戸下屋敷の立ち並ぶ一角。海に突き出た土地から、熱気を含んだ潮風が、なおいっそう暑さを感じさせます。

立ち止まった根黒は、額から首筋からしたたる汗をぬぐいました。手拭《てぬぐ》いを絞ると、ついさっきまで己の体内に存在した水分が、乾ききった地面に音をたてて落ちてゆきます。

（それでなくても干からびたこの老体から、まだこれほどの汗が出るとは。人の体とは不思議なものだ）

いや、わしはまだこれだけ汗をかくほど若いのだ。根黒はそう思い返して胸を張ります。

（再び走り使いに落とされてなるものか。なんとしても田沼家の用人となり、千石の禄をいただくのだ）

根黒は再び歩きだしました。長い人生において初めて摑《つか》んだ栄達の好機を決してのがしてはならぬ、と自分に言い聞かせながら。

（あれは磐内藩の馬鹿《ばか》姫が輿入《こしい》れしてきた日だった……）

千載一遇の機会に巡り合ったその日、根黒久斎は独楽鼠《こまねずみ》のように立ち働いて、婚儀の準備に粗相がないか確認していました。すると、主君時羽直重と磐内藩主西条綱道が人目をはばかるようにして御祐筆間《ごゆうひつのま》に入るのを目撃します。

（はて何事ぞ）

不審に思った根黒は、主君の密議を立ち聞きするという無礼の振る舞いに胸をどきどきさせながら、唐紙に耳を当ててました。

「……これでまた五十年……」

「……礼金はこれまで通りに……」

ひそひそ話ですので内容はさだかではありませんが、どうやら両家はなにやらの約定をもう五十年延長することで合意に達した様子です。「礼金」と言った声は西条綱道。すなわち風見藩の提供する便益に対して、磐内藩が礼金を支払う、とのことでしょう。

「……血判は……」

「いやいや……及びますまい」

密書が取り交わされたようです。血判を押そうか、との直重の問いに、綱道はその必要はない、と否定しました。

「これでよし。欣快《きんかい》至極でござる」

直重の明るい声が響きます。

「こちらこそありがたい。そうそう、めだかも頼みまするぞ、婿《むこ》どの」

西条綱道も上機嫌です。

「かしこまった。末永く添い遂げまする」

「ふふふ。めだかめ、両藩の鎹《かすがい》に使われたと知ったら、さぞや憤慨するであろう」

わははははは、と笑い声が唐紙を揺さぶりました。どうやら密談は終わったよう、根黒は慌ててその場を離れようとしました。

しかしその時、直重の声が聞こえました。

「ところで義父《ちち》上、当藩上屋敷には六不思議というものがございまして」

「ほほう。七不思議ならぬ六不思議とは」

意外な話の展開に、根黒久斎は再び耳をそばだてます。

時羽直重は、風見藩は小さいので六不思議なのだ、と説明したのち、その五番目はこうだと、笑いを堪《こら》えつつ唱えます。

「下《しも》は築地で在所《ざいしょ》が知れぬ」

「……下は築地で……」

西条綱道は一瞬とまどったようですが、すぐに謎を解いたとみえ、大笑いを始めました。

「下は築地で在所が知れぬ……いや、これはようできた。傑作傑作、わはははは」

風見磐内両藩の密約を知った数日後、根黒久斎は田沼家用人、三浦庄二《しょうじ》と密会しました。

三浦は田沼意次の情報収集掛りで、各藩の不満分子から藩に不穏な動きがないかを聞き出すのがその役目です。

田沼意次は今でこそ御側衆《おそばしゅう》筆頭まで出世しておりますが、もともとは九代将軍家重《いえしげ》公のお小姓でした。

一万五千石の現在の所領を得るには、手段を選んでなどいられませんでした。何か間違いをしでかした大名を改易し、そのほとんどを天領として将軍家の覚えを良くし、一部を我が物とする。そうやって領地を増やしてきたのです。

根黒久斎が三浦庄二の知遇を得てから、もう二年にもなります。

老体に鞭《むち》打って走り回る根黒の胸に、不満が渦巻いていると知った三浦は、風見藩を改易できるような情報をもたらせば、田沼家に千石で召し抱えると耳打ちしました。

根黒はあれこれ調べましたが、風見藩はなにしろ貧乏、藩を経営するだけで精一杯で、不穏な動きなどかけらもありません。

落胆した根黒に、彼の心の中に住む悪鬼が囁《ささや》きました。

「なければ作ればよいではないか」

時あたかも先代藩主時羽直周《なおちか》が没し、若い直重が後を継いだばかりです。根黒久斎は張り切る直重に、とある考えを吹き込みました。

それは、直重のやる気を空回りさせて失脚させ、風見藩が改易となるように仕組んだ罠《わな》だったのですが……。その罠は二年たった今も、まだぱちんと閉じて直重と風見藩をくわえこむことなく、口を開けたままです。

この罠は、今回のお話と直接の関係はありません。興味がおありの方は、『風流冷飯伝』なる書物に詳しく書かれておりますので、そちらをお読みください。……どうも宣伝して恐縮ですが、このような手口《やりくち》は、滑稽本《こっけいぼん》にはありがちでして。かの式亭三馬も『浮世風呂《うきよぶろ》』で、自らが経営する店で売り出した化粧水「江戸の水」の宣伝をしております。なにとぞ、ご寛恕《かんじょ》のほどを。

閑話休題《それはともかく》。来年直重が正規の留守居役兼奥家老を連れて江戸に戻れば、根黒久斎は元の木阿弥《もくあみ》、再び走り使いに落とされてしまいます。

（うかうかしてはおられぬ）

根黒は三浦庄二に風見磐内両藩が密約を結んでいると告げ、密書を手に入れて風見藩を改易に追い込んだあかつきには田沼家の用人に取り立ててほしいと頼みました。以後、根黒久斎は上屋敷をすみずみまで捜索しましたが、いまだに密書を発見できません。

(直重さまは密書を携えて国許《くにもと》へ戻られたようだ)

根黒は密書捜しをあきらめ、新たな手掛かりを追い始めました。すなわち、婚儀の日に直重が言っていた六不思議の五番、「下は築地で在所が知れぬ」です。

(しかし、暑い……暑うてかなわぬ……)

ひりつく喉に水を流し込みたくてたまりません。しかし、この辺りは藩邸の塀が続くばかり、茶店も井戸もせせらぎもありません。

(下屋敷のありかが判《わか》れば、井戸で水が飲める……)

根黒久斎は意識が朦朧《もうろう》となりながらも、なおも歩を進めます。

後ろを警戒する余裕などあろうはずもなく、少し離れて尾行してくる男の姿に全く気づきませんでした。

「ご加増……ご加増……なんとしても倉地の家名を高めねば……」

呻《うめ》きながら根黒久斎を尾行していた倉地政之助は深編笠《ふかあみがさ》を上げて、新しい、しかし熱した空気を吸い込みました。

(わしは馬鹿ではないか。この暑いのに、よりにもよって虚無僧《こむそう》に変装するとは)

汗を拭《ふ》こうとしましたが、左手は深編笠を持ち上げており、右手は汗でにちゃつく尺八を握り締めるのに使っています。

(しかしまあ、虚無僧姿は験《げん》が良いからな)

お庭番になってから初の遠国《おんごく》御用を命ぜられた際、倉地は虚無僧姿に身をやつし、あっぱれ役目を果たしたのです。

(それにしても、わしは田沼さまの指示で動いているのに、なにが悲しくて田沼さまに内通している老人を尾行せねばならぬのだ)

倉地政之助は訳が判らなくなっております。

(いっそあの老人に身分をあかし、ともに密約について探ろう、そう持ち掛けた方が話は早いのではないか。目的は同じなのだからな)

倉地は深編笠ごと、ぶるぶると頭を横に振りました。逃げ場を失った汗が首筋に飛び跳ねます。

「いや、わしも幕府お庭番のはしくれ。そう誰にでも正体を明かすわけにはまいらぬ」

めだか姫には正体がばれてしまっているにもかかわらず、格好のよい理屈をひとりごちています。

なあに、独身《ひとりみ》の倉地政之助、人妻とはいえ美貌《びぼう》のめだか姫のそばにいられるのが嬉《うれ》しいのです。そしてまた、自分ひとりでは密約を調べる自信もないので、お仙やめだか姫を頼りにせざるを得ないのです。

「わしが利用されているのではない。わしが彼等《きゃつら》を利用しておるのだ。ふふふ、これぞ幕府隠密の秘技。名付けて『身を捨ててこそ浮かぶ瀬もあるのだ』の術……」

暑さで朦朧となりながら、なおも政之助は尾行を続けます。

その翌日。朝食を済ませためだか姫は、幽霊長屋の二階でお仙の報告を聞いて眉《まゆ》をひそめました。

「まあ、倉地さまが倒れられたの」

「まったく情けねえ。半日やそこら尾行したぐらいで、暑さにやられて目ェ回しちまった」

「それで、根黒久斎はどこへ行ったのです」

「わからねえ。築地界隈をうろうろするばかりで……どうも、自分でも行き先がわからねえみたいだったって、倉地の旦那《だんな》は言ってたぜ」

お仙は気忙《きぜわ》しげに、かたわらの菅笠《すげがさ》を手にします。

「じゃあ、あたいは行くぜ。根黒が今日も動くといけねえから」

「ご苦労さま。わたくしもお供したいのだけれど。今日は将棋のお稽古《けいこ》の日、天童さまがいらっしゃるから」

「へん、姫御前なんぞ足手まといさ。じゃあな」

お仙はひょいと飛び上がり、天井にへばりつきました。その時です。

「ちょっと待ってッ」

めだか姫が大声を出したので、女忍者《くのいち》は驚いて手を滑らせ、どさりと畳の上に落下しました。

「あ痛ててて。なんだよ、めだか」

腰をさするお仙に、めだか姫は声を震わせて尋ねました。

「根黒は築地で何かを探していたとおっしゃったわね」

「ああ。それがどうかしたかい」

「まさに、下は築地で在所が知れぬ、だわ……」

そう呟《つぶや》くと、めだか姫は石になったように体を固くして考え込んでしまいました。

お仙は、つねってみようか、と思いました。本当に石になっていたら怖いので、やめましたけれども。

ややあって、姫君の体は柔らかさを取り戻し、頬を緩めてお仙に微笑みかけました。

「お仙さん、どうやらわたくし、六不思議の五番目を解く手がかりを摑んだようよ」

めだか姫は、直光を呼んできてほしい、と頼みました。

「それから、わたくしの文机《ふづくえ》の横の漆塗りの箱に、江戸の切絵図が入っています。ここに持ってきてくださいな」

お仙が時羽直光を伴って幽霊長屋の二階に戻ると、めだか姫は前置き抜きで尋ねました。

「直光さま。下屋敷のありかは誰も知らない。ね、そうでしょう」

冷飯若君は目を白黒させたあげく、ようやく頷《うなず》きました。

「これは姉上、六不思議の五番の意味を知られたとみえる」

「なんのこったい」

いぶかるお仙に、めだか姫は説明します。

「下屋敷は築地にあるけれども、誰もその場所は知らない。そういう意味よ。つまり、下屋敷は使われておらず、風見藩士は誰も行ったことがないんだわ」

「そんな馬鹿《ばか》な。屋敷があるのに使わねえなんて。どうしてさ」

めだか姫は一言で片付けました。

「お金がかかるからよ」

二万五千石の風見藩の貧乏ぶりと、その涙ぐましい節約の努力は、これまでに解いた六不思議の四つが示しています。

壱番の「抜け穴はありやなしや」と弐番の「中間《ちゅうげん》長屋の幽霊」では、風見藩勘定役が博打《ばくち》の胴元となって寺銭を取り、それを藩邸の運営資金の一部としていることがわかりました。

参番の「廊下の足音すがたは見えず」は、人件費を節約するために藩邸の役職をいくつも兼務させられた藩士が、あちこちと走り回るおのれの姿を自嘲《じちょう》したものでした。

四番の「井戸底の簪《かんざし》」では、女郎と遊ぶ金の無い藩士が腰元と密会している様子と、井戸さらいの役銭が藩士の貴重な小遣いになっている事実を知ることができました。

では、五番の「下は築地で在所が知れぬ」は何を告げているのでしょう。

風見藩には、上下《かみしも》ふたつの藩邸を運営していくだけの財力がないのです。だから上屋敷に藩主の家族全員が住み、すべての業務を取り扱っています。下屋敷を使えば江戸詰めの藩士がそれだけ増え、費用も倍かかるため、上屋敷だけを使っているのです。めだか姫はかねてからこの上屋敷が妙に手狭でせせこましい造りになっていると思っていましたが、それは本来下屋敷にあるべき建家や蔵まで、上屋敷に増築していたからでした。

おそらく下屋敷はずいぶん長い間使われていないのでしょう。だから藩士の誰ひとりとして行ったことがなく、「築地にある」と知ってはいるが、築地のどこにあるのかは、誰も知らないのです。

「お仙さん、その切絵図で風見藩下屋敷を探してごらんなさい」

お仙は持ってきた切絵図を開き、築地の周辺を蚤取り眼《のみとりまなこ》で調べましたが、風見藩下屋敷、すなわち時羽家の家名は、ついに見つけることができませんでした。

「わしが生まれた時は、もうすでに使われていなかったようです」

直光は、五十年ほど前、先々代藩主光猶院《こうゆういん》様の頃から下屋敷は使われなくなったらしい、と言います。

「光猶院様ですって……」

めだか姫は声を失いました。

夫直重から預かった二通の密書、そのうち古い書状に書かれていた名前は、光猶院すなわち時羽光晴《みつはる》と磐内藩先々代藩主西条兼忠《かねただ》の名前でした。

下屋敷が使われなくなったのが光猶院の頃。そして光猶院は磐内藩と密約を取り交わした……。これは偶然の符合でしょうか。

偶然ではないと、根黒久斎が教えてくれています。密書を探していた根黒が築地をさまよい歩いているのは、下屋敷のありかを知ろうとしてに違いありません。すなわち、密約と下屋敷の在所は、深いつながりがあるのです。

「お仙さん、築地へ走ってください。根黒よりも先に、下屋敷のありかをつきとめるのです」

おそらく空き屋敷となっているであろう下屋敷のありかが判った時、風見磐内両藩のかわした密約の内容が明らかになるに違いない、そうめだか姫は確信しました。

「まかしときな。あんなじじいに負けてたまるかい」

天井に飛びつくのはもう懲《こ》りたらしいお仙は、菅笠を片手に、音も無く階段を駆け下りてゆきました。

（お仙さん、たのみましたよ……）

この危急の際に、のんきに将棋のお稽古にいそしまねばならないなんて。めだか姫は憮然《ぶぜん》と肩を落しました。

第十一回

油照《あぶらて》り　暑さをしのぐ　心太《ところてん》

めだか姫は将棋盤に駒を空打《からう》ちしながら、小首をかしげております。

「お師匠さまはどこに消えてしまわれたのかしら……」

今日は将棋のお稽古《けいこ》の日です。しかし昼食を済ませて客間に来ると、天童小文五の姿はなく、ただぽつねんと将棋盤が置いてあるばかり。三方《さんぼう》の饅頭《まんじゅう》がなくなっているという事実から、天童がこの屋敷に来ていることは明らかなのですが。

「こないだお稽古をすっぽかしちゃったから、今日はその意趣返しかしら」

前回の稽古は七夕の日。めだか姫はからむし長屋の人々が幽霊長屋の横の井戸をさらうのを見物していて、天童小文五に待ちぼうけを食わせたのでした。

「心の狭いお方だわ。なによ、一度お休みしたくらいで」

めだか姫は頰をぷっと膨らませましたが、それでも天童小文五のぷくぷくほっぺには遠く及びません。

のんきな姫君はすっかり忘れてしまったようですが、前々回のお稽古も将棋盤が行方不明のためお休みでした。つまり、天童小文五からは、まだ何の教授も受けていないのです。

「ひょっとしたら、お饅頭の食べ過ぎで気分が悪くなって帰られたのかしら」

お稽古がお休みになれば、お仙を追って築地《つきじ》下屋敷のありかを調べに行けるのだけれど。めだか姫の胸が高鳴ります。

「諏訪《すわ》……これ、諏訪……」

天童は帰ったのかどうか、それを確かめようと思ったのですが、呼べど叫べど諏訪は現れません。

そういえば、諏訪は昼食の給仕を終えると、そわそわと膳《ぜん》を片付けに行ったきり、再び戻っては来ませんでした。

常ならば諏訪が天童の到着を伝えてから、めだか姫は悠々と客間に向かうのですが、今日は諏訪がいつまでたっても現れないので呼ばれぬうちに来てしまったのです。

(まさか、諏訪まで消えてしまった……なんてことはないわよね)

諏訪の生きがいは、愛《いと》しい姫君の世話をすること、ただそれだけです。その忠実な老女が現れないとなると、なにやら事件のにおいがします。

（もしや……密約の一件に巻き込まれ、なにか危険な目に遭っているのでは……）

めだか姫は俄《にわか》に不安になりました。

「これ、小朝……はどこぞで遊んでいるわね。誰か。誰かある」

「あい」

間髪を入れず答える声がしたので、驚いて見ると、少しだけ開いた唐紙《からかみ》の隙間《すきま》に、女の顔が縦に八つ並んでいます。

「な、なんですの、あなたたち」

「だって、ずるいですわお裏さま。天童さまを独り占めだなんて」

勢揃《せいぞろ》いした奥御殿の腰元衆は、唇をへの字に曲げてうらめしそうな顔。どうも天童、たいへんな人気者になったようです。

「言葉をおつつしみなさい。わたくしは殿方と密会するのではなくてよ。これはお稽古なのです」

釘《くぎ》をさしてから、めだか姫は尋ねます。

「では、天童さまはやはり今日いらしておいでなのね」

八つの顔がこくりと頷《うなず》きました。

「ええ、お昼前に。こちらでお饅頭をいただけるので、お昼食は食べずにこられますの」

「わたくしたちがお昼を済ませて、走ってこちらに参りますと……」

腰元たちは廊下で、誰が最初に天童に声をかけるか決めるため狐拳《きつねけん》をはじめました。すると、頬を紅潮させた諏訪が風に巻かれた木の葉の如《ごと》く現れ、一同を蹴散《けち》らすようにして客間に入って行きました。

ただならぬ様子に腰元たちが唐紙に耳を当てると、諏訪が常にないおしとやかな声で、なにやら囁《ささや》いているのが聞こえました。

天童小文五は、「いやしかし稽古が……。されど諏訪どの……」と、弱々しく抗弁していましたが、ついには、「では、茶を一服。それだけですからな」と、満更でもない声音で同意しました。

腰元たちが唐紙を一寸ほど開けて覗《のぞ》き見ると、二人は向かいの唐紙から客間を出て行く所でした。

「それっきりお戻りになりません。わたくし、もう足から根が張ってしまったようですわ」

座った腰元が言えば、残りの七人は、中腰のままでいたので腰が痛いと泣き言を並べます。

「今日はあきらめて、お仕事にお戻りなさい」

めだか姫に諭されて、腰元たちは退屈な現実に戻ってゆきました。

(まさか諏訪は天童どのと……いえいえ、あの諏訪がそんな……)

二人がなにをしているのか、おぼろげながら見当をつけた姫君は、ぴょんと立ち上がりました。

めだか姫が抜き足差し足忍び足、諏訪の部屋へと近づくと、忍び笑いが聞こえました。

姫君は胸をどきどきさせながら唐紙に耳をくっつけます。

「では天童さま、つぎはこれ。仏壇返しとやらをためしましょう」

諏訪はうきうきと命じています。

「つ、次はって……まだ続けるのですか……」

天童の声は、ひどく疲れて聞こえます。

「なんです、意気地のない。修業を積まねば強くなれない、そうおっしゃったのは天童さまではございませんか」

「それは将棋の話でして……」

「さあ、足はこのように。手はこうです。あれあれ、はずれてしもうた」

めだか姫の目は満月のように丸くなりました。二人が何の修業を行っていて、なにがどこからはずれてしまったのか、しかとわかったからです。

諏訪は天童小文五を自室にひきずりこみ、春画本に載《わじるし》っている四十八手の体位をすべて試そうとしているのです。

(まあ、諏訪ったら。なかなかやるじゃないの)

めだか姫は感心することしきりです。諏訪を咎《とが》めるつもりは毛頭ありません。むしろ、「ようやった」と肩を叩《たた》いて褒めてやりたいぐらいです。

正月にめだか姫が輿入《こしい》れしてから四月に直重《なおしげ》が帰国するまで、藩主と正室の交合回数を記録するのが諏訪の役目でした。二十九歳にもなりながら、女の喜びを我が身で味わう機会もない諏訪を、めだか姫はかねてから哀れに思っていました。

その諏訪にも、ようやく春が訪れたのです。

「あ痛たたた。この絵のようには足が開きませぬ。わたくしの体が固いのかしら」

どうも諏訪は、春画本の姿態《したい》が結合部分を見せるために少々無理な格好になっていることを理解しておらず、誰にでも可能な体位なのだと思い込んでいるようです。

めだか姫は笑いを堪《こら》えて後退《あとずさ》りします。お楽しみの邪魔をするほど野暮ではないし、この様子では本日のお稽古はお休み、それなら腰元姿に変装して築地に走ることができます。

「しかし諏訪どの。かような本をいずこで手に入れたのですか」

天童の弱々しい声が聞こえました。めだか姫もそれは不思議に思っていたので、退却を中止して耳をそばだてます。

「もう五年も前になるでしょうか。不埒《ふらち》な腰元がおりましてね。絵草子屋の娘で、行儀見習いに上がっていたのですが」

諏訪は教科書《おてほん》を入手したいきさつを語ります。

「御納戸頭《おなんどがしら》と情を通じていた所を、わたくしが見つけましたの。その腰元は実家に返しましたし、男は築地下屋敷の蔵番に降格させました。この本は、その娘が所持していたものです」

（なんですって）

めだか姫は廊下で立ちすくみました。諏訪の言葉の中に、密約の謎《なぞ》を解く重要な鍵《かぎ》が隠されていることに気がついたからです。

諏訪は、姫君の腰元と密通していた男を築地下屋敷の蔵番に降格させた、と言いました。

五年前の出来事ですから、これは風見藩の話ではありません。諏訪の言う築地下屋敷とは、磐内藩《ばんだいはん》江戸下屋敷のことです。

（築地には磐内藩の下屋敷もあったの）

めだか姫は、いま諏訪から聞くまで、築地にはありかのわからぬ風見藩下屋敷だけではなく磐内藩下屋敷も存在することを全く知りませんでした。

実家の藩の下屋敷がどこにあるか知らぬとは、なんたる馬鹿《ばか》姫だ、とお思いになるかもしれませんが、まあお聞きください。

めだか姫が風見藩に嫁入りするまで住んでいた磐内藩上屋敷は、桜田門外にあります。藩主西条綱道と正室が住み、江戸における政治経済外交活動の本拠地です。

中屋敷は通常、隠居した藩主、先代の未亡人、当主の子女の住居として使われます。磐内藩は大藩ですので数か所の中屋敷があり、一番大きい麻布の屋敷に、お褥《しとね》さがりした側室と未婚の子女が暮らしています。

風見藩の場合は、前にも申しましたように中屋敷はありません。なにしろ二万五千石の小藩ですので、費用《ついえ》がかさむからと拝領辞退を申し出たのです。

下屋敷は別荘や火災時の避難場所として用いられます。また、特に「蔵屋敷」と呼んで、国許《くにもと》の特産品を運び入れる倉庫として用いる場合もあります。

築地としか在所の知れぬ一軒の下屋敷しか持たぬ風見藩とは違い、磐内藩は十数か所もの下屋敷を有しております。めだか姫にとって下屋敷といえば、ほんの時折訪れる本所や根津の下屋敷、すなわち別荘として用いる屋敷を指す言葉でした。ですからめだか姫は、磐内藩の下屋敷が築地にもあり、蔵屋敷として用いられていることを今までとんとご存じなかったのです。

(諏訪は、腰元と密通した男を築地下屋敷の蔵番に降格させたと言ったわ。つまり、築地の下屋敷は蔵屋敷なのね……)

風見磐内の両藩は密約を結んでいます。そして根黒久斎が築地をさまよい歩いて下屋敷を探していることから、「下は築地で在所が知れぬ」という六不思議の五番は、どこかで密約の内容と関連があるに違いありません。

さらに今、磐内藩の下屋敷もまた、築地にあるという手掛かりを得ました。

めだか姫の頭脳は、お仙の釣独楽《つりごま》でもこうは速く回らないだろうと思えるほど急速に回転を始めました。

(まさかそんな……)

めだか姫は自分の出した結論が信じられませんでした。真っ青な顔でふらふらとその場を離れます。

部屋の中ではまた新たな体位を試しているようで、男女の荒い息遣いが漏れはじめましたが、もうそんなことにかまっている場合ではありません。

めだか姫は時羽直光《なおみつ》の居室へと走り、勘定役の横井秀作を呼んでもらいました。

「横井、なぜ下屋敷を使わぬのです」

横井は突然の詰問《きつもん》に目をぱちくりとさせましたが、ややあって恥ずかしそうに答えました。

「それは……やはり費用《かかり》が藩の財政を圧迫するからかと存じます」

別荘を設ければそこに人を置かねばならず、人件費がかかります。庭や樹木の手入れにも金がかかるばかりで、何も生み出してはくれません。

「蔵屋敷として用いてはいかが。国許から特産品を運んで江戸の商人に売りさばけば、藩の財政を潤《うるお》すことができるでしょう」

「……当藩には、特産品として売れるようなものはございません」

江戸時代の讃岐《さぬき》の特産物といえば、「讃岐三白《さんぱく》」と呼ばれる、木綿、塩、砂糖の三品です。しかし、これらが特産品となるのは、このお話の頃、すなわち明和期よりも後のことなのです。

まず木綿について調べてみましょう。温暖な気候は綿花の栽培に適するため、讃岐ではすでに元禄《げんろく》時代から綿栽培が行われていました。

秋に収穫した実綿《みわた》から核を取り除いて繰綿《くりわた》をつくります。この繰綿を綿打弓《わたうちゆみ》で打って柔らかくし、不純物を取り除いたものが生綿《きわた》です。明和期においては、讃岐ではこの生綿の状態で取引されていました。すなわち、まだ原材料の段階で領外の商人、多くは木綿生産の盛んな摂津の商人によって買い付けられ、運びだされていったのです。これでは江戸の蔵屋敷に運ぶ必要がありません。

ちなみに讃岐で工業製品としての綿糸《めんし》が丸亀《まるがめ》・高松藩の統制品となるのは、嘉永《かえい》年間と申しますから、このお話からは百年近くのち、幕末になってからのことです。

次に塩。もともと讃岐では古くから塩づくりが盛んでしたが、江戸中期までは古式《こしき》入浜《いりはま》と呼ばれる中世以来の手法で、農業と兼業でなされていました。讃岐で最初に近世入浜式塩田がつくられたのは、このお話から九年前の宝暦五年、高松藩五代藩主、松平頼恭《よりたか》公によってです。以後、塩は讃岐の重要な産物になるのですが、風見藩においては少々事情が違いました。なぜなら近世入浜式塩田をつくるには、広い面積を有する浜と、海水の流出入を促すための堤防が必要だったからです。すなわち、設備投資に膨大な資金を必要としたのです。

資金を投入すれば、それを上回る利益を得ることができる。そうとわかってはいても、高松藩とは違い、風見藩には投入する資金がないのです。

かくて風見藩では今も細々と、古式入浜式で塩がつくられています。

最後に砂糖。讃岐高松藩で初めて砂糖黍《さとうきび》の試植が行われたのが延享《えんきよう》三年と申しますから十八年前。明和期には、さきほど名前の出た高松藩主、松平頼恭公が本格的な精糖法の研究を奨励しておりました。

一応の成果を得たのが二十年後の天明年間。しかしまだ黒砂糖か、糖蜜《とうみつ》などの不純物を含む白下糖《しろしたとう》の段階でしかありません。

「三盆白《さんぼんじろ》」と呼ばれる白砂糖の精製に成功したのは文化年間ですから、このお話の四十年ものちになります。

ずいぶん話が横にそれたので、この際もっと横にそらせてしまいましょう。

もうおわかりのように、明和期には、讃岐の各藩は特産品の開発に精力を傾けておりました。

新製品開発に必要不可欠なのが、優れた才能を有する人材です。人材登用を積極的に行っていたまさにその時、高松藩でひとりの有能な人物が、「お暇頂戴《いとまちようだい》」と辞職願を提出しました。皆さますでにご存じの平賀源内です。

時の高松藩主は松平頼恭公。殖産興業に心血を注ぐ、あの殿様です。おそらく頼恭公は烈火の如くお怒りになられたことでしょう。この重要な時期に、貴重な人材に去られてはたまりません。

どうです、皆さま。平賀源内が高松藩から「仕官お構《かま》い」、すなわち他藩や幕府への就職禁止という厳しい処分を受けた理由が見えてきたとは思いませんか。

もしあなたが松平頼恭公だったとしたら、いかがですか。源内がどこかの藩に高禄で召し抱えられ、その藩の殖産興業に貢献しても、平気で許しておけますか。


話を本筋に戻しましょう。風見藩には江戸に運んで売りさばくことができるような特産品がない、とめだか姫は知りました。また、特産品の開発に懸命な高松藩や丸亀藩とは違い、風見藩にはその機運に乗るだけの資金がないのだ、ともわかりました。

(それに比べて磐内藩は……)

めだか姫は実家の豪奢《ごうしゃ》な暮らしを思い出しました。石高は五十万石。米どころでもあり、米は他藩に売るほど穫《と》れます。特産品としては、有名な紅花をはじめ、木材、漆器、養蚕、機織《はたお》り、酒造、製陶、金工……両方の指でも数えきれないくらいあります。近ごろでは、雨の日には傘のかわりになるほど大きな蕗《ふき》の茎を砂糖漬けにして菓子として売り出し、江戸中の評判をさらっています。

（そのすべての特産品が海路、築地の下屋敷に運ばれてくるんだわ。そして、築地には使われていない風見藩の下屋敷もある……）

「横井、江戸の切絵図が見たい。いえ、最近のものはめだかも持っています。古ければ古いほどいいわ。五十年以上前のものが見たいのです」

横井秀作は書庫に走りました。駆け戻って差し出したのは、埃《ほこり》まみれの大絵図でした。肩に、時羽光晴《みつはる》公（光猶院《こうゆういん》様）が藩主となった折りに買い求めた、と添え書きがしてあります。

当時はまだ切絵図が盛んになる前でしたし、切絵図は高価なので、風見藩は観光客《おのぼりさん》が土産に買い求めるような大絵図を購入して済ませていたのです。

めだか姫はわななく手で大絵図を開き、築地周辺に目をさまよわせました。

風見藩下屋敷を探す、なんて面倒なことはしません。どうせちっぽけで、天眼鏡がいるでしょうから。磐内藩下屋敷を探し、すぐに見つけました。木挽橋《こびきばし》から二の橋を渡ってすぐの堀ぞいに、「西条周防守蔵屋鋪《すおうのかみくらやしき》」とあります。

その南隣りを見ためだか姫は、体が痺《しび》れるように感じました。

そこには小さい四角の中に、こう刷られていたのです。

「トキバクラ」

……かわいそうに、時羽家蔵屋敷、すなわち風見藩下屋敷を示す枠は、漢字がおさまるほど大きくないのです。

「やった。六不思議の五番を解いたわ。そして……」

飛び上がったためだか姫は、あやうく「密約の内容もわかった」と叫ぶところでした。直光はもう知っていますが、横井秀作に密約の存在を知られてはなりません。


お仙は時には立ち木の陰に隠れ、時には塀の上を這《は》い進みながら、築地合引橋《あいびきばし》あたりをさまよい歩く根黒久斎を尾行しております。

（ちっ。元気なじじいだぜ。こちとら喉《のど》が干上がりそうだってのに）

根黒は腰に提げていた竹筒の水をごくりと飲み、すでにしとどに濡《ぬ》れている手拭《てぬぐ》いで汗を拭《ふ》きました。連日の探索で少しは利口になったようで、水筒を持参しているのです。

（この分じゃ、握り飯も用意してるかもな）

お仙は溜《た》め息まじりに満開の百日紅《さるすべり》の木陰に避難して、菅笠《すげがさ》を取り、手の甲で汗を弾《はじ》き飛ばしました。

(ふう。こんなちっぽけな笠じゃあ、日除《ひよ》けにも何にもなりゃしねえや)

おやおや。烏《からす》の黒焼きよりもなお黒く、お天道《てんとう》さまに一日中焙《あぶ》られても屁《へ》の河童《かっぱ》といった風情《ふぜい》のお仙が、なぜまた菅笠なんぞを被《かぶ》っているのでしょう。そのあたりの事情を問い質《ただ》したい所ですが、あいにくお仙は熱風に乗って流れてきた微《かす》かな音色に心を奪われている様子。まあ、菅笠の意味はいずれ判《わか》るでしょう。

「ポーポケト……ポーポケト……ケトケト……」

お仙の鋭敏な耳にかろうじて届いたのは、つっかえつっかえ鳴く鶯《うぐいす》のかすかな声でした。

(あの下手糞《へたくそ》な鶯笛は、まさしくめだかに違えねえ。あたいを呼んでいるようだ)

お仙は根黒久斎の尾行を中断し、鶯の鳴き声に誘《いざな》われて二の橋を渡り、木挽橋たもとまで戻りました。ここは木挽町五丁目、町屋の立ち並ぶあたり。森田座のある繁華な通りですので、真夏とはいえかなりの人通りがあります。

「お仙さん、こっちこっち」

腰元が柳の木陰で手招きしています。

めだか姫はいつもの変装をすると、直光から軍資金の小判を一枚貰《もら》って藩邸を抜け出し、駕籠《かご》を飛ばして築地まで来ました。駕籠かきには橋の向こう、三十間堀六丁目の蕎麦《そば》屋で一杯やりながら待つよう命じてあります。

「どしたい、めだか。これが夜なら『うらめしや』って格好だが」

頭に掛けた手拭いの端をくわえていれば、夜鷹《よたか》の「遊んでらっしゃいよ」だけど、とお仙は思いましたが、さすがに大名のご正室さまに言える台詞《せりふ》ではございません。

「あのね、お仙さん。もう根黒の尾行はしなくていいわ」

「なんで」

「風見藩下屋敷はわたくしが見つけました」

お仙は目を丸くしました。

「部屋に座ったままで、かい。で、どこなんだよ」

「磐内藩下屋敷のお隣り」

「磐内藩って、めだかの実家の……」

めだか姫はにこりと頷《うなず》きます。

頷かれてもお仙は困ります。なにしろこの先の海近くは大名屋敷だらけ。表札が掛かっているわけじゃなし、どの屋敷がどの藩のものなのか、まったくわからないのです。もっとも、だからこそ根黒久斎は築地を何日もさまよい歩いているのですが。

「で、その磐内藩下屋敷はどこなんだよ」

「風見藩下屋敷のお隣り」

「……ぶっとばすぞ」

めだか姫はころころと笑いました。

「まあまあ、ごめんなさい。ともかく、風見藩下屋敷は磐内藩下屋敷の隣りにある……いえ、あったのです」

「あった、って、今はねえのかい」

めだか姫は微笑《ほほえ》みました。

「名目上はあるのですが……今は磐内藩下屋敷の一部になり、御殿が取り払われて蔵が建っているはずです」

「なななななんだって」

お仙はまだよく理解できず、詳しく説明しろと迫ります。

「お話ししますけど……ねえ、お仙さん、わたくし、かねてから下々の御八《おや》つをいただいてみたいわって、そう思っておりましたの」

めだか姫は、筋向かいに荷をおろしている心太《ところてん》屋に流し目を送りながら、

「でもね、小判は駕籠屋さんに与えてしまったし……」

と、すねたように口をとがらせ、空っぽの袖《そで》を振りながら、つま先でのの字を描き

ます。

お仙はうんざりと天を仰ぎました。

「わかったわかった。奢《おご》ってやるから。まったく口いやしい姫君だぜ……」

柳の木陰にしゃがみこんで、心太の酢醤油《すじょうゆ》に暑さを忘れ、つるつるの喉越しを楽しみながら、めだか姫はたいそう幸せでした。

(父上がこの姿をご覧になったら、手討ちにされるかもしれないわ。常日頃、「道端で物を食うのは乞食《こじき》と犬だけだ」とおっしゃってらしたもの)

まあ、一度だけなら構わないわ。めだか姫はそう思いました。道端で心太を啜《すす》るなんて、もう二度と体験できないかもしれませんから。

(悪い事をするって、なんだか胸がわくわくするわ。でも、わくわくしたいからって、悪い事ばかりしていては、だんだんわくわくしなくなって、どんどん悪さの程度が増し、凄《すご》く悪い事をしなければわくわくしなくなるのでしょうね。気をつけなくっちゃ)

めだか姫は一本箸《ばし》を不器用に使いながら、哲学的な思考にふけっておりました。お仙にせがまれてようやく、諏訪の睦言《むつごと》を発端にしてたどりついた、風見磐内の両藩が交わした密約の内容についての推測を語ります。

五十年前のこと。築地の蔵屋敷が手狭になり、磐内藩は困り果てていました。そこで南隣りにある風見藩下屋敷がほとんど使われておらず、留守番の藩士が数名しかいないと知った藩主西条兼忠《かねただ》は、時羽光晴に下屋敷の借用を申し込んだのです。

米は余るほど収穫でき、特産品も数多い磐内藩とは違い、風見藩にとっては蔵屋敷なぞ経費がかさむばかりの無用の長物です。時羽光晴にしてみれば磐内藩に貸して使用料をもらうほうが好都合。かくして両家の利害は一致、風見藩下屋敷を磐内藩が借りるという密約が成立しました。

こうして風見藩下屋敷には留守番の藩士も不要となり、五十年の歳月が流れるうちに、風見藩では下屋敷のありかを知る者もいなくなりました。そこで生まれたのが、六不思議の五番目、「下は築地で在所が知れぬ」という謎《なぞ》でした。

五十年前の大絵図にはかろうじて載っていた風見藩下屋敷は版元にも忘れられ、いつしか切絵図から消えてしまいました。

下屋敷賃借の期限が五十年だったことは、西条綱道と時羽直重が新たに約定を取り交わしたことから明らかです。だから密書は新旧の二通が存在したのです。

た。

「そしてわたくしは、両家の絆《きずな》をより深めるために嫁入りさせられた、ってわけ」

お仙は箸を止めて聞き入っていましたが、心太を一気に飲み干して立ち上がりまし
「さあ、こうしちゃいられねえ」

めだか姫は不思議そうに尋ねます。

「どこへいらっしゃるの」

お仙は釣独楽《つりごま》を回しはじめました。

「大名屋敷ってのは、お上から拝領したもんなんだろ」

「そうですわよ」

「それを無断で貸し借りしたなんて知られたら、どうなるんだい」

「お取り潰《つぶ》し、でしょうね。まあ、磐内藩は五十万石の大藩ですし、父もなかなかの
お人です。隠居して長兄の綱喜《つなのぶ》さまに跡を譲る、ぐらいで済むかもしれないけど。風
見藩は……」

めだか姫は首を横に振り、改易は免れないだろうと示します。

「だったら、殺《や》っちまおうぜ」

「やる、って……」

「根黒のじじいさ。いずれは気づくぜ。風見藩下屋敷が磐内藩下屋敷に取り込まれたんだって。そうすりゃ田沼にご注進だ。その前に口を封じなくちゃ」

必殺の釣独楽は、ぶんぶんと唸《うな》りを増します。

「でもねえ、お仙さん。密約について探っているのは、根黒久斎だけじゃなくってよ。倉地さまも、でしょう。倉地さまの口を封じることが、あなたできて」

釣独楽は俄《にわか》に勢いを失い、糸の先に情けなくぶら下がりました。

「あたしゃ別に世話になった覚えはねえが……親父《おやじ》にとってはご主君だしな。それに、殺すにゃ人が好《よ》すぎて後味が悪いや。でかい顎《あご》した幽霊が、『うらめしやでござる』なんて……」

お仙は身震いして、「ぞっとしねえぜ」と呟《つぶや》きます。

「だけどよお、田沼に知られたら、めだか、おめえが困るんだろ」

父五兵衛《ごへえ》の仕える幕府隠密《おんみつ》の任務をまっとうさせるべきか、それともめだか姫との友情を重んずるか。悩んでいるお仙は、まるで主君の若君の身代わりに我が子を殺さねばならぬ菅原伝授手習鑑《すがわらでんじゅてならいかがみ》の千代のようだ、とめだか姫は思いましたが、そう言っても芝居を見たことのないお仙には通じないでしょう。

「ありがとう、お仙さん。心配してくださって、めだかは嬉《うれ》しい」

生まれてはじめて、身分や利害を越えて友人となったこの娘に、めだか姫は心から頭を下げました。

「めだか、ひとことだけ言ってくんな。いや、声に出さなくてもいい。首を縦に振ってくれればいいや。そしたら、たとえ倉地の旦那《だんな》でも、あたいは殺《や》るぜ」

お仙は鼻を啜りながら釣独楽を握り締めます。

めだか姫は、きっぱりと首を横に振りました。

「めだか……でも、そしたらおめえが……」

言いかけて、お仙は驚きました。姫君がにこりと微笑んだのです。

「心配しないで、お仙さん。めだかが何かよい方策を考えます。倉地さまはもちろん、根黒久斎のけがれた血であなたの手をよごさなくても済むように」

めだか姫は、夫が国許《くにもと》に帰る際に言い残した言葉を忘れてはいません。

直重は藩邸が江戸に建っている風見藩の出城であると教えて、こう言いました。

「わしが留守の間、この城をしっかと守ってくれよ」

夫の期待に応えるのは、今この時をおいて他にありません。

(見てらっしゃい田沼意次《おきつぐ》。知略縦横のこのめだかが、あんたなんかに負けてたまるもんですか。……ああ、なんとわくわくすること。まるで諸葛孔明《しょかつこうめい》か楠木正成《くすのきまさしげ》か真田《さなだ》幸村《ゆきむら》にでもなったような気分だわ……）

もはや退屈とはほど遠い状況に置かれた姫君は、我が身の窮地をうっとりと楽しんでおります。

第十二回

化かされて破《は》邪《じゃ》の剣《つるぎ》は空《くう》を切り

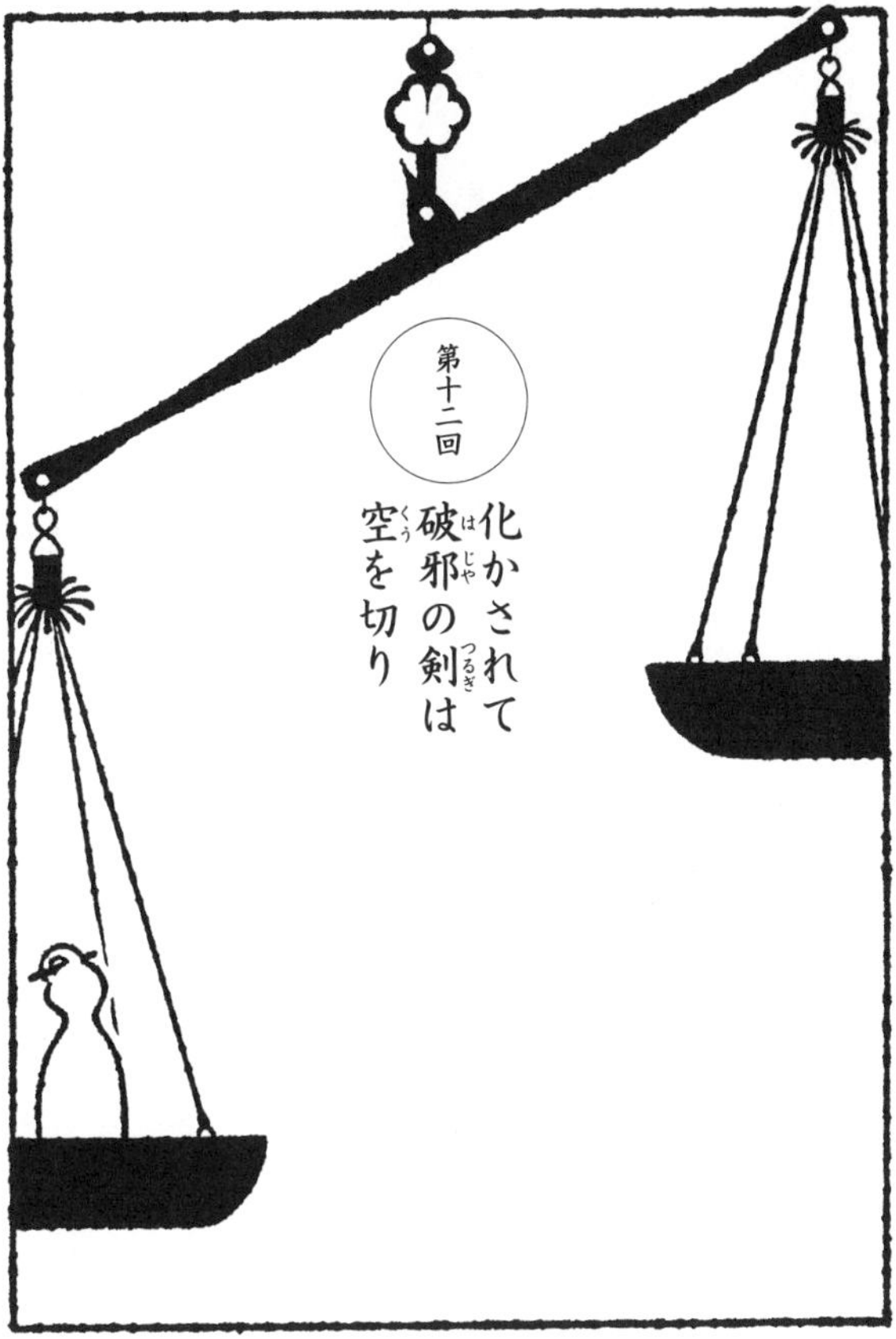

心太《ところてん》を食べ終えためだか姫はお仙を伴い、磐内藩《ばんだいはん》下屋敷の探索に向かいました。はたして本当に風見藩下屋敷の敷地を併呑《へいどん》して、ひとつの蔵屋敷になっているのでしょうか。

木挽橋《こびきばし》から東へ歩き、采女《うねめ》ヶ原《はら》の馬場を左に見ながらなおも進み、二の橋を渡ります。

「五十年前の大絵図によれば、二の橋を渡ってすぐが風見藩下屋敷でしたけれど……」

めだか姫はあたりを見回しますが、それらしき門はなく、塀が続いているばかりです。

「めだか、見ろよ。ここと、ここ。この間だけ、塀の様子が違うように思わねえか」

お仙が示すので目をこらして見ると、確かに塀には継ぎ目がありました。

「きっと、ここに昔は門があったんだぜ。それを壊して塀にしたもんだから、この二か所に継ぎ目が見えるんだ」

そういえば、門があったとおぼしき部分の塀は、元々塀だった所と比べて丁寧で頑丈な造りになっています。

元の塀は風見藩が造ったもの、門を壊した跡の塀は磐内藩が新たに継ぎ足した部分とすると、そこにも藩の貧富の差があらわれ、このような違いができてしまったのではないでしょうか。

お仙は左手へ走り、なにごとか確認して戻ります。

「やっぱりだ。この先の塀は、この継ぎ目の間と同じ造りになってらあ。つまり、隣りの屋敷の塀を造ったのと同じ職人が門をふさいだのさ。いや、隣りの屋敷の主が、掛かり付けの職人にふさがせた、って言うべきかな」

めだか姫はぱちぱちと拍手しました。

「まあまあ、お仙さん、お手柄だわ」

照れくさそうに鼻をこすりながら、お仙はこう思わずにはいられませんでした。

(これだから、ついめだかに肩入れしちまうんだよなあ)

お仙が手柄をたてるたびに、めだか姫は天真爛漫《らんまん》に褒めてくれます。決して、「ほら、わたくしの言った通りだったでしょ」などと誇ったり、手柄を自分の物にしたりはしません。

お仙にとってはたやすいこと、例えば松の木から飛び下りたりするような、女忍者《くのいち》にとっては朝飯前の技でも、この姫君は目を丸くして、「すてきすてき」と拍手を浴びせます。自分にない技術を有する者を率直に褒めたたえることは、できそうでできない行いです。

(生まれついてなんだろうか。それとも、姫君ってのは、上に立つ者としての教育《しつけ》をされて、皆々こんな風なんだろうか)

いや、やはりめだかは特別だぜ。そうお仙は結論を出しました。

下の者の手柄を横取りしてのしあがり、地位にふさわしい行いをせねばならぬ、などという考えは微塵《みじん》も持たず、みずからを律することを放棄して、己の欲望のみを満足させんがために権勢を利用する者の、なんと多いことか。

「もしもし、お仙さん、どうなさったの。目が宙を泳いでるわよ」

「いや、なんでもねえ。中を確かめてみよう」

お仙はふわりと塀の上に飛び上がり、中を覗《のぞ》き込みます。

「蔵がずらりと建ってらあ」

「隣りの屋敷との境はどうなっています」

「おっと、そうだった」

お仙は塀の上を走り、目を輝かせて報告しました。

「以前はここが仕切塀になっていたが、取り壊して地続きにしたようだ。それでも一間ほど塀の残りが壊されないまま残ってるぜ」

天狗《てんぐ》娘は腕まくりします。

「飛び下りて、磐内藩の蔵屋敷かどうか確かめてこようか」

めだか姫はかぶりを振り、

「万が一にも見咎《みとが》められて、余計な騒ぎを起こしては困ります。ここはわたくしの出番。まかせておいて」

と、胸をとんと叩《たた》いて、はるか先の門へと歩を進めます。

「わたくしの出番って……なにするつもりだよ」

切絵図によれば磐内藩下屋敷であるはずの、その屋敷の門前には、道をへだてて掘割に荷揚げ場がありました。

(風見藩下屋敷は掘割に接した角地《かどち》、荷揚げ場は邸内にあるんだわ。道を越えて運び

入れるよりはずっと便利。磐内藩が風見藩下屋敷を使いたがった理由のひとつが、きっとこれね）

めだか姫はそう思いながら物見窓の下に立ち止まり、格子《こうし》をこんこんと叩きます。

「ん……なんだ……」

眠そうな声がして、目をしょぼしょぼさせた藩士が顔を覗かせました。この炎天下、船は着かず訪れる者もなく、暑さしのぎに昼寝をしていたのです。

「あの、ちと道をお尋ねいたしますが。こちらは磐内藩西条さまの下屋敷でございましょうか」

腰元姿の姫君は、おずおずと尋ねます。

「えへん。そうだが、何用かな」

威儀を正す門番に、めだか姫は泣きべそを作ってみせます。

「実はわたくし、田沼主殿頭《とのものかみ》の奥向きの御用を務める者ですが、使いに赴く先様《さきさま》のお名前をとんと失念いたしまして……」

門番は目を丸くしました。

「これは田沼さまのお腰元か。いやしかし、使いの相手の名を忘れるとは、なんとも粗忽《そこつ》な。されどまあこの暑さでは無理もあるまいて……」

めだか姫はここぞと声を震わせます。

「築地《つきじ》にはお屋敷が多いゆえ、場所がわからなくなったら磐内藩下屋敷を目指せ、大きなお屋敷ゆえすぐ判《わか》る、その北隣りが使いの先じゃ。そうお裏さまに教えていただいたのを思い出しまして……」

門番は美しい腰元が今にも泣き出しそうなので、おろおろと教えます。

「これ、泣くな泣くな。なに、それで判った。北隣りならば、出雲神無藩《いずもかんなしはん》の下屋敷だ。つまり、そなたは撫牛兵庫守《なでうしひょうごのかみ》さまのご子女にでも書状を届けるよう命じられたのであろう」

めだか姫は嘘泣《うそな》きを止《や》め、ぱっと花が開いたように笑顔で礼を言いました。

「そうそう、さようでございました。出雲神無藩、撫牛兵庫守さま。これでお役目が果たせます。まことに何とお礼を申し上げればよいか。あなたさまはわたくしの命の恩人、生まれ変わりの父母《てては》……」

めだか姫はぺこぺこお辞儀をしながら後退《あとずさ》りします。門番はようやく眠気が去り血の巡りが良くなるとともに、腰のあたりに勃然《ぼつぜん》と蠢《うごめ》く物を感じたよう。

「時にお女中、帰りに暇があれば、その、ちと寄っていかんか。なにとて振舞いはできぬが、ひと汗かくのも良い暑気払い……」

門番は視野から消え去る腰元を追って、格子の間から鼻を突き出しました。しかし腰元が北隣りの神無藩邸の方にではなく、南の方角に姿を消したのを見て、はてなと首をひねります。

「おかしいぞ」

小屋から走り出て潜《くぐ》り戸を開き、草鞋《わらじ》が燃え上がるのではないかと思うほど熱せられた道に飛び出しました。南の方《かた》を眺むれば、菅笠《すげがさ》を被《かぶ》った小娘が腰元の手を引き、けらけらと笑い声をあげながら一散に二の橋を駆け渡ってゆく所でした。

「なんだあれは。まさか狐《きつね》に化かされたのではあるまいな。……まあいいか。暑いからうどんじゃなく素麵《そうめん》でも食って、も一度寝ちまおう……」

木挽橋まで戻ってきたためだか姫は、息を整えながら笑いました。

「ああ、面白かった」

お仙は唇を尖《とが》らせます。

「なにが、まかせとけ、だよ。あたしゃはらはらした。考えてみりゃ、あんた磐内藩の姫君じゃねえか。よくばれなかったな」

「だって、わたくしはずっと上屋敷で暮らしておりましたもの。遊びに行ったことのある下屋敷の門番ならともかく、蔵屋敷の者がわたくしの顔を知っているはずがありません」

「けどよ。使いの相手を忘れたなんて下手な嘘を、よく信じたもんだ。あれじゃ門番落第だぜ。親父にそう言って、降格させたほうがよかねえか」

それに、化けるに事欠いて、田沼の腰元と名乗るなんて。それこそひと騒動起きたかもしれねえ、とお仙は文句を言います。

「いえ、あれでよいのです」

あの門番も、気が落ち着けばうろんな腰元が道を尋ねた、と上役に報告するに違いありません。それが父の耳に届けば、西条綱道は田沼意次《おきつぐ》が下屋敷貸し借りの密約について調べていると察知して、打つ手を考えはじめるでしょう。

めだか姫は、今のところ父の手を借りるつもりはないのです。直重《なおしげ》の代理として、自分の才覚だけで田沼と対決したい、そう思っています。

「さて、これからどうする。根黒のじじいは今にも下屋敷が磐内藩に使われているって気づくかも知れねえんだぜ」

めだか姫はしばし考えたのち、眉《まゆ》を凛々《りり》しくひきしめて、こう頼みました。

「お仙さん、明日倉地さまを直光《なおみつ》さまのお部屋に連れてきてください」

「倉地の旦那《だんな》を。暑気中《あた》りが治ってればいいが。けど、どうするつもりだい」

「わたくし、倉地さまに手柄をたてさせて差し上げます」

めだか姫は謎《なぞ》の言葉を残して、お仙に手を振り、木挽橋を渡って去りました。蕎麦《そば》屋の前では、待ちくたびれた駕籠《かご》かきが駕籠にもたれて居眠りをしています。

一人残されたお仙は、姫君がなぜ幕府隠密《おんみつ》の昇進の心配をしなくてはならないのか、さっぱり判らずに舌打ちしました。

「姫御前《ひめごぜ》の考えてることたあ謎だらけだ。まるでおらんだ仮名《がな》を見るようで、おつにからんでやがってちっとも読めやしねえ」


さてその翌日。時羽直光の部屋に、めだか姫を首魁《しゅかい》とする一同が勢揃《せいぞろ》いしました。……と申しましても、どう勘定しても、めだか姫と時羽直光、お仙と倉地政之助《まさのすけ》の四人《よったり》。権謀術数の限りを尽くし、飛ぶ鳥を落とす勢いで出世街道を驀進《ばくしん》中の田沼意次を相手にするには、いささか頼りない戦力ではございますが。

めだか姫は直光と倉地に密約の内容がわかったと告げ、風見藩下屋敷の敷地を磐内藩が使用している事実を語りました。

「すると両藩はご公儀に内密で、拝領屋敷の貸し借りをしておるのでござるか」

倉地が目を丸くすれば、直光は眉をしかめます。

「これはまずい。根黒久斎がこの事実を知り、田沼に注進に及べば、いかなる処罰が待っているかわからぬ」

めだか姫は大きく頷《うなず》きました。

「そうね。根黒から田沼に通報されては困ります」

そして姫君は、一同の予想もしなかった解決策を持ち出したのです。

「ですから、倉地さまから田沼に知らせていただきましょう」

一同はぽかんと口を開け、ややあって声を発しました。

「めだか、気は確かかい」

「姉上、狂されたのではございますまいな」

「なぜまた拙者が……」

めだか姫はお仙と直光を放っておいて、倉地の問いに答えます。

「だって倉地さま。あなたは田沼から密約について探れと命ぜられているのでしょう。わたくし、裏切り者の根黒久斎よりは、あなたに手柄を立てていただきたいもの」

ご加増、という大きな文字が倉地の脳裏に浮かびました。

どうやら、事態は倉地政之助の欲した通りに進んだようです。倉地はひょんなことからめだか姫の手助けをさせられる羽目に陥りましたが、内心では逆に姫君を利用してやろうと企《たくら》んでいたのです。

しかし。こうもあっさりと密約の内容を教えてもらい、田沼に通報せよと言われると、忸怩《じくじ》たる思いがしてなりません。

(わしは根黒の尾行にも失敗したし……)

姫君の役に立ったのは、この屋敷の裏門と表門を行ったり来たりして、門番が同一人物であると突き止めたことぐらいです。

確かに倉地の手柄によって、六不思議の参番、「廊下の足音すがたは見えず」は解き明かされました。

(だからと言って……。わしが田沼さまに報告すれば、風見藩は改易になるだろう。倉地家の加増と天秤《てんびん》にかけると、ちと借りが大きすぎるのではあるまいか)

人の良い倉地政之助はめだか姫と目を合わせられずに、おろおろと視線をさまよわせます。

「いたしかたない。お庭番どの、庭に出られたい」

時羽直光は刀掛けに手を伸ばします。

「若君が死んだら、あたいが相手だよ」

お仙はぴょこんと立ち上がり、釣独楽《つりごま》をかざしました。倉地への忠義を捨て、めだか姫との友情を選ぶ決意を固めたのです。

倉地はごつい顎《あご》に力をこめて大刀を取り、無言で立ち上がります。

（わしは幕府隠密。情に流されてはならぬ）

緊迫した空気を、ころころと笑うめだか姫の声が破りました。

「まあみなさま、嫌ですよ、そんな怖い顔をなさっちゃ。それに、力を合わせて事に当たろうと金打《きんちょう》をしたでしょ。仲間割れをしてはなりませぬ」

「だけどよぉ……いいのかい、田沼に密約の内容を知られても」

お仙は姫君が暑さのあまりおかしくなったのではないか、と心配げです。

「獅子《しし》身中の虫、根黒久斎が密約の存在を通報した以上、その内容もいつかは田沼に知られてしまうでしょう」

根黒の口を封じ、今ここで倉地を殺したとしても、またすぐに別の密偵が現れるだけです。

「それならばいっそ、倉地さまに手柄をたてていただきましょう。そして……密約の内容を知った田沼意次は、どのようにして風見藩を改易に追い込む心積もりなのか、その出方を探っていただくのです」

倉地政之助の武張った顎が、がくりと下がりました。

「わしが……田沼さまの動静を探るのですか……」

なんと、めだか姫は幕府お庭番を二股膏薬《ふたまたごうやく》の間諜《かんちょう》として働かせようとしているのです。

「そそそそんな真似《まね》はできぬ。わしは幕府隠密……」

倉地は慌《あわ》てふためき、お仙は小躍りします。

「面白え。やろうやろう。ねえ旦那、やろうよォ」

「馬鹿《ばか》を申すな、お仙。面白い面白くないの問題ではない」

時羽直光は差料を刀掛けに戻し、にやにや笑いながら倉地の説得を開始しました。

「しかしなあ、倉地どの。そもそもお庭番とは、八代将軍吉宗《よしむね》さまが、直属の隠密御用を命じるために設立なさったと聞き及ぶ。田沼の私兵ではあるまい」

「それはそうですが……」

倉地は口ごもりつつ語ります。お庭番は、将軍家じきじきの指令で動くことはむしろ稀《まれ》で、御側《おそば》御用取次の命令を受けることの方が多いのです。

御側御用取次は、お庭番と同様に、八代将軍吉宗公が新設した役職です。将軍と老中の間で重要事項の取次をするのがその主たる任務ですが、将軍の相談役として政事・人事面の補佐を務めているため、田沼意次のように老中よりも権勢をふるう場合があります。

つまり御側御用取次は将軍の代理でお庭番に命令を下せる立場にあり、倉地政之助は御側衆筆頭田沼意次の命令を聞かねばならぬのです。

「ほう、それは知らなんだ。お庭番は将軍家の命令しか聞かぬと思っておった」

時羽直光はひとつ勉強したと頷きましたが、なおも三寸不爛《さんずんふらん》の舌をふるいます。

「だがなあ、お庭番の職務は諸藩の動向を探るばかりではあるまい。幕府諸役の行状を調べるのも任務のひとつであろう。御側衆筆頭とて、しょせんは役人にすぎぬ」

風見藩改易が将軍家の意向であるならばともかく、ひとりの役人である田沼個人の出世欲に根差したものならば、これはむしろ、その横暴を将軍家治公《いえはる》に報告せねばならぬのではないか。

倉地は押し黙ってしまいました。痛い所を突かれたからです。

(確かにわしは田沼さまの命令によって動いておる。だが、その田沼さまの行状は、誰が調べるのだ……)

権力構造に自浄能力があるのか、という問題は古今東西を問わぬようで、倉地政之助は考え込んでしまいました。

「まあまあ皆さん、むずかしい話は抜きにして」

めだか姫は明るく提案します。

「とりあえず倉地さま、田沼に報告に出向いてくださいな。その後の動きを知らせてくださるかどうか、それは倉地さまのご判断におまかせしましょう」

倉地は安堵《あんど》の息を吐きました。

(そうだ。田沼さまに報告するのは、わしの本来の任務だからな。それをして悪いという法はない。その後は、事の推移を見てから決めよう)

決断を先延ばしにするのは簡単ですが、なんの解決にもなりません。どうも倉地政之助、もう少し成長してくれなくては、一個の大丈夫《だいじょうふ》とは言えません。

(なあに、倉地の旦那がだんまりを決めこんでも、田沼の出方はあたいが探りだして教えてやらあ)

お仙はそう目配せしましたが、めだか姫は気づかぬ様子で、宙に微笑《ほほえ》みを浮かべています。

(なんだか夢見心地でいやがる。なにを企んでいるんだろう)

お仙はこの奇妙な姫君が、なにか突拍子もない大騒動を巻き起こそうとしているのではないか、と不安になりました。

倉地政之助が田沼意次の屋敷を訪れ、風見藩下屋敷が磐内藩によって賃借されている事実を告げると、御側衆筆頭は早速行動を開始しました。その素早さは倉地が動向を告げる暇《いとま》もないほどで、しかもめだか姫が全く想像もしていなかった方法で、でした。

田沼意次は微行《おしのび》で風見藩上屋敷を訪れたのです。供に用人三浦庄二《しょうじ》を伴うのみで。

「これは風見藩ご正室どの。田沼でござる。お見知りおかれたい」

磊落《らいらく》に挨拶《あいさつ》されて、平伏していためだか姫は顔をあげてにっこり微笑みました。

「これはようお訪ねくださいました。今をときめく御側衆筆頭田沼さまにご来訪いただけるとは、風見藩ごとき小藩にとってはこの上ない誉れでございます」

石高だけならば田沼意次は一万五千石、風見藩は二万五千石ですから上なのですが、相手は将軍家の懐刀《ふところがたな》、ましてめだか姫は藩主時羽直重の代理をつとめるとはいえ女の身。田沼を上座に座らせて、下座にかしこまっています。

「して、いかなるご用でございましょう。ご公儀お役向きのこととなれば、留守居役根黒久斎を同席させたいと存じますが」

根黒は別室で三浦庄二の接待をしています。

田沼は扇子を振り、その必要はないと示しました。

「ははは。ご安心めされよ。なにも風見藩にご普請《ふしん》手伝いをさせようだの、勅使伝奏役を命じようというのではない」

言葉は柔らかですが、端々《はしばし》に風見藩が貧乏であることは百も承知だ、と軽《かろ》んじている様子が窺《うかが》えます。

「いやなに、実は……ちょっと小耳にはさんだことを確かめに参ったのだ。ご当家の下屋敷に関する事柄なのだが」

来たな、とめだか姫は思いました。どうやら田沼意次、そう恐れるほどの人物ではないようです。

(本人みずから密約について確かめにくるとは、なんと粗忽《そこつ》な男なのでしょう。こんな小人《しょうじん》に頭があがらないだなんて、三百諸藩の大名連中も大したことないのね)

めだか姫は微笑みました。帯に差した懐剣がたのもしく感じられます。

実は姫君、いざとなったら御側衆筆頭と刺し違える決意を固めていたのです。

なんとかして二人きりになる機会を作り、田沼を刺し殺す。そののち、倉地政之助に「わたくしの身を汚《けが》そうとしたので、やむを得ず刺しました」と告げ、自ら喉《のど》を突いて自裁《じさい》する覚悟でした。

事は密室で起こったのですから、証拠は残りません。幕府もお庭番倉地政之助の言を信じるしかないでしょう。

御側衆筆頭ともあろう者が大名の正室に横恋慕して殺されたとなれば、徳川幕府開《かい》闢《びゃく》以来かつてない醜聞です。幕府諸役は事件を闇《やみ》に葬《ほうむ》り去ろうとするに違いありません。

夫時羽直重と父西条綱道には隠居のお沙汰《さた》が下るぐらいで、改易には至りますまい。また、両家の密約も顕《あらわ》れずに済みます。

(単身乗り込んでくるとは、これぞ飛んで火に入る夏の虫。さあ田沼、密約のみの字でも口にしてごらん。その時が寿命の終わり、今日がおまえの命日になるのよ)

めだか姫は不敵な笑みを浮かべました。

この年頃の娘は、愛する者を守るために命を捨てる、という行いが美しく感じられてしかたがない世代です。めだか姫も、夫のために命を投げ出すのが婦道の極み、そう単純に決めつけてしまい、思い立ったら一直線。もっと穏便な解決策があるのではないか、などとは考えもしませんでした。

自分に酔い痴《し》れて視野が狭くなっている姫君は、田沼意次が今の地位を築き上げるためにどれほど汚い手管を使ってきたか、そんなことは考慮にいれておりません。

めだか姫が知っている悪人といえば、芝居に出てくる色悪《いろあく》ぐらいです。田沼もその程度だろうと軽んじており、たやすく命を奪えると信じて疑いません。

一方、田沼意次は、真《ま》っ直《す》ぐにこちらを見ている姫君の美しさに、ふと心が動きました。

（とんだ馬鹿姫で、縁組を望む大名がおらず小藩に嫁いだと聞いていたが、匂《にお》うがごとき美貌《びぼう》ではないか）

五十を目前にした男にとって十七歳はわが娘と同じ年頃なのですが、おのれの若さを確かめるには格好の標的です。

（改易に追い込む前に、なんとか因果を含めて物にできぬかのう。……いや、いかん。くわばらくわばら）

意次は自分をいましめました。仮名手本忠臣蔵で塩冶判官《えんやはんがん》の妻顔世《かおよ》に懸想《けそう》した高師直《こうのもろのう》ではあるまいし。色と欲とのふた筋道の行き止まりには、破滅という名の鬼が待ち構えているのを、充分に承知しているのです。

しかし田沼は、めだか姫が倉地政之助と通じており、風見藩改易を阻止せんと待ち構えていたことは知りません。

（こんな馬鹿姫を罠《わな》にかけるぐらい、赤子の手をひねるも同然だわい）

互いに相手を軽く見ている二人が闘う場合、実力が互角だとすれば、勝敗を決するのは経験の豊富さです。

百戦錬磨の田沼意次は、めだか姫が予想だにしなかった質問を投げかけました。

「聞けば、ご当家の築地下屋敷には、小堀遠州《こぼりえんしゅう》の茶室があるそうですな」

「えっ」

めだか姫はとまどって、蛙《かえる》がしゃっくりをしたような声を上げました。

小堀遠州と言えば、戦国時代末期から江戸初期にかけて活躍した茶人であり造園家です。茶道は古田織部《おりべ》に学び、徳川家光《いえみつ》の茶道師範となったほどの腕前で、遠州流茶道の宗家です。作事《さくじ》奉行や伏見奉行としても辣腕《らつわん》をふるい、多くの茶室や名園を残しています。

「え、では判《わか》らぬ。めだかどの、築地下屋敷には小堀遠州の茶室があるのかないのか、確かな返事を伺いたい」

田沼意次は金壺眼《かなつぼまなこ》を光らせて返答を催促します。

めだか姫は、田沼は罠をかけようとしているのだ、そうは察知したものの、罠の全貌がまだ見えぬため、どう返答してよいのか決めかねています。

（なぜ田沼は小堀遠州の茶室なぞ持ち出したのかしら）

いま現在、築地の下屋敷には茶室なんかありません。屋敷そのものが取り払われて、磐内藩の蔵が立ち並んでいるのですから。

しかし、「茶室はございません」と答えたら、どうなるでしょう。もし田沼が古い書物にでも、「風見藩築地下屋敷に小堀遠州の茶室あり」などという記述を見つけた上でこのような質問をしているのだとすると、めだか姫が嘘《うそ》をついていると糾弾するでしょう。

(そうだわ。田沼はなにか証拠を摑《つか》んでいるに違いない。ここは「あります」と答えましょう。なあに、たとえ罠にかかっても、殺してしまえばそれでおしまいだもの)

めだか姫はこくりと頷《うなず》いてみせました。

「そうそう、いつぞや直重から聞いた覚えがございます。下屋敷には小堀遠州さまの茶室があると……」

田沼意次の目が光りました。

(かかったな、小娘)

証拠があっての問いではなく、遠州の茶室は、風見藩の正室を罠にかけるために無からひねり出した出鱈目《でたらめ》でした。

もしもめだか姫が「そのような話は聞いたことがございません」と答えても、田沼は「いや、あるのだ。根黒久斎がそう申しておった」と言い張るつもりでした。ところがこの愚かな姫君は、知りもしないことを自ら認めてしまいました。返答に間があったのは、「知らぬ」と答えて自藩の内情に無知と思われるのを恥じて、ためらったあげくに違いない、意次はそう判断しました。

田沼は大袈裟《おおげさ》に、胸を撫《な》で下ろす仕草をします。

「おお、それは重畳《ちょうじょう》。いや、安堵いたした」

「安堵……とおっしゃいますと」

「ははは。実はな、ご当家下屋敷に小堀遠州の茶室があると聞き、わしは確かめもせずに上様のお耳に入れてしもうたのだ」

驚きのあまり、めだか姫の舌がもつれました。

「う、上様って……もしや……」

「もしやも餅《もち》屋もない。上様、ご大樹《たいじゅ》、公方《くぼう》様、すなわち第十代征《せい》夷大将軍徳川家治公じゃ」

虎《とら》の威を借る狸《たぬき》は、胸をそらせます。

「ご存じとは思うが、家治さまは大の風流人。小堀遠州の茶室と聞いて、ぜひ訪れてみたいとの仰《おお》せでな」

十代将軍家治公は政治のことは田沼に任せっきりで、書画将棋に夢中との噂《うわさ》。遊戯にうつつを抜かし、田沼意次の賄賂《わいろ》政治を許している軟弱将軍と評判の人物です。小堀遠州の茶室と聞けば、遊びに行きたいとだだをこねても不思議はありません。

めだか姫は、なんだか脇《わき》のあたりが窮屈に思えてきました。田沼の仕掛けた罠が、今まさに閉じて我が身を銜《くわ》え込まんとしているとわかったのです。

田沼意次は愉快そうに申し渡しました。

「今日より十日ののち、ご大樹さまは風見藩築地下屋敷をご訪問になる。めだかどの、茶の接待をお願いしますぞ。なあに、おしのびじゃ。付き従うのは、わしと……そう、警護の者が少々。ご藩主ご帰国の折りでもあり、過剰な歓迎の必要はない」

めだか姫は、もう帯に差した懐剣の使い道はひとつしかないと思いました。すなわち、にやにや笑っているこの狸を刺しても意味がないので自分の喉を突くしかない、と。

いま田沼を殺せば、大騒ぎになって将軍家の来訪は中止になるかもしれません。しかし、めだか姫が田沼を刺したのは色恋のもつれではなく、将軍家の下屋敷来訪を阻止せんがためだ、と悟る者も出るでしょう。

田沼意次は将軍家を盾として我が身に危害が及ばぬよう工作し、かつ拝領屋敷を幕府に内緒で賃貸借している事実を、家治公の眼前に突きつけるつもりでいるのです。

皿の乾いた河童《かっぱ》のごとくなよなよと、塩のかかった青菜のごとくしおしおと、うなだれてしまった姫君を、立ち上がった田沼は心地好《よ》げに見下ろしました。

「それでは風見藩ご正室、十日後にまたお会いいたそう。築地下屋敷にてのう。むふふふふ」

含み笑いした田沼意次は、突然ひらめいた嘲《あざけ》りの言葉を、さらに浴びせずにはいられませんでした。

「いやあ、それにしても直重どののご妻女は、まことに匂わんばかりの美しさ。これぞまさに、傾国の美女じゃ。わははははは」

そうです。確かに美貌の姫君は、国を傾けてしまいました。まんまと田沼意次の罠にかかり、風見藩を改易の危地に陥らせてしまったのです。

めだか姫は、穴があったら己《おのれ》を蹴落《けお》とし、その上に富士塚《ふじづか》でも築きたい気分でした。

第十三回　市松の生首が浮く蚊帳の外

玄関の式台で田沼意次《おきつぐ》を見送ったためだか姫は、どうしてよいやらわからずに途方に暮れておりました。

「お裏さま、いかがなされました。田沼さまはいかなるご用向きでお見えになられたのですかな」

そしらぬ顔で声をかけたのは根黒久斎です。

(馬鹿《ばか》姫め、将軍ご来訪という大事を告げられ、困惑しているようだが、これからもっと驚くぞ。なにしろ、将軍家をお迎えする下屋敷そのものが無いのだからな)

根黒は田沼と同様、姫君が下屋敷にまつわる密約を知らないと思っているのです。

根黒久斎はさんざん築地《つきじ》を探し回りましたが、とうとう風見藩下屋敷を見つけられませんでした。昨日の夕方、五年ほど干した大根の如《ごと》くひからび果てた姿で田沼意次に不首尾を告げに行くと、下屋敷なぞあるものか、と笑われてしまいました。

田沼は倉地政之助《まさのすけ》の報告を受け、風見藩下屋敷が磐内藩《ばんだいはん》下屋敷に併呑《へいどん》された事実を知っていたのです。

密約とは下屋敷の賃貸借契約だった。そう聞かされた根黒は田沼の情報収集能力に驚くとともに、それを突き止められなかった自分がお払い箱になり、田沼家の用人として千石で召し抱えてもらうとの約束も反故《ほご》にされるのではないか、と心配になりました。

「どうかお見捨てなきよう……」

身を震わせて懇願する根黒に、田沼は厳しく申し渡しました。

「それはこれからの手柄次第じゃ」

田沼は風見藩を改易に追い込む筋書きを、すでに作り終えていたのです。

その日の朝、登城した田沼意次は、風見藩下屋敷には小堀遠州の茶室があるそうだ、と将軍家治《いえはる》公にさりげなく語りました。

風雅を愛する家治公は「それは初耳」と喜び、ぜひ遊びに行きたいとねだります。

「仰《おお》せとあらば」

内心ほくそ笑んだ田沼意次、十日後におしのびでお連れ申しましょう、と快諾しました。

「これで拝領屋敷を公儀に内密で貸し借りしておる事実を将軍家じきじきに確かめていただける。もう風見藩に逃れるすべはないわい」

田沼は改易によって浮いた二万五千石のうち、どれだけ我が所領にしようかと、舌なめずりしながら考えています。

「わしは明日、その由《よし》を風見藩正室に告げる。輿入れして間もない娘っ子のこと、将軍家を迎える手筈《てはず》もよう整えられまい。根黒、おぬしを頼りにするはずだ」

お出迎えの手筈はすべて自分が整えるから安心せよ。正室にはそう言え、と田沼は根黒に命じました。そして当日、なにひとつ準備をせぬまま駕籠《かご》に乗せて送り出す。下屋敷が無いのでおろおろしている所に、将軍家がご到着。そこで田沼が両家の密約を家治公に言上し、磐内藩下屋敷に入って、旧風見藩下屋敷を取り込んでいる現状をお目に掛ける。これが田沼意次の計画です。

「黙っておられては困りますぞ。なにごとであれ、この根黒にお任せくだされば、お裏さまは小指一本動かす必要はござらぬ」

にやにや笑っている根黒久斎を、めだか姫は睨《にら》みつける元気もありません。もう小指一本動かす気力もないのです。もっとも、気力があっても小指一本動かしたぐらいではこの窮地から逃れられませんけれども。

いつもの元気はどこへやら、泣きべそを見られないよう顔を背けて、めだか姫は小走りにその場を逃れました。

「くそ、馬鹿姫め。この期《ご》に及んでも、まだないがしろにするか。わしは仮にも江戸留守居役兼奥家老だぞ。……まあいいわい、どのみち相談されたところで、何もせぬのだからな。さあ、朝顔に水でもやるか」

根黒久斎は鼻唄《はなうた》まじりで部屋に戻ってゆきました。

「お仙さん……お仙ちゃん……」

ここは幽霊長屋の前。めだか姫が力なく呼びかけても、つたない鶯笛《うぐいすぶえ》をいくら懸命に吹き鳴らしても、お仙は姿をあらわしません。

「いらっしゃらないの……」

それでなくとも落ちていた肩が、一層落ちました。

あの天狗《てんぐ》の申し子のような元気な娘がいてくれたなら、どれほど心強いでしょう。相談しているうちに何か良い方策を思いつくかもしれない、そう思ってここまで走ってきたのに。

「そうね……お仙さんは倉地さまの手下でしたわね……」

めだか姫は悄然《しょうぜん》と呟《つぶや》きました。よくよく考えてみればお仙は幕府隠密《おんみつ》の手先です。倉地政之助が心変わりして田沼の側につく決心をしたとすると、お仙はめだか姫に力を貸したくても貸せない立場にいるのです。

（ひとりぼっちって、こんなに寂しいのね……）

めだか姫はとぼとぼと戻ってゆきました。諏訪《すわ》を呼んで双六《すごろく》でもしよう、そう思いながら。

もう出来ることはなにもありません。風見藩が改易になるのを座して待つしかないのです。夫直重《なおしげ》が「我が藩の出城と思って守れ」と言い残したこの藩邸を、めだか姫は守れませんでした。いえ、それどころか、風見藩そのものを田沼の魔手から守れませんでした。密約の内容を知られても田沼と刺し違えればそれで済む、と軽く考えていたばかりに。

（佐渡に渡って水替人足にでもなろうかしら。……額に「阿呆《あほう》」と入れ墨を彫って）

その夜は、悪夢にうなされてしまいました。

胴は狸《たぬき》、尾は蛇、手足は虎《とら》の、鳥とも獣ともつかぬ怪物《もののけ》に脇《わき》の下を鷲掴《わしづか》みにされ、一糸まとわぬ裸のめだか姫は、もうもう苦しくて息ができず、ただもがくばかりです。臭い息を吹きかけられ、鼻が曲がりそうになっためだか姫がひょいと見ると、その怪物の顔は田沼意次にそっくりでした。

(これは鵺《ぬえ》だわ。よおし、目玉に矢を突き刺してやる)

腰のあたりに手をさまよわせる源《みなもとの》めだか姫頼政《よりまさ》ですが、裸なので箙《えびら》を下げておらず、そもそも鵺を殺すことのできる双篦矢《ふたつののや》を入手した記憶もありません。

(もはやこれまで……)

観念のまなこを閉じて念仏をとなえていると、鵺は地の底から響いてくるような不気味な声で呼びかけてきました。

「めだか……なあ、めだかってば……」

(あら、なんだかお仙さんの声のよう)

そう思った瞬間に鵺の姿はかき消え、めだか姫は蚊帳《かや》の中で目を覚ましました。薄い夏布団《なつぶとん》が体に巻きついて、脇の下を締め上げています。

(なんて嫌な夢……)

疲れで重たい体を起こすと、再びお仙の掠《かす》れた声がしました。

「よお、めだか……あたい、綺麗《きれい》かい……」

声に目を向けるや、背筋の産毛《うぶげ》は逆立ち、冷汗が滝のように流れました。

蚊帳《かや》の外に月明りを浴びて浮かんでいるのは、まごうかたなきお仙の生首ではありませんか。

「お、お仙さん……」

真っ黒に日焼けしていた顔が、今は血の気を失って不気味に白く光っています。その額からは一筋の血が、たらーりと垂れて……。

（まさか……わたくしに義理立てして倉地さまと闘い、殺されてしまったのでは……）

宙に浮いている生首は蚊帳を突き破らんばかりにずんと突き進み、なおも掠れ声をふり絞ります。

「なあめだかァ。あたい、色白になったかって聞いてんだよォ」

動転した姫君は思わず手を合わせ、声高らかに唱えました。

「頓証菩提《とんしょうぼだい》、南無阿弥陀仏《なむあみだぶつ》ッ。念彼観音力刀尋段段壊《ねんぴかんのんりきとうじんだんだんね》ッ」

念彼観音力うんぬんは、日蓮上人《にちれんしょうにん》が竜の口の法難の際に唱え、首を斬《き》ろうとした武士の刀を砕いたという普門品《ふもんぼん》第二十五番です。たぶん幽霊にも効果があるでしょう。

「なに念仏唱えてんだよ。頭おかしくなったのかい」

お仙は蚊帳の中に入ってきて、あぐらをかきました。渋茶の単衣《ひとえ》を着ているので、顔から下は闇《やみ》に溶け込んで見えなかったのです。

「お仙さん、生きてるのね……」

めだか姫はまだ動悸《どうき》の治まらない胸を押さえます。

「あたりめえじゃねえか」

「その真っ白な顔は……」

「へへ、ちっと白粉《おしろい》を塗ってみたんだ」

お仙が照れくさそうに笑うと、分厚く塗りたくった白粉が剝《は》がれて、ぼろぼろと布団の上に落ちました。もしこれが商家の土蔵の壁だったら、盗人《ぬすっと》も穴を開けるのにさぞ苦労するでしょう。

お仙は今朝、脚気《かっけ》で寝ている父五兵衛《ごへえ》に叱《しか》られて、久し振りに茶汲み稼業《かぎょう》に戻りました。

「ちっとは表稼業を手伝え。米を買う銭が天から降ってくるとでも思っているのか」

五兵衛は倉地家の手先を長年務めてまいりましたが、お手当金は遠国御用《おんごく》から戻った際に貰《もら》うだけで、日々の暮らしは水茶屋の稼ぎで賄《まかな》っていたのです。

父には倉地の手助けをしていることを伝えていません。どちらかと言えば、めだか姫への助っ人《すけ と》が主になっておりますし。

さて、鍵屋《かぎや》を開いたのはいいのですが、さっぱり客が来ません。早朝感応寺に参拝した年寄りが、足を休めに寄ったばかり。

時折若い男が期待に目を輝かせて近寄ってくるのですが、店にいるのがお仙ひとりと知るや、チッと舌打ちを残して立ち去ってしまいます。

（くそ。またためだかが目当ての助平野郎だ）

腰元姿の茶汲娘が大人気を博してからは、来る男来る男、皆が「あの美人は今日はこねえのかい」と尋ねます。お仙が店を閉めてめだか姫と遊んでいたのは、それが嫌だったからでした。

しかし、最近になってお仙の心に微妙な変化が起こりました。

（やっぱり男ってなあ、いい女には弱いんだな。となればこりゃあ、ちっと考え直さなくちゃいけねえ）

そもそも鍵屋は、江戸市中の風聞を集めるための情報収集拠点です。それなのに、こう閑散としていては、噂話《うわさばなし》ひとつ耳に入ってはまいりません。

（ここはひとつ、あたいが看板娘になって、江戸中の男を呼び込んでやろう。ちえっ。色狂いの男どもの相手なんぞしたくねえが、これも役目だからな。しかたがねえや）

お仙は幕府お庭番の手先として、嫌々男たちをたぶらかすのだと自分に言い訳をしておりますが……。

天狗娘も女のはしくれです。「十三ぱっかり毛十六」という言葉が示すように、お仙はとっくに初潮を迎え、十六にならねば生えないと思っていた前の毛も、ちょぼちょぼと土手のあたりに芽吹いてまいりました。

いつしかお仙は男を意識する年頃になっていたのです。そして、色白の姫君とつるんでいるうちに、「こう日に焼けていちゃあいけねえ。なにしろ、色の白いは七難隠すって言うぐらいだからな」などと思うようになりました。

「ええい、茶汲みなんぞしてられねえ」

お仙は鍵屋を閉めると、武蔵野《むさしの》めざして走りました。

（まずは日焼けをなんとかしなくちゃ。鶯《うぐいす》の糞《ふん》で顔を磨くと、色白になるって噂だ）

林に分け入ると木々の梢《こずえ》を見回しますが、蟬時雨《せみしぐれ》が降るばかりで、鶯の鳴く季節ではございません。

江戸に駆け戻ったお仙は、店で白粉を三袋買い求めました。湯屋に飛び込むと、額がすりむけるほど軽石で顔をこすります。五兵衛が寝静まるのを待って、これでもかと白粉を塗りたくり、その首尾を見届けてもらいに姫君の寝所を訪れたのでした。

どうも軽石でこすり過ぎた額からは出血していたようです。分厚く塗った白粉から染《し》み出して、一筋の血が垂れているのに気づきませんでした。また、宙に舞った粉末を吸い込んだものですから、喉《のど》はひりつき、掠れ声しか出なくなっていました。

「まあ、そうでしたの。菅笠《すげがさ》なんかかぶるようになって、どうもおかしいと思っておりました」

めだか姫はくすくすと笑いました。

「でもね、白粉は薄く塗るのが粋《いき》なのよ。ほらほら、剝がれた所から地肌が見えて、白黒の市松模様になっているわ」

お仙は大きく舌打ちすると、手《て》拭《ぬぐ》いを唾《つば》で湿して白粉を落としはじめました。

「ええい、やめたやめた。あたいはどうせ紀州熊野《くまの》の烏《からす》でい。もう菅笠も捨てちまおう。日焼けがあせるより先に、こちとらの寿命が尽きるだろうぜ」

「まあ、そう短気を起こさないで。お天道《てんとう》さまに当たらないようにしていれば、すぐに日焼けはあせますから」

いつぞや見たお仙の内股《うちもも》は、めだか姫自身のそれよりも白く思えました。きっと本来色白の娘なのでしょう。

「ところで、なにか動きはあったのかい、あれから」

めだか姫はうなだれました。色気づいたお仙の様子を面白がっている場合ではありません。

「それがね……どうやらもう、田沼には勝てないようなの。風見藩はもちろん、磐内藩も改易になるかもしれない……」

いつもはのんきな姫君が浮かべた暗い表情に、お仙は驚きました。

「そりゃあ一大事だ。さあ、話してみねえ。……いや待った。若君と倉地の旦那《だんな》にはもう話したのかい」

「いいえ。直光《なおみつ》さまに話してどうなるものでもなし……倉地さまは姿をおみせになりません。きっと田沼の側についたのでしょう」

「顎《あご》の旦那が田沼の側に。そりゃちっとおかしいぜ。あの旦那はどっちか一方につくなんて、踏ん切りのつくようなお人じゃねえ。……よし、こうしよう。明日あたいが倉地の旦那を探して引っ張ってくるから、若君も呼んで、その席で田沼の動きを教えてくんな。なあに、三人寄れば文殊《もんじゅ》の智恵、四人で頭をひねればなんとかならあな」

お仙は懸命に力づけようとしていますが、めだか姫は宙に目を泳がせて、溜《た》め息をつくばかりでした。

翌朝、倉地政之助は磐内藩築地下屋敷前の荷揚げ場で、置き捨てられた樽《たる》の陰から屋敷を窺《うかが》っている所をお仙に発見されました。

「なにしてんだい、旦那」

「田沼さまに見張れと命じられたのだ。何かうろんな動きがないか確かめよとの仰《おお》せでな」

「で、なんか動きはあったかい」

「あるものか。この暑い盛り、船で荷が着くではなし、屋敷はまるで死人《しびと》の館《やかた》のように静まり返っておる」

「だったら、こうしてお天道さまに月代《さかやき》の剃《そ》り具合お見せしててもはじまらねえ。めだかン所へいこうぜ」

「馬鹿《ばか》を申すな。田沼さまに仰せつかった役目はどうなる」

あまりに融通の利《き》かない石頭ぶりに腹が立ったお仙は、とんと地面を踏みつけました。

「こんな所見張ってたって、何も起きるはずねえやな。磐内藩の連中は、まだ密約があらわれたとは知らねえんだから。動きがあるとしたら、風見藩の方さね」

「……それはどういう意味だ」

「田沼がなにやらめだかを罠《わな》にかけたらしいんだよ。めだかはきなきなくよくよ、ひとりで悩んでらあ。罠にかけられた姫君が屋敷でくすぶってるのに、こっちに動きがあるはずないだろ」

「なんと、田沼さまはすでに風見藩改易の種を播《ま》かれたのか」

お仙は唇を歪《ゆが》めます。

「どうも、旦那はつまらない見張りを命じられただけで、大仕事には使って貰えないようだね。きっとめだかの見張りは根黒久斎にまかせたんだ。この分だとあの爺《じい》さんに手柄を全部持っていかれて、旦那にはご加増の沙汰《さた》はくだるまいぜ」

倉地政之助は歯がみしました。

（密約の内容をつきとめ、報告したのはこのわしなのに、田沼さまは風見藩をいかにして改易に追い込もうとしているか教えてくださらぬ。ずいぶんななされようだ）

倉地はそくさと立ち上がり、袴《はかま》の埃《ほこり》を払いました。

「お仙、まいるぞ。風見藩上屋敷だ」

「まってました。そうこなくっちゃ」

お仙は喜びました。田沼の仕打ちを不満に思い、めだか姫に助力する決意を固めてくれたと思ったからです。

しかし、倉地はまだ田沼意次に敵対する覚悟を決めたわけではありませんでした。自分を重要な戦力として扱ってくれない田沼に怒りは感じたものの、だからと言って姫君を救っても、何の得にもなりません。

（あの姫がどう動くかを突き止め、田沼さまにお教えしよう。さすればわしの有能さをお認めになり、昇進ご加増の沙汰がくだるであろう。根黒ごときに手柄を横取りされてたまるか）


かくしてその日の昼下がり、めだか姫を首魁《しゅかい》とする一党は直光の部屋につどいました。

いずれも額に脂汗《あぶらあせ》をにじませ、油蟬の声を聞きながら黙りこくっておりますが、決して油を売っているわけではありません。

めだか姫が暗い声音で告げた田沼の策略に対して、どう頭をひねっても、その罠をかいくぐる手立てを思いつけずにいるのです。

ただし、倉地政之助が沈黙しているのは、田沼が将軍家治公まで担《かつ》ぎ出した、という事実に驚いたからです。反撃の手段を考えてやらねばならぬ義理はありません。

時羽直光が重い口を開きました。

「ううむ、なんとも難問。ありもせぬ下屋敷に将軍をお迎えせねばならんとは」

「どっかの金持ちの別荘でも借りて、ごまかせねえかい」

お仙の進言に、めだか姫は力なく首を横に振ります。

「屋敷があったとしても、小堀遠州の茶室がないわ」

小堀遠州は伏見作事《さくじ》奉行を勤めた期間が長かったので、江戸で作った茶室はそう多くはないのです。三代将軍徳川家光の別荘だった品川御殿の茶亭と、やはり品川の東海寺（かの有名な沢庵和尚《たくあんおしょう》の寺です）の茶室ぐらいでしょう。

牛込御門内には遠州の屋敷があり、茶会が行われたそうですから、そこにも茶室はあったのでしょうが、今は誰の屋敷になっているかわかりませんし、たびたび起きる大火で焼けてしまったかもしれません。

「そうか。じゃ、やっぱり田沼を殺《や》っちまおうぜ」

お仙は得意の解決策を持ち出しました。

「田沼はともかく……まさか将軍家に刃《やいば》を向けるわけにはいかないでしょう」

将軍家治のお成りを阻止できないのでは、田沼を殺しても意味がありません。

倉地政之助は思わず体を震わせました。幕府旗本の倉地にとって、将軍家のお命を狙《ねら》うなぞ、万死に値する反逆行為です。

「ちえっ。将軍がなんでえ。こんにゃくの幽霊がところてんのお伝馬《てんま》に乗りやしめえし、そうぶるぶる震えることたァねえ。飯《まま》食って糞《ばば》する同じ人間じゃねえか。殺してどこが悪い」

うそぶくお仙を倉地が凄《すご》い目で睨《にら》みつけたので、直光は慌《あわ》てて諭しました。

「しかしなあ、お仙。徳川様の世なればこそ、こうして天下は泰平、民も戦禍の苦しみを嘗《な》めずにすんでいるのだぞ。風見藩二万五千石を救うために、家治公を殺して混乱を招いてはおかしかろう」

お仙は溜め息をつきました。どうも世の中は、自分が考えているよりもほんの少し複雑にできているようです。

その溜め息に誘われたのでしょうか、めだか姫の目尻《めじり》から涙がこぼれ、膝《ひざ》にぽたりと垂れました。

かつて見たことのない姫君の絶望の表情に、お仙はなんだか悲しくなりました。

「よしてくれよォ、めだか。似合わねえぜ、そんな暗い顔。聡《さと》いおめえのこった、そろそろいい考えが浮かぶ頃だぜ。……なあ、なんとか言っとくれ。『まあまあ、わたくし、よい手立てを思いつきました』ってんで、ころころ笑って見せておくれよォ」

せがむお仙の声も、いまにも泣き出しそうです。

「もうどうしようもありません。わたくしは、この藩邸を風見藩の出城と思って守れ、と夫から命ぜられたのに……。思慮に欠ける行いをして、敵に密約の内容を教えてしまいました。かくなる上は……」

姫君が懐剣の房飾りをひねくりはじめたので、お仙は慌てて叫びました。

「ええもう面倒臭え。めだか、こうなったら逃げちまおうや」

めだか姫はいぶかしげに問いました。

「逃げるって……どういう意味ですの」

お仙は頭を掻《か》きます。

「まあ、逃げると言うと敵に後ろを見せることになるからさ。そう、引っ越しちまうのさ。あたいの育った村なんてどうだい。この屋敷にいる武士はたかだか二十人、若君のお袋さまや腰元を連れて行っても、せいぜい四十人ってとこだろ。さびれた村に活気が戻ってちょうどいいや。おっと、根黒の爺さんは置いてきぼりだぜ。……へへへ、田沼の狸《たぬき》め驚くだろうな。この屋敷がからっぽになって、根黒がひとりで泣きべそかいてたらさ」

「お引っ越しですって……」

めだか姫はほんの一瞬、お仙の故郷、紀州熊野の隠れ里で暮らす自分の姿を思い描いて微笑《ほほえ》みました。粗末な小袖《こそで》を着て、猫の額ほどの畑を耕す。お仙が手練の釣独楽《つりごま》で狩った野兎《のうさぎ》を焚《た》き火で焼いて食べたら、それは舌がとろけるほどに美味《おい》しいことでしょう。

（でも、養泉院さまはきっとこうおっしゃるでしょうね。「畑仕事なぞ、わらわはようせん」って）

しかし、楽しい空想はそこまででした。

めだか姫が救わねばならないのは、この藩邸の人々だけではありません。実家磐内藩の行く末も放ってはおけませんし、四国讃岐《さぬき》風見藩には、わが夫直重と、顔こそ見たことはありませんが、我が子も同然の藩士とその家族がいるのです。

まだ添って日は浅いものの、時羽直重は、そう悪い領主であるとは思えません。藩が貧乏なのは民に重税を課していない証拠です。

領民だって、もし札入れをして国守《こくしゅ》を選べるならば、田沼ではなく直重を選ぶはずです。

これまでのほほんと姫君気分でいためだかですが、江戸庶民の暮らしぶりを見聞し、御側衆《おそばしゅう》筆頭との戦いに身を投じるうちに、いつしか風見藩正室としての自覚を有するようになっていました。

「お引っ越しは無理だわ……」

めだか姫が悲しくかぶりを振った、その時です。廊下で諏訪の声が響きました。

「あのう、直光さま。こちらに姫さまがうかがっておられませんか」

「なあに、諏訪」

つい尖《とが》った声になりました。窮地を脱するよい思案が浮かばず困り果てていた所へ、さらに邪魔をする諏訪が憎く思えたのです。

「まあ、やはりこちらでしたか。お忘れですか、今日は将棋のお稽古《けいこ》の日ですよ。天童さまがお待ちでございます」

めだか姫の白いこめかみに青筋が浮かびました。

「将棋どころではありません。今日はお休みにいたします。天童さまにはお帰りいただいて」

「そうはまいりませせぬ」

老女の声には、姫君がかつて聞いたことのない、強い意思が込められていました。

気圧《けお》されためだか姫は、呆然《ぼうぜん》として尋ねます。

「……諏訪、なにごとですの」

「なんでもようございます。早く客間にお越しくださいましッ」

すたすたと去る諏訪の足袋は、癇性《かんしょう》の女が長火鉢を磨くように、きゅっきゅっと鳴っています。

お仙は眉《まゆ》をひそめました。

「……血の道じゃねえか。行ったほうがいいぜ、めだか。あたいたちゃ待ってるからさ」


客間では、諏訪と天童小文五が緊張した面持ちで待ち受けておりました。めだか姫が着座すると、天童小文五はいつものようにぶっきらぼうに会釈《えしゃく》しましたが、八の字眉はいつもよりずいぶん端が垂れていて、「うう」だの「ああ」だのと呻《うめ》くばかり、何か言いたげなくせに言い出せぬ様子です。

諏訪は心を決めたよう、ひと膝乗り出して口火を切りました。

「姫さま。天童さまにこのお屋敷に住んでいただこうと思うのです」

「なんですって」

天童小文五は将棋家元伊藤宗印《いとうそういん》の門人で、麻布宮村町にある師匠の屋敷に住んでいます。

「三日に一度ここ神田橋外《そと》まで通わせるのは、いかにもお気の毒でございます。いっそ、天童さまをこの藩お抱えの棋士として召し抱えてはいかがでしょう。いえ、召し抱えましょう。いえいえ、召し抱えてくださいませッ」

めだか姫は一瞬、なにゆえ諏訪はかくも強く、口を尖らせて主張するのか、と不思議に思いましたが、その謎《なぞ》はすぐに解けました。

諏訪はいとしい男とともに一つ屋根の下で暮らしたいのです。二人はすでに抜き差しならない仲に……いやいや、抜き差しばかりしている仲になってしまいましたので。

めだか姫は俯《うつむ》きました。諏訪の気持ちはわかるし、二人の愛をはぐくむ力になってやりたいとも思います。しかし、たとえ天童をこの屋敷に住まわせてやった所で、蜜《みつ》月《げつ》は長くは続きません。風見藩は改易となり、上屋敷そのものがなくなってしまうのですから。

姫君が俯くと、諏訪は同意して頷《うなず》いたのだと勘違いしました。

「まあまあ、ありがとうございます。さあ天童さま、そなたさまからもお礼を申し上げて」

「いやその……このたびは、どうも……」

へどもど礼を言う天童のふっくらほっぺは、赤く染まっています。

実は天童小文五、最近おのれの才能に限界を感じ始めていた所でした。いずれは勝てると思っていた師匠伊藤宗印にも、幾度対局をいどんでもはねかえされてしまいます。

腐りかけていた所に入門してきたのが、讃岐から出てきた榊原拓磨《さかきばらたくま》です。数局対戦してみて、天童は絶望的な思いにかられました。

今は苦も無く勝てますが、拓磨の生まれ持った天分は、自分の才能をはるかに凌駕《りょうが》していると知ったからです。

(数年、いや一年もせぬうちに、この若者はわしを追い抜くだろう)

寝て起きるごとに強くなってゆく榊原拓磨。自分がとうていたどり着けぬ域にまで達するであろう若者に、天童は激しい嫉妬《しっと》を感じました。拓磨から指導を求められても、なにかにと理由を作って相手をしてやりません。

師匠から風見藩邸への出張稽古を命ぜられた際は、なんだか救われたように思いました。外出している時だけは、拓磨の姿を見ずに済みます。そして、まだ一度だけですがめだか姫に指導してみて、小文五は初心者に将棋を教える楽しさを知りました。

伊藤家の同輩、そして大橋本家・分家の俊英たちとの厳しい戦いに疲れていた天童にとって、ほんの初歩の手筋でも目を輝かせて感心するめだか姫のような初心者との触れ合いは、心温まる経験でした。

（わしは戦いすぎた。少し休むか……）

小文五はそう自分に言い訳をしました。これが言い訳であるのは、当人が一番よくわかっています。

天童にはもう戦う気力が残っていないのです。榊原拓磨という、驚嘆すべき天稟《てんぴん》を有する若者と出会ってしまったがゆえに。

初めて自分を愛してくれた女性、諏訪との触れ合いは、天童の傷ついた心を癒《いや》してくれました。再び戦う気力を取り戻すまでは、このまま諏訪の肉体に溺《おぼ》れていよう、そう天童は考えています。もし気力が湧《わ》かぬならば、風見藩お抱えの棋士として藩士に将棋の指南をして暮らすさ……。

天童と諏訪は互いにみつめ合い、照れくさそうにしています。

（しかたのない人たちね……。いいわ、せめて短い間だけでも、二人に夫婦の真似事《まねごと》をさせてあげましょう）

めだか姫は笑顔を作りました。

「で、天童さまはこのお屋敷のいずこにお住まいになるの」

諏訪はあっけらかんとして答えます。

「もちろん、わたくしの部屋にですわ」

姫君は老女の大胆さに驚きました。

「まあ諏訪ったら……」

諏訪は慌てて両手を振り回し、誤解を解こうとします。

「もちろん、わたくしは長局《ながつぼね》に移ります。わたくしが小朝の部屋を使います。一番手前の部屋でございますものね、御正室様附の老女が使って当然です。小朝以下の腰元たちは、奥に順々にずれてもらいます。なあに、奥にはまだまだ部屋が余っておりますもの。ひとつぐらいずれても大丈夫ですわ」

諏訪と天童小文五は驚きました。それまで元気なく脇息《きょうそく》に寄り掛かっていた姫君が、突然背筋を伸ばしたからです。

「順々にずれる、ですって……」

そう呟《つぶや》くめだか姫には後光が差したよう、頭の回りには青白い火花が飛んでいるかのよう。なんでも平賀源内がエレキテルを作ったのは、この様子を伝え聞いて思いついたのだとか。

「それよ、諏訪。えらいえらい。おかげでよい思案が浮かんだわ。……もしやそなた、伊予国《いよのくに》の山奥、赤蔵《あぞ》ヶ池《いけ》の生まれではなくって」

愛《いと》しい姫君は気が触れたのではないか、と諏訪は思いました。

「どうなされました。諏訪は姫と同様、江戸生まれの江戸育ち。それはよくご存じのはず……」

「だって、たった今、わたくしに双篦矢《ふたつののや》を手渡してくれたじゃないの。これで鵺《ぬえ》を殺すことができるわ。……見てらっしゃい、田沼意次。ひと泡《あわ》ふかせてあげますからね」

なにがなにやら判《わか》らずぽかんとしている恋人たちを残して、めだか姫は客間を走り出ました。

「もしそれができるなら……あとは茶室をなんとかして……田沼の監視を緩める手立ても必要ね」

姫君は廊下を疾走しながらなにやらぶつぶつ自問自答していましたが、直光の部屋に駆け込むと、突っ立ったまま叫びました。

「策が成りました。さあ、田沼と戦いましょう」

時羽直光と倉地政之助は目を丸くし、膝《ひざ》を抱えて淋《さび》しげに口笛を吹いていたお仙は、三尺ほど飛び上がりました。

「そうこなくっちゃ。それでこそめだかだぜ」

第十四回

猫ならば　ネの字の獲物　いけどりに

にわかに元気を取り戻したためだか姫は、目を輝かせて田沼を出し抜く計略を語り始めました。その大仕掛けなること古今東西例を見ないほど、直光《なおみつ》お仙倉地はただ口を開けて聞き惚《ほ》れるばかり。

しかしお仙は姫君の話に耳を傾けながらも、なにやらそわそわしはじめ、じわじわと唐紙《からかみ》のそばに移動します。

「……これが田沼退治の計略のすべてです。みなさまいかが」

めだか姫が語り終えたその時です。お仙は大喝一声、

「誰でい、そこにいるのはッ」

と叫びつつ、唐紙をがらりと開けました。

ずってんどうと倒れ込んできたのは、根黒久斎でした。壁に耳あり障子に目あり、唐紙の陰に根黒あり。姫君の不穏な動きを察知して、立ち聞きをしていたのです。

「頭の白いどぶ鼠《ねずみ》が探りを入れに来やがったか」

お仙は釣独楽《つりごま》を唸《うな》らせながら詰め寄ります。

「いや拙者、ちとお裏さまに用があり、いまここに参りましたところで……」

根黒久斎は目を泳がせながらおろおろと言い訳していましたが、がばと立ち上がって尻《しり》に火がついたかのように逃げ出します。

「逃がすもんかい」

お仙の釣独楽は糸を引いたように……って、糸を引いているのですが……飛び、老人の後頭部を直撃しました。

「ぎゃん」

根黒は灸《きゅう》を据えられた狐憑《きつねつ》きのような声を発して廊下に倒れましたが、最後の力をふり絞って立ち上がり、命あっての物種とばかり、ふらつく足を進めます。

「追おう。田沼に通報されてはならぬ」

「殺《や》ってもいいだろ」

「いけません。捕まえるのです」

直光お仙めだか姫は口々に叫んで部屋を出ました。倉地政之助《まさのすけ》はしばし迷っていましたが、慌《あわ》ててあとに続きます。

（いかん。わしがここにいたと田沼さまに通報されては、二股膏薬《ふたまたごうやく》がばれてしまう）

廊下の角を曲がった根黒久斎は不意によろけました。なにやら柔らかい物を踏みつけたのです。

「ふぎゃーッ」

老人に踏まれた三毛猫は、ひと声叫んで三尺ほど飛びすさりました。しかし、あやうく我が背骨を踏み折るところだった憎き敵が、なおもよろよろと向かってくるのを見るや、背中の毛を逆立てて飛び掛かりました。せめてひと太刀浴びせんと決意を固めたのです。

勇敢なるかな、めだか姫の愛猫《あいびょう》カコ。根黒の袴《はかま》をよじ登り、胸板から肩を飛んで白髪頭の天辺《てっぺん》に取りつくと、白鼠の尻尾《しっぽ》のような髷《まげ》の刷毛先《はけさき》に噛《か》みつきました。前足は月代《さかやき》に爪《つめ》を立て、後ろ足では目といわず鼻といわず掻《か》きむしっていますが、これは恨みを晴らすというよりも、頭から落ちまいとしているのでしょう。

「うわあ、助けてくれえ」

根黒久斎は悲鳴をあげてうずくまり、三毛猫を頭から振り払おうとします。

追いついた一同は思わぬ光景に棒立ちになりましたが、直光が猫をもぎ放し、倉地は老人の脾腹《ひばら》にこぶしを叩《たた》き込んで当て落としました。

「にゃあ」

満足げに啼《な》いてどうだとばかりに見上げる愛猫に、めだか姫はぱちぱちと拍手しながら賛辞を送りました。

「まあカコ、大手柄だわ。おまえ、晴れてネコと呼ばれる身となれたじゃないの」

蛙《かえる》を捕まえて以来カコという名前だった三毛猫は、虫でも雀《すずめ》でも鼠でもなく、根黒久斎を捕まえたのでした。


めだか姫は腰元に、時羽直光は浪人に変装し、門番のいない裏門から堂々と表に出ました。お仙が呼んできた辻駕籠《つじかご》に意識を失っている根黒久斎を押し込むと、一散に磐内藩上屋敷《ばんだいはん》を目指します。

門番も物頭も取次役も、嬉《うれ》しそうにめだか姫を迎えました。磐内藩士はこの風変わりな姫君の奇矯な行動には慣れており、腰元姿であらわれたぐらいでは驚きません。またなにかしでかしたらしいが、ひとつ仲間になりたいものだ、とにこにこ笑っています。

めだか姫は根黒久斎を牢《ろう》に入れるよう命じ、一党をひきつれて客間で父を待ちます。

「どうしためだか。悪戯《わるさ》が過ぎて追い出されたか」

西条綱道は着座するや、上機嫌で愛娘《まなむすめ》に語りかけました。

「いや、まさに悪戯《いたずら》の真っ最中と見た。腰元のなりなぞしおって。ほうほう、なにやら奇妙な連中をともなって来たな。やけに育ちのよさそうな浪人者がおるし……」

時羽直光は首をすくめました。

「その後ろはいつぞや来た風見藩の使番、実は幕府お庭番倉地政之助どの……」

正体がとっくにばれていたことを知った倉地の額に、脂汗《あぶらあせ》が滲《にじ》みました。

「隅にいる黒い小娘は初見《しょけん》だな。両国の見世物小屋に出ていると聞く熊《くま》娘か。これ、弁天様がご開帳だぞ」

あぐらをかいていたお仙は、「助平じじい」と呟《つぶや》いて前を合わせました。

「父上さま、相も変わらずお元気そうで、めだかは嬉しゅうございます。でも、そろそろ隠居していただかなくては、後がつかえて迷惑ですわよ」

ひとつ憎まれ口をかましておいて、めだか姫は時羽直光とお仙を紹介しました。

綱道は「娘を頼む」と律義《りちぎ》に頭を下げ、めだか姫に尋ねます。

「老人を牢にぶちこんだそうではないか。何者だ」

「ああ、あれ。風見藩の江戸留守居役ですわ」

「ほう、そうか」

さすがは五十万石の太守《たいしゅ》、なかなかのことでは驚きません。

めだか姫は、根黒久斎は田沼に内通してお家に害をなそうとしている獅子身中《しししんちゅう》の虫なのです、と説明し、風見藩に嫁入りしてからこれまでのいきさつを語りました。

「もしかして父上、密約が顕《あらわ》れても、わたくしならばうまく切り抜けられよう、そうお思いになって直重《なおしげ》さまと妻《めあ》わせたの」

綱道は苦笑しました。

「そうではないと、おのれが一番よく知っておるくせに。わしはな、密約の一件ではなく、そちの悪戯《いたずら》で嫁ぎ先の藩が改易になることを怖《おそ》れたのだ。そうなった際、小さな藩のほうが、迷惑をこうむる藩士が少ないでな」

めだか姫は肩をすくめ、小さく舌を出しました。

「やっぱりね。……いずれにせよ父上の危惧《きぐ》が当たり、めだかは田沼意次《おきつぐ》が仕掛けた罠《わな》の網に、まんまと掬《すく》われてしまいました。その網を食い破る、よい計略を思いついたのですけれど、われら一党では力不足ですの。ねえ父上、めだかに力を貸してくださいますわね」

西条綱道は、困った奴《やつ》だと言わんばかりに首を振ってぼやきます。

「貸すも貸さんもないではないか。事は将軍家まで巻き込んでおる。風見藩が改易になってもわしは困らんが……田沼に当藩の弱味を握られるとなれば、これは胸糞《むなくそ》が悪いわい」

「まあ父上、お言葉にお気をつけ遊ばせ。でも、めだかは少し安心しました。たとえ下屋敷の私的な賃借が将軍家に知られても、磐内藩は改易にならぬとお考えなのね」

「改易にはなるまいが、わしは腹を切らねばならん。できれば切りとうないな。さぞ痛かろう」

冗談めかしてはいますが、父は相当の覚悟を決めている様子です。父の葬儀に参列せぬためには、なんとしても田沼に勝たねばなりません。

「父上、築地《つきじ》かいわいで小堀遠州の茶室のある大名屋敷はございませんか」

愛娘に突然聞かれて、西条綱道は目を白黒させていましたが、やがて答えました。

「築地にはないが……麻布にならあるぞ」

めだか姫は肩を落としました。

「麻布では駄目なのです。いくらなんでも遠すぎますわ」

「運べばよいではないか」

めだか姫はびっくり仰天しました。

「運ぶって……父上、耳が遠くなられたの。茶器ではございませんのよ。わたくし茶室と申しましたのよ」

「耳はまだ確かだわい。麻布にある遠州の茶室は組立式茶室と申してな、ばらして運び、別の所に再建できる造りになっておるのだ」

「組立式の茶室ですか……初めて聞きました。されど、それがまことならばなおのこと好都合です。で、それは父上のお親しい方のお屋敷にあるのですか」

「おお親しいとも。めだかもよう存じておる男だ」

「どなたですの。わたくし姫君ならば幾人も泣かせましたけれど、お大名に知り合いはございませんわ」

西条綱道は剽《ひょう》げた顔をして、自分の鼻を指差しました。

「わしだ」

「父上が……すると、麻布とは麻布の中屋敷のことですか。どうして中屋敷に小堀遠州の茶室がございますの」

西条綱道は扇子を膝《ひざ》に立てました。

「されば、じゃ。今を去ること五十年前の話だが」

めだか姫は慌てて遮りました。

「父上、そのお話は長《なご》うございますの」

「でしたら、先に作事方《さくじかた》に命じてくださいませな。中屋敷の遠州茶室を築地下屋敷に運ぶように」

「ちと長いな」

おやおやめだか姫、一体何を考えているのでしょう。茶室を移動できたとしても、動かした先は磐内藩の築地下屋敷。風見藩下屋敷ではございません。

どうやら茶室の移動はめだか姫の計略のほんの始まりでしかないようです。ですが、それなしでは計略は一歩も進まぬらしく、姫君は懸命に父に詰め寄ります。

西条綱道は気まずそうに咳払《せきばら》いしました。

「それはできぬ」

めだか姫はいらいらして畳をとんと叩きます。

「父上、事は急を要します。さきほど運べるとおっしゃったではございませんか」

「職人がおらんのだ。遠州は茶室を解体し再び組み立てる方法を、秘伝としてごく僅《わず》かな弟子にしか伝え残さなんだ。わしがその秘伝を知る職人を見たのは五十年も前。しかもその老人はすでに高齢であった。もうこの世にはおるまい」

西条綱道は遠い目をして、遠州茶室が麻布中屋敷に運ばれてきた日のことを語り始めました。

その組立式茶室は当時の藩主、綱道の祖父兼忠《かねただ》が、赤井《あかい》御門守《ごもんのかみ》から買ったものでした。赤井の上屋敷は牛込御門内にあり、江戸開府の当時は小堀遠州の屋敷だったので、茶室が残っていたのです。

その年、赤井御門守に翌年の勅使伝奏役が命じられました。勅使伝奏役はなにかと金のかかる難役、赤井はその資金を捻出《ねんしゅつ》するため、小堀遠州の組立式茶室を一万両で買ってくれ、と富裕な磐内藩に泣きついたのです。

当時十九歳で麻布中屋敷に住んでいた西条綱道は、組立式茶室なるものがどのようなものか、またいかにして組み立てられるのか興味津津《しんしん》で、見物にでかけました。基礎の石、根太《ねだ》、畳と炉、柱と壁、障子床の間、そして屋根の部材と、下にあるものから順番に並べられ、組み立てられるのを待っています。

それぞれの部品には巴《ともえ》や卍《まんじ》といった謎《なぞ》の記号が刻んでありました。記号の意味を知る者だけが、どの部品とどの部品をいかなる順番で組み立てればよいかがわかるのです。

西条綱道が謎の記号に興味を抱いて覗《のぞ》き込んでおりますと、白髪白髯《はくぜん》の老人から怒声を浴びてしまいました。

職人たちが「大棟梁《おおとうりよう》」と呼ぶその老人は、なんの図面も書き付けも見ることなく、あれこれ指図を始めます。

「これをちょっくらちょとこうやって、巴と卍は恋仲よ……」

奇妙な鼻唄《はなうた》を楽しげに歌いながら、老人は職人が茶室を組み立ててゆくのを眺めていました。

結局、二日目の夜がこないうちに茶室はみごと組み上がり、瀟洒《しようしや》な姿を見せたのでした。

「たしか透庭《とうてい》と名乗っておった。あの老人が存命ならば、茶室を動かせるのだが」

とうの昔に鬼籍《きせき》に入っておろう。西条綱道はそう言って話を終えました。

「困ったわ……」

めだか姫はがっかりです。せっかく小堀遠州の茶室が見つかり、しかもそれは磐内藩の持ち物だったにもかかわらず、築地下屋敷に動かせないのでは絵に描いた餅《もち》、苦心の計略もただの夢物語になってしまいます。

「あ、あの……」

時羽直光は震える膝を進めて尋ねました。

「その老人は、こう歌っていたのでございますか。『これをちょっくらちょとこうやって』と……」

西条綱道は驚きました。

「さようさよう。忘れもせぬ、まさにその節回しだ。なぜそれを存じておる」

冷飯若君は、がばと立ち上がりました。

「姉上、まいりましょう」

常ならぬ直光の勢いに、めだか姫は目をぱちくりさせております。

「どこへですの」

直光は急《せ》いて地団太を踏みながら答えました。

「もちろん、からむし長屋へです」


からむし長屋に急ぎながら、どこであの奇妙な唄を聞いたのかを直光は一同に話しました。

皆さまは覚えておいででしょうか。直光がお糸の祖父、善庭と知り合った際の光景を。善庭は奇妙な鼻唄を歌いながら、塗り盆を庭に見立てて、銚子《ちょうし》や盃をあちらこちらと動かしていました。

「これをちょっくらちょとこうやって……」

あの鼻唄は、西条綱道の昔話に出てきた透庭大棟梁の歌っていた唄と大変よく似ています。

時羽直光は、善庭は透庭の息子または一番弟子で、頭の中には小堀遠州の秘伝が刻み込まれているのではないか、それが形を変えてあのような行為に結びついたのではないか、そう考えたのです。

「しかしよお、大丈夫かねえ。本当に秘伝を伝えられているとしても、あの爺《じい》さん、相当おかしくなってたからなァ」

お仙は悲観的ですが、めだか姫は元気百倍です。

「ともかく、わたくしの計略は茶室が動かせるかどうかにかかっています。急ぎましょう」

長屋に到着した一行が木戸をくぐろうとすると、惑乱した様子で駆け出してきたお糸と出くわしました。

「どうした、お糸さん」

「ああ、直次郎さま……いえ、直光さま。祖父を、祖父を見掛けませんでしたか」

「いや、その善庭どのに会いとうて参ったのだが。どうなされた」

お糸が震える唇で言うには、洗濯物を取り込みに行った隙《すき》に善庭が布団《ふとん》から抜け出したらしく、姿が見えないのだそうです。

「お仙さんが届けてくださった本物の人参《にんじん》のおかげで、少し具合がよくなったと思ったら……。ああ、どうしましょう、またきっとお酒を吞《の》みに行ったんだわ」

一同は立ちすくみ、お仙がその胸中を代弁します。

「ちっ。吞み助につける薬はねえや。あの体で酒を吞んだら、今度こそ御陀仏《おだぶつ》だぜ」

血相を変えた一行はお糸を伴って取って返し、善庭いきつけの煮売酒屋《にうりざかや》へと走ります。

真っ先に飛び込んだ時羽直光が目にしたのは、口から血を流して土間に倒れている善庭の姿でした。すでに息は絶えている様子、しかしそれでも銚子は手放しておりません。

そばにかがみ込んでいた亭主が、震え声で弁解します。

「だからやめろって言ったんだ。あっしは止めたんだ、止めたんでござんすが……」

「おじいちゃんッ」

お糸は魂消《たまぎ》るような声を出して駆け寄り、泣き崩れます。

時羽直光は茫然《ぼうぜん》として呟きました。

「これで……これで小堀遠州の秘伝を知る手掛かりは失われた……」

後をお仙と倉地政之助にまかせて、めだか姫と時羽直光は一旦《いったん》屋敷に戻りました。夕食どきに正室と弟君が両方姿を消していては、大騒動が巻き起こるに違いありませんから。

砂を嚙《か》むような思いで夕食を済ませ、風呂《ふろ》で体を洗って貰《もら》っためだか姫は、諏訪《すわ》に「今宵はもう下がってよい」と命じました。

老女は大喜び、頰を赤らめていそいそと退出します。どうやら部屋に天童小文五を隠している様子、夜は二人で思うさま楽しむつもりなのでしょう。

めだか姫と時羽直光は示し合わせて再び藩邸を抜け出しました。

小堀遠州の秘伝は善庭老人とともに黄泉《よみ》の国に消え去りましたが、長屋の人々には井戸さらいで世話になっています。せめて通夜《つや》に参列して、おくやみをいいたかったのです。

木戸を入っためだか姫と直光は、我が目を疑いました。貧乏長屋にかがり火が立ち、印半纏《しるしばんてん》をまとった若い衆が、きちんと列を作って並んでいるではありませんか。

「……どちらさまで」

これぞ江戸の職人と錦絵《にしきえ》に描きたくなるような、鯔背《いなせ》な若者が小腰をかがめて尋ねました。

「ああ、いいんだよ。お糸ちゃんの恩人さね」

お仙がすっ飛んできて、姫君をお糸の長屋へと誘《いざな》います。

逆さ屏風《びょうぶ》の前には善庭老人の亡骸《なきがら》が安置され、お糸がうつむき、立派な刺子《さしこ》の半纏を引っ掛けた恰幅《かっぷく》のいい中年の職人が頭《こうべ》を垂れていました。

めだか姫が改めておくやみを言うと、お糸は丁寧に礼をいい、刺子半纏の男を紹介します。

「姫さま。こちらは鍛冶橋《かじばし》の寅蔵《とらぞう》叔父さん、大工の棟梁ですの。叔父さん、ご挨拶《あいさつ》なさって。風見藩二万五千石のご正室、めだかの方さまです」

寅蔵は少し驚いた様子でしたが、そこは多くの勇み肌の若い衆を使うだけあって、気圧《けお》された風もなく、さりとて自分をことさら大きく見せるでもなく、貫禄《かんろく》のある声で挨拶します。

「寅蔵でございます。このたびはお糸坊がお世話になったそうで、御礼申し上げます。また、大棟梁《おおとうりょう》に高価な人参をお恵みくださいまして……」

寅蔵の礼の途中ですが、めだか姫は慌《あわ》てて遮りました。

「大棟梁ですって。ではやはり、善庭さんは小堀遠州の秘伝の継承者だったのですか」

なにがなにやらわからず大きな目をしばたいている寅蔵に、めだか姫は小堀遠州の茶室を麻布から築地に移せる人物を探し求めている所だ、と告げました。

「寅蔵さん、あなたが善庭さんの身寄りの方ならば、あなたも組立式茶室の秘伝を伝授されているのではなくて」

めだか姫ががっかりしたことに、寅蔵は首を横に振りました。

「いえ、あっしは。お糸坊は叔父さんと呼んでくれますが、そもそもあっしはお糸坊とも大棟梁とも、血のつながりはございませんので」

西条綱道の見た白髪白髯の老人透庭は、小堀遠州の次男小堀正之《まさゆき》について造園建築を学んだ庭師兼大工でした。その透庭の一番弟子だったのが、お糸の祖父善庭です。透庭から学んだ小堀遠州の造園法を、善庭は自分の息子に伝えようとしました。しかし組立式茶室の秘伝伝授がようやく終わろうとしていたまさにその時、善庭の息子夫婦は流行《はやり》風邪をこじらせてあっけなくこの世を去ってしまいました。善庭の失望はこの上なく、酒に溺《おぼ》れて幼いお糸の世話をするでもありません。見兼ねてお糸をひきとったのが、善庭の弟子の一人だった寅蔵です。

お糸は幸い寅蔵になつき、叔父さん叔父さんと慕ってくれます。寅蔵は善庭に、面倒は見るからお糸と一緒に自分の家で暮らさないか、と勧めました。

善庭がお糸を奪うようにして連れ去り、何処《いずこ》へともなく姿を消したのは、その翌日でした。八方手を尽くして探したのですが、善庭お糸の消息は杳《よう》として知れません。

それから十余年の歳月が流れました。寅蔵も棟梁と呼ばれる身となり、つい稼業《かぎょう》の忙しさにまぎれ、お糸を探すのもおろそかになっていました。

そんな寅蔵の元に、古くから使っている左官の源次が、妙な噂《うわさ》を聞いたと駆け込んで来ました。

老人が血を吐いて死に、孫娘が泣き崩れ、その側《そば》では腰元だの浪人だの黒羽織の武士だの、おかしな連中が見守っていたそうな。

（ここでお仙はぷんとむくれました。どうせあたいは顔が真っ黒、薄暗い煮売酒屋にいたもんだから、闇《やみ》に溶け込んで見えなかったんだろうさ）

もしやと思って駆けつけた寅蔵は、健やかに成長をとげたお糸と再会を果したのでした。

「ですからあっしは、善庭師匠から秘伝を伝授されてはおりません。秘伝のにおいだけでも嗅《か》ぐことができますならば、千両積んでも惜しくはございませんが。なあお糸坊、師匠はなにかそんなような書き付けでも残しはしなかったかい」

寅蔵の問いに、お糸はかぶりを振ります。

「いえ。ご覧の通りの暮らしぶり、書き付けどころか屑屋《くずや》さんに売る反故紙《ほごがみ》すらもございません」

時羽直光は膝《ひざ》を乗り出しました。

「いや、お糸さん。秘伝は書き付けでも絵図でもなく、唄として語り継がれているのです」

直光は「これをちょっくらちょとこうやって」という、善庭が鼻唄として歌い、西条綱道が五十年前に聞いた、あの唄の出だしを歌ってきかせました。

「まあ、それが秘伝なのですか。でしたらわたし、祖父から聞かされてすっかり覚えています」

幼い頃、それも周囲に人がいない時に限ってでしたが、善庭は子守唄がわりによくその唄を歌って、むずかるお糸を眠りの世界に導いてくれました。また、酒に溺れてからは、酔って意識を失いながらも、呪文《じゅもん》をとなえるが如《ごと》くその唄を繰り返していたのです。

狭い長屋に驚きが渦を巻きました。まさかこの愛らしい娘の頭の中に秘伝が隠されていたとは思いもしなかったからです。

めだか姫はおずおずと疑念を呈しました。

「でもね、お糸さん。茶室をひとつ壊してまた組み立てる手順でしょ。その唄は何十番も……いえ、何百番もあるはずよ。それを全部覚えているの」

倉地政之助も追随します。

「ものの本で読んだのだが、なんでも昔、城を建てる折りには秘密の仕掛けをほどこしていたそうでござる。敵に攻められ、あわや落城という際には、基礎の石や柱の込《こみ》栓《せん》をひとつ抜くだけで城全体が崩れ落ち、中にいる者を圧死させる仕掛けだとか。茶室ゆえ話は違おうが、秘伝というぐらいだ。唄の順番を間違えたら、茶室が崩壊して再び元の姿には戻らぬ仕掛けが隠されているかもしれぬ」

お糸は小さな糸切歯をのぞかせて微笑《ほほえ》みました。

「わたしはあの唄を覚えているのではありません。あの唄がこの体に染《し》みついてしまっているのです」

めだか姫は決心しました。どうあっても麻布の茶室を築地に運ばねばならないのです。

「わかりました。お糸さん、あなたを信じましょう。寅蔵さんも手伝ってくださいますわね」

寅蔵は分厚い胸をどんと叩《たた》いて請け合います。

「おまかせください。お糸坊の唄を信じて、この寅蔵、きっとお役に立ってみせましょう。なあに、秘伝と引き換えなら、この命捨てても惜しくはござんせん」

どうやら風見藩二万五千石の命運は、お糸の歌う鼻唄に賭《か》けられたようです。


その翌日、早朝に善庭の葬儀を済ませたお糸と寅蔵は、大勢の職人を伴って麻布に走りました。寅蔵は茶室の分解に二日、組み立てには三日かかると踏んでいます。将軍家のお成りに間に合わせるには、ぐずぐずしてはいられません。

「これをちょっくらちょとこうやって……」

お糸は澄んだ声で歌いはじめました。

寅蔵が驚いたことに、この茶室に使われている柱や梁《はり》はすべて、一本柱ではなく、途中で鎌継《かまつぎ》になっていました。そして、その継ぎ手をはずさねば分解できず、はずす順番をひとつでも間違えると、梁が落ちたり、柱が折れて壁が倒れ、職人を傷つけるようにできていたのです。

さらに寅蔵が戦慄《せんりつ》したのは、天井の格子《こうし》が落下すると、その交差している十字の部分から、鋭い鉄の槍《やり》が飛び出す仕掛けになっていたことでした。

（小堀遠州、ただの鼠《ねずみ》じゃあねえ。もしかしたら、二代将軍秀忠《ひでただ》公を暗殺しようとした、宇都宮釣天井の一件にもかかわっていたのかも……）

お糸の歌声に守られて、作業は無事に進みます。その様子を描写しても皆さまのあくびを誘うばかりなので、そのかわりに、お糸の歌った秘伝の唄が、後日形を変えて酒席の座興となったことをお伝えしておきましょう。

三十年ほどのちの寛政年間、「どでごんす」という遊戯が酒席で、そして子供の遊びとしても流行します。これは、猪口《ちょこ》と杉箸《すぎばし》四本（うち二本は真ん中で折り曲げてあります）で、一年十二か月のさまざまな情景を作る遊びです。

たとえば三月は猪口を顔、二本の曲がった箸を両腕、まっとうな箸を体に見立てて置き、こう歌います。

「これをちょっくらちょとこうやって、お雛《ひな》さまとはどうでござんす《どでごんす》」

小堀遠州の秘伝の唄はうろ覚えの職人たちによって伝えられ、このような遊びへと変化したのでした。

さて茶室の分解が始まった頃、倉地政之助は江戸城内田沼意次詰部屋前の廊下にかしこまりました。

「何用ぞ」

田沼に問われて、政之助はわななく唇を開きました。

「ご報告申し上げます……」

まさか倉地、ここでめだか姫を裏切って、茶室の移動を田沼に報告する気ではありますまいな。

幕府お庭番はなにやらごにょごにょと語り始め、それを聞き終えた御側衆《おそばしゅう》筆頭は驚いて声をあげました。

「倉地、それはまことか」

「はは」

「ううむ。なんたること。これは捨ててはおけぬ。早急に手段を講じねば……」

その日の夕刻。吝嗇左衛門《けちざえもん》……いえ、銭亀屋吉左衛門《ぜにがめやきちざえもん》は、怒りに体を震わせて、つんのめるように通りを歩いておりました。

「これはお糸のしわざだ。畜生め、店賃《たなちん》をよっつも溜《た》めていやがるくせに。恩を忘れて奉行所に駆け込みやがったな。恩知らずの貧乏娘め、どうでも意趣がえしをせねばおさまらぬわい」

なにゆえ吉左衛門は入れ歯を震わせて毒づいているのでしょう。

質屋で金勘定をしていた吉左衛門の元に、転がるようにしてあらわれたのは、薬種屋の番頭でした。

「だだだ旦那《だんな》さまッ。大変です。一大事でございますッ」

「どうした番頭さん。富くじが当たったのなら、半分お寄越しなさい」

のんきなことを言っていた吉左衛門ですが、番頭の注進を聞くや、胸はどきどき頰はぴくぴく、心の臓が破裂しそうになりました。

つい先刻、八丁堀の同心が大挙して薬種屋にあらわれ、「偽人参《にせにんじん》を売った嫌疑がかかっておる」として家捜《やさが》しを始めたのです。

番頭はしらを切りましたが、蔵の中にしまってある本物の朝鮮人参の横に、ひね大根があるのを発見されてしまいました。引き出しにはご丁寧なことに吉左衛門の筆跡で、「偽人参」と書いた紙が貼《は》ってあります。「主人《あるじ》はどこだ」と問われた番頭は、「さあ。今朝がたふらりとお出かけになり……行く先ですか、とんと存じません」ととぼけるのが精一杯です。

「されば明朝、町名主《まちなぬし》同道のうえ、奉行所に出頭せよと伝えよ。逃げようものなら蝦《え》夷地《ぞち》の果てまでも追い、首と胴を生き別れにしてくれる。番頭、その方も次の雇主を探しておくのだな」

同心はそう言い残して、風の如く去りました。

どうやら江戸中の薬種屋を回って、偽人参が売られていないか調べている模様です。実はこれは、めだか姫に頼まれた倉地政之助が、お糸の一件を田沼意次に報告したことに端を発した大捜査でした。

田沼意次は幕府財政の強化策として、各種の座・株仲間の結成を、さらに推進していました。朱や薬用人参などの高価な産物から日々の暮らしになくてはならぬ油に至るまで、専売制にして相場を安定させ、運上・冥加金《みょうがきん》を徴収するのがその目的でした。

もしも巷《ちまた》に朝鮮人参の偽物が蔓延《まんえん》し、「人参だって。ありゃあ効かないね。なんでもほとんどが偽物《いんちき》だって話だぜ。高い金を出すなんて馬鹿《ばか》らしいや」なんて評判が立ったらどうなるでしょう。人参は売れなくなり、運上《ぜいきん》を取るどころではありません。

そして、人参座の設置を決めた田沼意次自身も物笑いの種になってしまいます。

そうです。めだか姫は偽人参騒ぎで田沼の注意をひきつけ、その間に将軍家をお迎えする準備を進める狙《ねら》いだったのです。

　吉左衛門がひね大根を人参と偽ってお糸に売ったのは事実ですし、このような不正がまかり通っては幕府ご政道が成り立ちません。倉地政之助は、めだか姫への助力も多少はありますが、市中の風聞を集めるという幕府お庭番本来の業務を遂行したのでした。

「こいつはお糸だけの知恵じゃねえ。お糸にのぼせあがってる辰吉《たつきち》も一枚嚙《か》んで……いや、長屋の貧乏人ども皆が結託して、わしが遠島にでもなれば店賃を払わずにすむと思ってやりやがったんだ」

　吉左衛門はぎりぎりと歯ぎしりをしました。

「そうは行くか。こうなったら店立《たなだ》てを食わせてやる。路頭に迷うがいい。広いお江戸で、ここより安い店賃の長屋はないのを忘れたか。さぞ困るだろう。泣いて土下座をしても許してやるものか」

　ぼろ長屋を壊して更地《さらち》にし、誰か妾《めかけ》の住居を探している金持ちにでも売ろう。吉左衛門はそう思いました。その金をお奉行に袖《そで》の下から渡せば、謹慎ぐらいで済むでしょう。

「店立てだ。追い出してやる」

そう呟《つぶや》きながらからむし長屋の木戸を潜《くぐ》った吉左衛門は、長屋に人の気配が全く感じられないので驚きました。

この戸を開けても、あの長屋を覗《のぞ》いても、住人がいないどころか、破鍋《われなべ》ひとつ綴蓋《とじぶた》いちまい転がってはいません。

「誰もいねえ……消えちまった……」

吝嗇左衛門は我が身の窮地も忘れて、喉《のど》も裂けよとばかり絶叫しました。

「店賃踏み倒しやがったァ」

辰吉、お蛸《たこ》お鍋《なべ》お魚《いを》の女房連中、そして影の薄いその亭主たちは、わずかな家財道具の整理を終えると、めだか姫に礼をいいました。

「しかし、いいんですかい、姫さま。ここに住ませていただいて」

「よろしいのよ、辰吉さん。どうせ使っていない中間《ちゆうげん》長屋ですもの」

からむし長屋の一同が引っ越してきたのは、風見藩上屋敷の幽霊長屋でした。

めだか姫は微笑みました。

「店賃は取りませんけど、ときどき隅の二階で夜中に賽子《さいころ》の転がる音がするかもしれませんよ」

どうやら風見藩は町人の居候《いそうろう》を抱える羽目におちいったようです。

こうしてめだか姫は田沼の目を一時そらし、将軍家お成りを迎える準備をする時間を稼ぐことができました。

しかし、お糸と寅蔵が小堀遠州の茶室を磐内藩築地下屋敷に移動させることに成功したとしても、それが何の役に立つというのでしょう。将軍家が訪れるのは風見藩下屋敷です。すでに磐内藩下屋敷に吸収されて影も形もなくなっている、ありもしない屋敷です。

めだか姫の計略は本当に功を奏し、田沼意次にぎゃふんと言わせることができるのでしょうか。

第十五回

白玉の涼爽《りょうさわ》やかに大団円

木挽橋《こびきばし》を渡るその駕籠《かご》には、七曜紋《しちようもん》が描かれております。

七曜紋は田沼家の紋所、一見しただけならば御側衆《おそばしゅう》筆頭田沼意次《おきつぐ》の外出と取れますが、ちょっと注意深く見れば、どこかおかしいと気づくでしょう。なぜならば、駕籠の周囲には黒羽織に裁付袴《たつつけばかま》、刀には柄袋《つかぶくろ》もせぬままの屈強な武士が、二重に取り囲んで厳重に警護していたからです。

塗り笠《がさ》の下から、うろんな人影がないかと険しい視線をあちこち走らせているのは、幕府お庭番十七家の精鋭たち。となれば駕籠で揺られているのは他でもない、第十代将軍徳川家治《いえはる》公です。

常の将軍家お成りとは違い、おしのびですので御側《おそば》も小姓も帯同せず、草履《ぞうり》持ちもいません。すべてを田沼の屋敷に残し、お庭番だけが付き従っています。いえ、実は駕籠を担《かつ》いでいる陸尺《ろくしゃく》（駕籠《かご》舁《かき》小者《こもの》）も、お庭番の変装した姿なのです。

幕府お庭番総動員……となれば、どこかに倉地政之助《まさのすけ》の姿があるはずです。探してみますと、おりました。しかし将軍家の駕籠脇《わき》ではなく、後方からついてくる女物の塗駕籠の横で、体中を汗まみれにしてふうふう喘《あえ》いでいました。

女駕籠の中には田沼意次、こちらの陸尺は本物の小者です。倉地はお庭番の末席に位置するため将軍家の護衛には加えてもらえず、ひとりで田沼の警護をさせられているのです。

（ふう暑い。歩いていてもこう暑いのだから、駕籠の中はさぞ蒸すだろう。到着して駕籠を開けたら将軍家は影も形もなく、蒸《ふか》し饅頭《まんじゅう》がひとつ転がり出た、などという事態に立ち至らねばよいが）

政之助が馬鹿《ばか》な妄想にふけっている間に、二丁の駕籠は二の橋を渡りました。警護の幕府お庭番軍団から、かすかに「おう」と声がしたのは、行く手に見える門に幔幕《まんまく》が張り巡らされているのを認めたからです。幔幕に描かれているのは「違い鶏《とり》の羽《は》」、まさしく風見藩時羽家の紋所です。

いくら常日頃からだを鍛え、武術の訓練に怠りない精鋭とはいえ、炎天下を江戸城から呉服橋内の田沼屋敷、さらに築地《つきじ》と歩かされたのですから、暑さにまいっていないはずがありません。「おう」と安堵《あんど》の声が漏れたのがその証拠です。

風見藩下屋敷につつがなく到着した喜びが先に立ち、門まで続く藩邸の塀が小藩の下屋敷にしては少しばかり長すぎるのではないか、と不審に思った者はいませんでした。

まず田沼意次の駕籠がおろされました。陸尺が揃《そろ》えて置いた草履を履いた田沼は、違い鶏の羽の幔幕を見て目を見張ります。

「こ、こんなはずは……」

すでに磐内藩《ばんだいはん》下屋敷に併呑《へいどん》され、存在しないはずの風見藩下屋敷の門があるなど、田沼には信じられません。

「これは夢だ……この屋敷があるはずがない……」

風見藩下屋敷が見つからずにおろおろするお庭番を叱責《しっせき》し、将軍家を磐内藩下屋敷にお連れする。そこで家治公に、両藩が幕府に内緒で拝領屋敷を私的に賃借している事実を言上《ごんじょう》し、風見藩を改易に追い込む。これが田沼の計画でした。

茫然《ぼうぜん》と立ち尽くしている田沼意次の耳に、七曜紋の駕籠から発せられた声が届きました。

「これ、はよう開けよ。暑うてかなわぬ」

田沼が止める暇《いとま》もなく、お庭番は駕籠を開けると草履を揃え、将軍家の手を取ってお出しします。

「やれやれ、やっと着いたか。主殿頭《とのものかみ》、案内《あない》せい」

わけが判《わか》らぬながらも、田沼意次は開け放たれた門をくぐりました。

敷石の脇には、肩衣《かたぎぬ》をつけた藩士たちが額を玉砂利にこすりつけておりました。田沼は根黒久斎の姿を探し求めましたが、あの白髪頭はどこにも見当たりません。

それもそのはず、ここに出迎えている面々は磐内藩士なのです。

もはや皆さまお判りでしょう。将軍家がご到着遊ばされたのは、磐内藩の下屋敷でした。風見藩士は将軍家が築地の下屋敷を来訪することすら知らずに、上屋敷で呑気《のんき》に日々の業務にいそしんでいます。万が一に備えて、めだか姫から留守番を命ぜられた冷飯若君の時羽直光《なおみつ》は、「ちえっ。将軍さまにお会いしたかったのに」とぼやくことしきりでした。

玄関の式台では、おすべらかし髪に打掛《うちかけ》という盛装のめだか姫が、つつましやかに平伏しておりました。

「風見藩主時羽直重妻《なおしげさい》、めだかにござりまする。こたびはご大樹《たいじゅ》さまのご来駕《らいが》を賜り、この上なき藩の誉《ほま》れ……」

いつになく固い声で挨拶《あいさつ》を始めためだか姫に、御歳二十八歳の将軍徳川家治公は、きさくに声を掛けました。

「直重の女房か。辞儀はよせ。面《おもて》をあげよ。直答許《じきとう》す。亭主の留守にすまんのう。ああ暑い。なにか冷たいものをくれい」

姫君はここ一番の微笑《ほほえ》みを返し、涼やかな声で答えました。

「それでは、茶室でまず白玉を差し上げましょう。深い井戸に吊《つる》してきんきんに冷やし、お砂糖もたっぷり用いてございます。ほっぺが落ちても知りませんわよ」

（こんなはずはない。この屋敷があるはずはないのだ。まして小堀遠州の茶室なぞ……）

そう思いつつ、田沼意次は家治公の尻《しり》について廊下を進みます。みっつばかり角を曲がると、渡り廊下に出ました。その先には、瀟洒《しょうしゃ》な茶室がちんまりと佇《たたず》んでおりました。

（そんな馬鹿な。そもそも小堀遠州の茶室は、将軍家を来させるために、わしが思案した出鱈目《でたらめ》なのに……）

もちろん、遠州の茶室がここに存在するのは、お糸と寅蔵《とらぞう》のお手柄です。寅蔵は前日までに茶室を移し終えたのみならず、天井格子《ごうし》に隠されていた危険な仕掛けも取り除いてくれました。万が一にも将軍家を傷つけてはなりません。

この茶室には躙口《にじりぐち》はなく、まわり縁を通った家治公は、風を通すために開け放たれていた障子口から入りました。江戸初期の茶室には、このように開放的な造りのものもあったのです。

貴人畳にどっかと胡座《あぐら》をかいた将軍さまが懐紙で汗を拭《ぬぐ》う間、めだか姫は扇子で風を送ってさしあげます。

「諏訪《すわ》。白玉をもて」

料理所《どころ》に控えていた諏訪が、涼しげな硝子《びいどろ》の器を捧《ささ》げて姿をあらわしました。緊張のあまりぎくしゃくと動く老女の姿に、将軍家の頭に白玉をぶちまけねばよいが、とめだか姫ははらはらしました。

将軍さまが器を受け取ると、お庭番の一人が風の如《ごと》く忍び寄り、竹串《たけぐし》で白玉をひとつ刺して毒味をします。お庭番が頷《うなず》くのを見て、はじめて家治公は白玉を口に運びました。

「あっぱれ天下一の美味じゃ」

舌鼓《したつづみ》を打った家治公は、田沼がまだ突っ立ったままで口をぱくぱくさせているのに気づきました。

「主殿頭、いかがいたした」

将軍家に問われて、御側衆筆頭はわななく唇をひらきました。

「上様、そのう、これは本当に小堀遠州の茶室でございますか」

家治公は茶室の様子を見回し、事も無げに答えます。

「そうさな。品川の別荘の茶室とは造りがちと違うが、床の間の違い棚といい、天井の格子造りといい、いかにも遠州好《ごの》み。いや好《この》みどころではない、遠州の建てた茶室に間違いないないな」

あっさり言われて、田沼意次の膝《ひざ》が畳に落ちました。

懐刀《ふところがたな》の常ならぬ落胆ぶりに、将軍家はいぶかしげに問います。

「どうした、田沼。暑さでやられたか。体をいとえよ」

「主殿頭さま、白玉でも進ぜましょうか」

めだか姫にしゃあしゃあと言われて、田沼意次のこめかみに太いみみずのような血管が浮き出ました。

「ちと失礼いたす。上様は茶をお楽しみくだされませ」

憤然として立つと、茶室が揺らぐほど足を踏み鳴らして退出します。

あっけにとられているめだか姫に、家治公はにこやかな笑顔を向けました。

「めだか、許してやれ。野暮なおやじでな。さて、汗も引いた。そのほうのお手並みを拝見するか」

茶室を飛び出した田沼意次は、渡り廊下の端で警護に当たっていた倉地政之助の胸倉を摑《つか》みました。

「倉地、どうなっておるのだ。あるはずのない風見藩下屋敷がこうして存在し、わしが出任せに言った茶室まで建っておるとは」

政之助はとまどった様子で答えました。

「それがその……茶室については存じませんが、田沼さま、ここは風見藩下屋敷ではございませんぞ」

「なんだと」

「拙者が案ずるに、ここは磐内藩下屋敷。幔幕を張り巡らせ、風見藩下屋敷と思わせたのでござる」

おやおや倉地政之助、めだか姫の計略を暴露しはじめました。やはり立身出世に目がくらみ、最後の最後で寝返ろうとしているのでしょうか。

それにしては、小堀遠州の茶室についてては「存じません」と答えました。茶室が磐内藩麻布中屋敷から移されたいきさつについては、百も承知二百も合点、三百店《だな》もわが月夜かな……おっと、語呂《ごろ》合わせをしていて、つい筆が滑りました。小林一茶が生まれたのはこの前年、したがってまだ赤子ですから、この句が詠《よ》まれているはずがありません。

ともかく、茶室の移動を知っているのに、なぜ田沼に教えないのでしょう。もしや倉地政之助、いまだに二股膏薬《ふたまたごうやく》のどっちつかず、自分でもどちらにつくべきか決めかねているのでしょうか。

「それでわかった。ここは磐内藩下屋敷だったのか」

田沼は胸倉を摑んでいた手を放し、懸命に失地回復を計ります。

「さすれば、ここが磐内藩下屋敷であると上様に示し、あの小娘が謀《たばか》ろうとしているとお判りいただければよいのだ。さて、その手段《てだて》だが……」

「差し出がましいようですが、田沼さま」

倉地はなにげなく示唆《しさ》します。

「ここは風見藩下屋敷のように装《よそお》っておりますが、実は磐内藩下屋敷なのでござる」

「それはもう聞いたわい」

「さすれば、今度は隣りにあるはずの磐内藩下屋敷がなくなっているはず」

田沼意次は雷に撃たれたように立ちすくみました。なぜこのような簡単な証明方法に気づかなかったのでしょう。

「倉地、ついてまいれ」

田沼は玄関めざして走りだしました。倉地政之助は、茶室に貼《は》りつくようにして将軍家の警護に当たっている上役、御休息御庭者支配に目顔で了解を求め、頷きが返ってきたので後を追います。


玄関で草履をつっかけた田沼意次は、御側衆筆頭の威厳もあらばこそ、袴をばたばたと鳴らして走ります。長々と続く藩邸の塀にそって疾走しながら、倉地に尋ねました。

「磐内藩の隣りはどこの藩邸だ」

「こうっと……」

お庭番は懐から切絵図を出して教えます。

「出雲《いずも》神無藩《かんなしはん》、撫牛兵庫守《なでうしひょうごのかみ》さまの下屋敷ですな」

「よおし、これで彼等《きやつら》の陰謀は露見するぞ。隣りが撫牛の屋敷ならば、将軍家が今おわすのが磐内藩下屋敷である動かぬ証拠だ」

田沼意次は天にも昇る心持ちでしたので、その屋敷に駆け込む際、門がこれみよがしに開かれ、門番もいないことに気づきもしませんでした。

敷石を音高く踏み鳴らして玄関に走った田沼意次は、式台に腰掛けて待ち受けている人物を見て、つんのめるように止まりました。

田沼を待ち受けていたのは、悠々と琵琶《びわ》をかき鳴らしている諸葛亮孔明《しょかつりょうこうめい》……ではなく、にっこりと微笑んでいる磐内藩主西条綱道でした。

「まままさか……」

西条綱道は扇子を使いながら、しれっとして呼び掛けます。

「これは主殿頭どの。なんでも本日はご大樹が隣りの風見藩下屋敷をご来訪とか。もしかしたら当屋敷にもお寄りいただけるかと、こうしてお待ち申しておったのだ。おぬしが顔を見せたとなれば、将軍家にもご来駕いただけるのかな」

「そんな馬鹿な……」

ここは出雲神無藩撫牛兵庫守の屋敷のはず、と喉《のど》まで出かかった所で、田沼意次は卒然として悟りました。西条綱道は撫牛の屋敷を借り、おのが屋敷にいるような振りをしているのです。

田沼は後退《あとずさ》りして屋根を見上げました。破風《はふ》には青海波《せいがいは》模様の中に、西条家の紋所、合わせ大根の紋が鎮座ましましております。

（くそ、手の込んだ真似《まね》を。おそらくは中に入ってみても、什器《じゅうき》家具まで入れ替わっておるのだろう）

憤怒《ふんぬ》のあまり、田沼は挨拶もせずにきびすを返しました。草履が片方脱げましたが、戻っておたおたと履き直す姿を綱道に見られるのは業腹《ごうはら》です。ええいとばかり、もう片方もはね飛ばし、足袋はだしのまま駆け出しました。

「倉地。隣りは……」

ぜいぜいと息が切れはじめたので、短く問いました。

「ふうふう……伊勢菰被藩《こもかぶりはん》……鴨鳴大膳大夫《かもしぎだいぜんだいぶ》さま……のはず……」

倉地も汗を拭いながら懸命に足を動かし、切れ切れに答えます。

ようよう次の門にたどりついた田沼意次は、よろめく足を踏み締めて玄関に進みながら、嫌な予感がしてなりません。

（まさか、撫牛が待ち構えているのではあるまいな……）

図星でした。式台では撫牛兵庫守が平伏していました。

「これは田沼さま、本日はいかなるご用件で……」

言葉は丁寧ですが、顔にはにやにや笑いが浮かんでいます。

そうです。築地界隈《かいわい》に藩邸を有する藩主たちは、西条綱道の呼び掛けに応《こた》えて、藩邸を順繰りに移り、田沼の来訪を今や遅しと待ち構えていたのでした。

呼び掛け人は西条綱道ですが、そもそも誰が考案した奇策かは、言うまでもありません。

めだか姫は先日、老女の諏訪から、

「天童小文五さまにはわたくしの部屋に住んでいただき、わたくしは長局《ながつぼね》の小朝の部屋に移ります。腰元たちは部屋を順繰りに移ればよいのです」

と言われて、この計略を思いついたのでした。


あきらめの悪い田沼は、なおも根性で次の藩邸へと走ります。

「はあはあ……と、隣りは……」

「ひいひい……四国讃岐《さぬき》、高松藩松平さま……」

田沼は次の屋敷の門を飛ばして、もひとつ向こうの門までよろめくように走りました。この分では、次の屋敷で鴨鳴大膳大夫が待ち構えているのは確実です。

ひとつ先の屋敷に、ご親藩の藩主、松平頼恭《よりたか》公が待ち受けているか否《いな》か、田沼はそこに賭《か》けたのです。

もう走れません。息も絶え絶えによろめき歩いて門を入った田沼意次は、式台に仁王立ちしている人物を一目《ひとめ》見るや、「ひい」と赤子がひきつけを起こしたような声を漏らしてうずくまりました。

むろん、待ち受けていたのは高松藩二十万石の国守、松平頼恭公ご本人でした。田沼は真夏の日差しで熱せられた敷石に頬をつけて、長々と寝そべりました。この炎天下を走り回り、とうとう体力が尽きた、それればかりではありません。ご親藩の藩主すら西条綱道の呼び掛けに応えて、この自分を虚仮《こけ》にしようとしている。その事実が彼を打ちのめし、気力をも失わせたのです。

これぞめだか姫の奇策の、真の狙《ねら》いでした。

単に磐内藩下屋敷を風見藩下屋敷に見せかけるだけで、田沼意次が尻尾《しっぽ》を巻くはずがありません。そこで、めだか姫は倉地政之助に命じて、藩邸が順繰りに取り換えっこされているのだと、わざと暴露させました。

田沼意次はその証拠を摑むために、いくつもの藩邸を駆けずり回り、その過程で、事は風見磐内両藩との暗闘の域を越え、他の多くの大名にも知れ渡っているのだ、と悟りました。

さらには諸大名が田沼の側にではなく、めだか姫の側についているという事実をつきつけられたのです。

確かに田沼意次は将軍家治公の信頼いちじるしく、いまや飛ぶ鳥を落とすほどの勢いで出世街道を驀進《ばくしん》しています。諸大名はいずれも賄賂《わいろ》を抱えて門前に市をなし、屋敷は進物で溢《あふ》れ返らんばかりのありさまです。

しかし、実は田沼、とても薄い氷の上で舞い踊っているにすぎないのです。

どうやら大名の列には並びましたが、石高は僅《わず》か一万五千石。御側衆《おそばしゅう》は将軍家の腹心の部下ではありますが、幕府の役職としては老中よりも下位にあたります。将軍家の恩寵《おんちょう》を失えば、破《や》れ草履の如《ごと》く捨て去られかねません。

すなわち、今の意次には、風見藩一藩を改易にし、磐内藩の弱味を握って脅しをかけることはできても、こうして諸大名に結束して牙《きば》を剝《む》かれると、敵を全滅させるだけの力はないのです。

めだか姫の計略に賛同し、自分をからかっている諸大名すべてを改易したい、などと将軍家に進言したら、どのような事態に立ち至るでしょう。

将軍は諸侯の反乱を恐れ、田沼を閑職に追いやるに違いありません。

「主殿頭《とのものかみ》、おまえには人心を掌握するだけの才覚も人柄も備わっておらぬようだ」

いくら辣腕《らつわん》とはいえ、しょせんはひとりの官僚にすぎません。新たな人物を登用すれば済む話です。

薄れ行く意識の中で、田沼は歯がみをする思いでした。

（あんな馬鹿《ばか》姫に後《おく》れを取るとは、意次一生の不覚。……だが見ておれ。風見藩ごとき小藩、折りを見てきっと改易に追い込んでやるわい……）

今をときめく御側衆筆頭が力なく敷石に倒れ伏した姿を心地好《よ》げに見ておられた高松藩主松平頼恭公は、倉地政之助に声をかけました。

「駕籠《かご》を呼んで、屋敷に帰してやれ。これで少しは専横もおさまるであろう」

「ははっ」

倉地はにやりと笑って一礼しました。

結局政之助はめだか姫の側につき、田沼をこらしめるために一肌脱いだのです。

いえいえ、優柔不断な倉地政之助が、自分で決断したわけではありません。実は、田沼屋敷から築地への道中に、彼にとっては驚天動地の、ある大事件が起こっていたのです。

時の流れを少し溯《さかのぼ》り、田沼屋敷を出発したばかりの将軍家一行に目を転じましょう。

（はやくご大樹《たいじゅ》のお側を警護する栄誉に浴したいものだ。そのためには手柄を立てねばならぬ。となれば、田沼さまにお味方して、あの美しい姫君に改易の悲嘆を嘗《な》めさせねばならんが……。馬鹿め、何を迷うておるのだ。わしは幕府お庭番でないか）

「政之助」

いつ横に人が来たのか、まったく感知していなかった倉地は、御休息御庭者支配に声をかけられて飛び上がりそうになりました。

「ご大樹の駕籠脇《わき》に進め」

「は、ははっ」

（夢ではあるまいか。将軍家の警護を仰《おお》せつかるとは。これで家禄《かろく》も加増、義父《ちち》上もさぞお喜びになろう）

倉地政之助は両手両足をぎくしゃく動かして、七曜紋の描かれた駕籠脇に進みました。体中の皮膚がつっぱるような思いで周囲を警戒してはいるのですが、生来のんきな倉地のこと、ついつい不穏当な空想にふけってしまいます。

（ああ、ここに乱心者でも飛び出して来て、お駕籠を襲ってはくれまいか。「不埒者《ふらちもの》」と大喝一声、抜けば玉散る氷の刃《やいば》。いや、玉が散る前に、抜く手も見せずに斬《き》って落とすわい。「手練《しゅれん》の技、あっぱれあっぱれ」とお駕籠から声が掛かり、「その者、長崎奉行に抜擢《ばってき》せよ」との仰せ……)

「大概《たいがい》にしておけ」

ただ一言、ぽつりと駕籠の中から声が発せられました。

(誰だ、うるさいな。長崎奉行とくれば、役得が多くて数年勤めれば蔵が建つそうだし……ひひひ、丸山の芸妓《げいぎ》には異国じこみの性技《わざ》を会得《えとく》した女もおるとか……)

白昼夢に心を奪われていた倉地は、上役に袖《そで》を引かれて我に返りました。

「戻れ」

彼にしてみれば、将軍家の駕籠脇を歩いたのは、ほんの一瞬の出来事でした。

(なんだったのだ、今のは)

田沼の駕籠の警護に戻りながら首をひねっていた倉地は、突然立ちすくみました。

(あああれは、ご大樹の声だったのだ……)

「大概にしておけ」

あれはうわの空で歩いている自分を上役がたしなめたのではありません。ご大樹がじきじきに声をおかけくだされたのでした。

(しかし……大概にしておけ、とはどういう意味だ)

政之助はその真意を考えるのに夢中で、犬の糞《ふん》を踏みつけたことにも気づかぬまま、歩を進めます。

（何をほどほどにすればよいのだろう。どの役目をいい加減にやめておけと仰せなのだろう）

いま自分が命ぜられている役目はひとつしかない。そう思い当たった瞬間、背筋の毛が一斉に逆立ちました。

（風見藩の改易に力を貸すなとおっしゃるのか……）

倉地は田沼の命令で動いています。これは幕府お庭番として当然の行動です。田沼意次は御側衆筆頭、将軍家の内意をお庭番に伝えるのも役目のひとつなのですから。しかし。風見藩改易を、将軍家は望んでいるのでしょうか。いえいえ、そうは思えません。家治公にとって二万五千石の小藩ごとき、いちいち気にせねばならぬ存在ではないのです。

風見磐内両藩の密約を知り、それを自身の領地拡大につなげようとしているのは、田沼意次という一個人です。

「お庭番は将軍家のためにあるのだぞ。田沼の私兵として働くのもほどほどにしろ」

これが家治公の真意に違いありません。

（ご大樹はわしをお諭《さと》しくだされたのだ）

逆立った背筋の毛が、ちりちりと焦《こ》げはじめたように感じました。田沼の動向と倉地の働きは、同職の誰かに監視され、逐一将軍家に報告されていたのです。

（わわわわしは、殺されるのではあるまいか）

一瞬は恐怖に襲われましたが、それならば家治公がわざわざお声をかけて諭されるはずがない、と思い返しました。

（いや。ご大樹はわしを育《はぐ》んでくださっているのだ）

家治公の意図に気付いた倉地政之助の目に、涙が溢れました。

将軍が直接命令を下して動かせる戦力は、お庭番しかありません。幕府直参《じきさん》旗本八万騎と申しますが、彼等はすでに、戦闘集団としての能力を失っています。また、いくらお目見《めみえ》以上だからと言って、危急の際にいちいち呼び出して命令を下せるはずもありません。

幕府お庭番は職制上は若年寄の配下であり、命令の多くは御側取次役を通じて伝えられますが、実質は将軍家直属の情報収集部隊であり、戦闘軍団なのです。

その本分を忘れ、昇進と加増を夢見て田沼の私兵となりかかった倉地に、家治将軍はちょっとお灸《きゅう》を据えようと思われたのです。

それは家治公がお庭番を直属の配下として深く信頼しているからこその、恩愛あふれる行為でした。

(ああ、なんとありがたい……)

倉地政之助は袖で涙を拭《ぬぐ》いました。家治さまの信頼に応えるためには、これからどうすればよいのでしょう。

「簡単ではないか。お言葉に従えばよい。すなわち、大概にするのだ」

倉地は力強く呟《つぶや》きました。将軍家は、きっと田沼意次にも同じ言葉をかけたいに違いない、そう思ったからです。

確かに田沼は、官僚としては大変優れた能力の持ち主です。人参《にんじん》座を作り、幕府の収入を増大させようと計るなど、並の役人が思いつく政策ではありません。

しかし残念なことに、田沼の出世欲、金銭欲、権力への渇望《かつぼう》は、これまた人並外れています。

家治公は、風見藩改易を失敗させることで、田沼意次にもお灸を据えようとしているのだ。そう倉地政之助は確信しました。

(さすればここは、姫君の側につくとしよう。それが将軍家の御意にかなう、幕府お庭番としてなすべき行動だ)

倉地政之助はこうして二股膏薬《ふたまたごうやく》をやめ、めだか姫に助太刀して、将軍家の懐刀《ふところがたな》にひと泡ふかせたのでした。

話を戻しましょう。意識を失った田沼意次は駕籠に乗せられ、倉地政之助に付き添われて呉服橋内の屋敷に運ばれて行きました。

その知らせを聞いて高松藩下屋敷に集まってきたのは、「藩邸取り換えごっこ」に参加した藩主たち。総勢は二十人をはるかに越えております。

めだか姫から「藩邸を順繰りに隣りに借りてゆく」という奇策を聞いた時、西条綱道はその実現の可能性を危ぶみました。ところが驚いたことに、「田沼意次をひっかけるため」と聞くと、頼みに行った十ばかりの藩はもちろん、通りの違う藩からも続々と参加の申し込みがありました。どうも噂《うわさ》は噂を呼び、将軍家のお成りはちっともお忍びではなくなったよう。ついには築地西本願寺の管主さえも、「なにかお役に立てませんか」と使者を送ってくる始末。

田沼意次の専横は、それほど諸侯に憎まれていたのです。

高松藩下屋敷に集まった藩主たちは、西条綱道が礼を言うと、にこにこと頷《うなず》きます。瞳《ひとみ》の輝いているその様子は、まんまといたずらを成功させて喜んでいる子供のようです。

松平頼恭公の音頭《おんど》で祝杯を上げると、それからは無礼講。差しつ差されつ和気あいあい、暑さも忘れて楽しい宴となりました。

その頃、小堀遠州の茶室では、第十代将軍徳川家治公が琴の音色に耳を傾けていらっしゃいました。

ころりんしゃん、とめだか姫が弾き終えますと、家治公は「見事じゃ」とひと声お褒めになり、皮肉な笑みを浮かべられました。

「そちの琴の音《ね》に誘われて、黒い鼠《ねずみ》が一匹、天井から顔を覗《のぞ》かせておるが」

めだか姫が仰ぎ見ると、真っ黒な顔をしたお仙の目ばかりが、天井格子《ごうし》の間で白く光っています。

「なあに、お仙さん。いいのよ。降りて将軍さまにご挨拶《あいさつ》なさい」

女忍者《くのいち》がふわりと畳に降り立った瞬間、茶室の外に殺気が満ちました。遠くで鳴いていた蟬《せみ》すらも声をひそめます。

しかし、家治公が肩の塵《ちり》を払うような仕草をすると、嘘《うそ》のように気配は静まり、みんみん蟬も再び恋の唄《うた》を歌いはじめました。

立ちすくんでいたお仙は、ほっと安堵《あんど》の息を漏らし、将軍家の前とあって膝《ひざ》を四角にかしこまりました。

「あたいは仙。へへ、以後よろしく。しかし驚いたね、公方《くぼう》さま。あたいに気づくとは、あんたもなかなか隅に置けねえ」

めだか姫はくすくす笑い、家治公は苦笑します。

「お褒めにあずかって光栄だ。剣はさほどでもないが、これでどうして、砲術は得意でな。目は利《き》くのだ」

「で、どうなりました、田沼のほうは」

めだか姫に問われて、お仙は破顔一笑しました。

「やったぜ、めだか。おめえの計略は大成功だ。田沼の狸《たぬき》め、屋敷を幾つも駆けずり回ったあげく、口から泡を噴いてぶっ倒れちまった」

「まあまあ、それはよかったこと。お仙さんありがとう。……あの、実は将軍さま……」

事の成り行きを説明しようとするめだか姫に、家治はうんざりした様子で手を振って見せました。

「ああ、よせよせ。そちも知っておろう。予は政事向きには興味のない遊び人。無粋《ぶすい》な話はやめてくれ。……それよりな、めだか」

風流将軍徳川家治公は、床の間を扇子で指しました。

「その掛軸、無落款《むらっかん》だが、なかなかの絵だ。誰の作か存じておるか」

それは今朝、父が上屋敷から持参した品でした。

もっといい掛軸はないの、いつも自慢している池大雅《いけのたいが》を持ってくればよいのに。そう文句を言ったのですが、綱道は、「これでよいのだ」とにやにや笑うばかりでした。

めだか姫は、松の枝先に頬白《ほおじろ》が止まっているその絵柄を見やって、首をかしげます。

「さあ。まあ、そんなに悪くない出来ですから、そこそこの絵師の作ではございましょうが。あの、お気に召しましたならば差し上げますわよ」

家治公は苦笑して、小声で呟きました。

「そこそこの絵師、か」

「なにかおっしゃいまして」

「その絵を描いた、そこそこの絵師は……予だ」

「なんですって」

めだか姫はびっくり仰天しました。

「この絵はな、予が綱道に与えたものだ。風見藩下屋敷の茶室にあるはずがないぞ」

めだか姫は目も口も大きく開けて茫然《ぼうぜん》としておりましたが、やがてなんだか馬鹿馬《ばかば》鹿《か》しくなりました。だってそうでしょう。田沼の仕掛けた罠《わな》をかいくぐり、逆にひと泡ふかせるために、めだか姫は必死の思いで戦いました。ところが、父はわざわざここが風見藩下屋敷ではないと将軍家に知らせるためにこの掛軸を吊《つる》しておりますし、それを知った家治公もなに食わぬ顔でめだか姫の接待を受け、屋敷が違うと追及する気配はありません。

(父も将軍さまも、なにもかも知った上で遊んでいるとしか思えないわ)

めだか姫はくすくすと笑い、袖でぶつ真似《まね》をしました。

「ひどいわ、将軍さまったら……」

家治公も上機嫌で笑います。

「はははは。いやすまぬ。許せ、めだか……」

ついには身をよじらせて笑い転げる二人を見て、お仙は狐《きつね》につままれたような顔をしています。

(なにがなにやらわからねえ。まったく姫君だの公方だの、奇妙奇天烈《きてれつ》な人種だぜ……)

これでおしまい

将軍家のお成りを無事接待し終えてから、三日が過ぎました。

谷中笠森稲荷《やなかかさもりいなり》の水茶屋鍵屋《かぎや》を覗《のぞ》いてみましょう。床几《しょうぎ》に腰掛けているのは、その武張った顎《あご》を見るまでもなく、幕府お庭番倉地政之助《まさのすけ》。もはや夕暮れ時、晩飯も間近だというのに、団子を頬張りながらなにやらぼやいています。

「やれやれ。結局ご加増にはありつけなんだ。こうなったら団子の暴《あば》れ食《ぐ》いだ。だがまあ、田沼さまには偽人参《にせにんじん》の一件でお役に立てたし、公方《くぼう》さまからはひとことだけだがお声をかけていただいた。それでよしとするか。……なんと、もう皿が空だ。これお仙、おかわりをくれ。……お仙……お仙ッ」

呼べど叫べど、さきほどまでそこらをうろちょろしていたお仙の姿は見当たらず、返事とてございません。

「天に昇ったか地に潜んだか……まったく困った天狗《てんぐ》娘だ。また浅草寺の屋根にでも登って、夕涼みと洒落込《しやれこ》んでいるのだろう……」

浅草寺五重塔の屋根の上では、つんつるてんの単衣《ひとえ》の裾《すそ》を夕風になぶらせて、お仙が大の字に寝そべっておりました。

「おっと、そうだっけ」

何を思いついたのか、天狗娘は上体を起こすと、懐《ふところ》から古びた銚子《ちようし》を取り出しました。注ぎ口には詰め紙がしてあります。

はてさてお仙、何をしようというのでしょう。まさか一人で酒盛りを始めるわけではございますまい。

「ようやっと鶯《うぐいす》を捕まえたものの、鶯の糞《ふん》は臭くていけねえ。今度はへちま水ってのを試してみよう」

これでわかりました。鍵屋の軒下に生えていたへちまの茎を切り、世に名高いへちま水を手に入れたのです。

お仙は掌《てのひら》にぬるぬるする液体をたっぷり振り出すと、額といわず頬といわず、ごしごし塗りたくります。

「これで少しは色が白くなるといいが。まあ、あてにはしてねえけどよ。……おっと、色白になっただけじゃしかたがねえ。少しはおしとやかに喋《しゃべ》れるように訓練しなくちゃ。しょせんは山家《やまが》育ち、めだかみてえには話せめえが」

間の良いことに、かたわらに烏《からす》がとまりました。お仙のあまりの顔の黒さに、仲間と勘違いしたのです。

お仙は烏に、「まあまあ、それはよろしいこと」「すてきすてき」「いけませんわ、殺すだなんて」と、めだか姫の口真似《くちまね》をして話しかけ、おしとやかに喋る練習を始めました。

烏は小首をかしげて聞き入っていましたが、やがて「阿呆《あほう》」と、ひと声残して飛び去りました。

お仙は小さく舌打ちして、眼下に広がる江戸の町が夕闇《ゆうやみ》につつまれてゆく様子を眺めます。

「あたいが変われば……このお江戸も、どこか変わるんだろうか。……へっ、そんなはずねえやな。あたいが色白になったからって、誰ひとり、見向きもしちゃあくれめえぜ」

そう自嘲《じちょう》しながらも、なおもへちま水を重ね塗りしていたお仙は、ふと眉《まゆ》をひそめました。

「それにしても……兄《あん》ちゃんは、一体どこをのたくっているんだろう……」

さてその頃、めだか姫は庭の池に接する縁側にちんと正座して……おやおや、こっくりこっくりとうたた寝をしております。

めだか姫が居眠りしている間に、あれからのいろいろをご報告いたしましょう。

田沼意次《おきつぐ》は鳴りをひそめ、何も無理難題を持ちかけてくる気配はございません。しかし、あれほどの屈辱を嘗《な》めた田沼が風見藩をそのまま捨て置くはずもなし。また別の陰謀を巡らせていると思われます。

江戸留守居役兼奥家老の根黒久斎は、磐内藩《ばんだいはん》上屋敷の牢《ろう》で首を括《くく》りました。天網恢恢《てんもうかいかい》疎《そ》にして漏らさず。悪が栄えた例《ためし》なし。

奥家老がいなくなったのは、めだか姫にとっては朗報ですが、留守居役なしでは藩邸の機能が頓挫《とんざ》してしまいます。来年の藩主ご参府に帯同して新しい留守居役が到着するまで、時羽直光《なおみつ》が暫時《ざんじ》その役を務めることとなりました。

藩主の弟が留守居役では他藩に聞こえが悪いので、直光は「根黒重斎《じゅうさい》」と名乗り、久斎の息子に化けております。

「これで堂々と江戸の町を遊び歩ける」

当初は喜んでいた直光ですが。小たりとはいえ一藩の留守居役が町人の用いる煮売《にうり》酒屋《ざかや》に入るわけにはまいりません。しまったしまったの百万遍《ひゃくまんべん》。早く元の冷飯若君に戻りたいようと泣いています。

天童小文五は、からむし長屋の人々とともに幽霊長屋で暮らすことになりました。奥御殿に男は住めませんから。

昼は藩士や腰元に将棋を教え（奥御殿には俄《にわか》に将棋が流行《はや》り始めたのです）、夜は時折諏訪《すわ》の部屋にしのんで、お楽しみにふけっているようです。

ひょっとしたら、めだか姫よりも先に諏訪がご懐妊あそばされるかもしれません。

幽霊長屋に居候《いそうろう》が住み着いたことに風見藩士たちはうすうす気づいたようですが、とやかく騒ぎ立てる者はおりません。「勘定役の横井が、藩の財政のために店子《たなこ》を置いて家賃を取ろうとしているのだろう」ぐらいに思っています。なんとものんきな男たちで。

からむし長屋の亭主連中は空き部屋でおこなわれる中間《ちゅうげん》どもの博打《ばくち》に加わって寺銭を落してくれるので、横井秀作も文句はいいません。

そうそう、からむし長屋の大家、銭亀屋《ぜにがめや》吉左衛門《きちざえもん》ですが。あの因業爺《いんごうじじい》は、偽人参を売った科《とが》で八丈島に流罪《るざい》となりました。江戸十里所払いで済むところが、町奉行に賄賂《わいろ》を摑《つか》ませようとしたため、罪一等を加えられてしまったのです。

辰吉《たつきち》は幽霊長屋に住むことなく、鍛冶橋《かじばし》の寅蔵《とらぞう》の家に住み込んで大工の修業をはじめました。いずれはお糸と夫婦になるつもりです。

寅蔵はお糸の面倒も見ると申し出たのですが、お糸は自分がそばにいては辰吉の気が散るからと断り、幽霊長屋で暮らしています。

これまで諏訪が行っていた洗濯をまかされ、

「これをちょっくらちょとこうやって……」

と例の鼻唄《はなうた》を歌いながら、きびきび元気に立ち働いています。

腰元の小朝は、しばらく膨れっ面《つら》をしていました。なにしろ幽霊長屋にある井戸は、男と逢引《あいびき》するための縄張りのひとつでしたから。

しかし、まだ井戸は藩邸内に十ほどもあります。相変わらず男たちと遊び呆《ほう》けているようで、飯どきにしか姿をあらわしません。

めだか姫は床下がなにやら騒がしいので目を覚ましました。三毛猫のネコが獲物を見つけて追い回しているようです。

「にゃあご」

ネコの発する勝利の雄叫《おたけ》びが聞こえたので、めだか姫は微笑《ほほえ》みました。

(もう何を捕ってもいいわ。根黒久斎を捕らえるという大手柄をたてたのだもの、名前を変えたりしませんからね)

幸いなるかな三毛猫のネコ。ついに終生の名を得ました。

「ああ、直重《なおしげ》さまがお戻りになられるのは、まだずっとずっと先なのね」

朝顔模様の扇子をはたはたと使いながら、姫君はひとりごちました。

「藩邸を城と思ってしっかり守れ」と言い残して夫が四国讃岐《さぬき》に去ったのは、もうずいぶん昔のように感じられます。

藩邸どころか風見藩そのものを一度は大きく傾けてしまいましたが、お仙と倉地の助力もあり、直重の訓令は全うすることができました。

しかし、田沼との対決を終えてしまった今、めだか姫にはもう何もすることがありません。

さて、皆さまの中には、ご不満に思われておられる方がいらっしゃるかもしれませんね。「まだ六不思議の六番が解けていないではないか」と。

六不思議の六番は、「ろくは有れどもしちは無し」でした。この言葉の意味は、今のめだか姫にとっては、もう不思議でもなんでもないのです。

風見藩はたしかに小さな貧乏藩で、江戸藩邸でも懸命に倹約してなんとかやりくりをしています。しかし、藩士たちはその涙ぐましい節約ぶりを、ちっとも苦労とは感じていません。

例えば、六不思議の参番です。

「廊下の足音すがたは見えず」

これは江戸勤番の藩士にとっては不思議でもなんでもありません。いくつもの仕事を兼務させられ、姿が見えぬほどの勢いで廊下を駆け回らねばならないのは、自分自身なのですから。

ですが彼等はその苦労をぐちることなく、みずから六不思議のひとつに加えることで笑い飛ばしています。

貧しさに負けず、心豊かにのんびりゆったり暮らしている風見藩江戸藩邸の人々と、もっと仲良しになりたいものだ、とめだか姫は考えております。

おやおや、また話がそれました。「ろくは有れどもしちは無し」でしたね。

この言葉の意味は、貧乏藩の藩士が唯一《ゆいいつ》誇りに思っていることを言い表しているのだ。そうめだか姫は判《わか》ったのです。

風見藩は倹約に倹約を重ねて、商人から借金をしないで藩の財政を運営しているのです。……もっとも、風見藩は借金をしたくても、貸してくれる商人がいないのかもしれませんが。

ともかく藩士は、他藩よりはずっと少ないけれど、確かに俸禄《ほうろく》は貰《もら》っています。つまり「禄は有る」のです。そして藩に借金はない。「質は無い」のです。

禄は有れども質は無し。

このご時世です。磐内藩のように殖産興業に成功した藩は稀《まれ》で、三百諸藩のほとんどが大商人からの借財に苦しんでいます。

確かに「質が無い」のは、胸を張って威張ってもよいことと言えましょう。

めだか姫は小さくあくびをしました。

「ふう。退屈だわ。お仙さんが遊びにこないかしら。……おや、いけない。とんと忘れていたわ。一八《いっぱち》とか言う奇妙な名前のお兄さまの、行方を調べねばならなかったわね。まあ、そのうち直重さまに書状を送って、調べていただきましょう」

風見藩の藩主はさぞ驚くでしょう。江戸藩邸の新妻から、町人を一人探してほしいと頼まれたら。

「やれやれ。いろいろあったけど……。ちっちゃな藩の正室ってのも悪くはないわ。

つぶしても迷惑をかける藩士は少ないし、思い切ったことができるものね」

(再び暇を持て余す身となった今、なにか思い切った悪戯《いたずら》でもしてみようかしら。……幕府転覆の陰謀を企てるとか)

ちらとそんな思いが小さな胸の中に蠢《うごめ》きました。

おお、まさかめだか姫、またもや傾国の美女ぶりを発揮して、徳川さまの御世《みよ》を戦国時代に逆戻りさせるつもりではありますまいな。

「まあ、やめときましょう。なにしろ、将軍家治《いえはる》さまとはお友達になってしまいましたものね」

のんきで風変わりで夢見がちな姫君は、扇子で口も隠さず、顎がはずれそうなほどの大あくびをいたしました。

「ふわーあ。……ああ、このままでは退屈で死んでしまいそう。さて、次は何をして退屈しのぎしようかしら」

解説

立川志らく

最近の若い読者は時代小説をあまり読まないであろう。どうして読まないかというと、それはあまりに思考ストップする語彙《ごい》に出っ食わすからである。小説の楽しみは個人の創造力による空間体験である。それなのに時代小説は分からない言葉が次から次へと登場して、いちいちこれはどういう意味なのだろうかと考えなくてはならない。ノー天気な御仁は、まあなんとかなるさと読み急ぎ、結局物語の筋すら分からず、途中で「難しいや」と放り投げてしまう。几帳面《きちようめん》な御仁になると、ひとつひとつ分からない言葉は調べ、「ほう、そうだったのか」と納得はするが、そのうちに本を読んでいるのか調べているのか分からなくなり、いつの間にか本を楽しむから勉強するに趣旨が変わってしまうのである。

現代において、この「思考ストップ」の問題は深刻である。私が生業《なりわい》としている落語にしたってこのことは常についてまわっている。演じ手の方は大抵子供の頃から落語に慣れ親しんできて、落語に人生及び学問を教わった。だから昔の言葉などが死語ではなく、ごく日常の言葉だと錯覚してしまっている。だけど現実は違って、世間は全くといって昔の言葉を知らない。更に情けないことに知らないことが恥とすら思わないのだ。

以前、テレビのとある番組で「たいこもち」の意味を知っているかという街頭インタビューをやっていた。すると若者が知らないのは仕方ないとしても、中年のおじさん、おばさんもほとんど知らないのだ。「お祭りで騒ぐ人」だとか酷《ひど》いのになると「太鼓とお餅《もち》」と平然と答える人までいた。昔気質《むかしかたぎ》の老人が「たいこもちとは幇間《ほうかん》のことだよ」と答えると今度はインタビュアーが分からず「ほうかん？」とそれこそポカンとしていた。

私が知り合いの若い娘に「たいこもちとは男芸者のことだ」と説明すると、その若い娘は「そうなんだ」と納得した顔をしたが、実は彼女の頭の中には女装する男の姿が浮かんでいたのだった。

「お茶をひく」という言葉すらしらない中年のおばさんがいた。「人生長くやってきたが、生まれて始めて聞く言葉だわ」だと。

このような世の中で落語をやるのは至難の技である。小説ならば読むのを中断して調べることが可能だ。しかし落語は途中で調べるわけにもいかない。横の席の人に尋ねれば「うるさい」と嫌がられるだろう。まさか歌舞伎《かぶき》のイヤホーンガイドのように解説をつけるわけにもいかない。

そこで私は極力難しい言葉は避け、勿論《もちろん》使用することもあるが、そこは前後の流れで分かりやすくして、更に物語の登場人物を現代人の感覚で喋《しゃべ》らせ、それでどうにかこうにか現代で通用する落語にすることが出来た。

そこで時代小説だ。昔ながらのファンは池波正太郎が一番、あるいは柴田錬三郎に尽きるとか、いやいや子母沢寛《しもざわかん》の前にはどれもこれも野暮《やぼ》だ、ということになるであろう。それは落語の場合ならば、円生、文楽、三木助こそが落語だと騒いでいるのと同じ。確かにそれらは最高である。しかしそれはコアなファンの趣味で、演者が、作者がそれに毒されてしまうと、もはやその世界に発展はなく、ともすると崩壊してしまう。

現代の書き手が現代の読み手に伝えたいのなら、現代の息吹《いぶき》をそそがなければならない。古典芸能をそのまま現代に継承しようとするのと同様、昔のままの小説を書きたいというのなら、それはそれでかまわない。ただ世の中からは相手にされませんよね。

「現代」こそが時代小説において必要不可欠なものなのだ。舞台は江戸時代でもそこに生きている人々は現代人と同じような感覚を持ち合わせている。全《すべ》てではないよ。ここらへんのさじ加減がセンスで、馬鹿《ばか》がやると「お前は何のために舞台を江戸時代にしたんだ」と同業者と昔ながらのファンに鼻で笑われる事になってしまう。登場人物が現代的感覚の持ち主であると、難しい昔の言葉もなんとなくではあるが、読み手に伝わるものなのだ。なにより読みやすくなる。

長々と色々語ってきたが、本書『退屈姫君伝』がまさに現代感覚で描かれた時代小説なのだ。著者の米村圭伍さんは私の落語会に頻繁に足を運んでくれている。それは私に本の宣伝をしてもらいたいからではなく、私の落語が好きだからであろう。恐らくもっと上手い人の落語も聞いているはずだ。でも私の落語の方があまたいる古典芸能継承者よりも現代的で面白く、その部分が己の作品と共通していて、それで通ってくれているのだ（と、私は勝手にそう思っている）。

『退屈姫君伝』のどこがそんなに現代的かというと、主人公のめだか姫だ。江戸時代は当然ながら男尊女卑の社会。いくら武家の娘だからといって、お姫様があんなに活発に活動するはずがない。おてんばとは違う。おてんばは江戸時代にもたくさんいたであろう。そうではなく、めだか姫は現代の芸能レポーター並の好奇心を持っているのだ。お前は東海林《しょうじ》のり子か！　と思わず言いたくなる。そして謎《なぞ》解きをする姿勢は「刑事コロンボ」、今でいうならば「古畑任三郎」といった方が分かりやすいか。あの冷静でクールでありながら人間臭さをプンプンさせている姿は現代人の憧《あこが》れだ。めだか姫はまさにコロンボなのだ。そのくせ芸能レポーターの顔まで持っているからたまらない。で、きっと可愛《かわい》いんだろうな……まあ、それはさておき、これで『退屈姫君伝』が現代的時代小説であることが少しお分かりいただけたと思う。問題は思考ストップの件だ。『退屈姫君伝』にもたくさん昔の言葉が出てくる。これでもかというぐらいふり仮名をふっているが、そんなことは無駄で、やはり知識のない人は最初のうちはまごついたであろう。だけどめだか姫のキャラが分かってくると、そのまごつきも少なくなりそしてなにより文体が明るく、というのも時代小説は陰気なのが多い、更に口語体に近い文章で、その語り口が敬語で、どんどんその世界に魅《ひ》き込まれていくのだ。時代小説の大半は実に文体が偉そうである。「こんな言葉も貴様は知らんのか！　未熟者め！」といった感じだ。こちらは本を買ったお客さんだぞ。分からない言葉だらけの文章を書いたのだから、もう少し低姿勢であってもいいじゃないかと、私なんか思う。その点、米村圭伍さんは敬語、別に駄洒落《だじゃれ》ではなく、その敬語もまるで名人の落語家の語り口みたいで心地がいいのだ。名人の落語家の語り口がどうして心地いいのかと言うと、貫禄《かんろく》のある御爺《おじい》さんが丁寧に語りかけてくれるからだ。政治家とかご覧よ、庶民を見下して喋るじゃないの。自分のおじいちゃんだって、当たり前だが孫や息子に敬語は使わない。御爺さんが丁寧に語りかけてくれるなんて、そうはないことなのだ。そんなことはどうでもいいか。

とにかく米村圭伍さんは名人のような語り口で語りかけてくれるから、読み手は思考ストップする回数も減り、かなりスラスラ読めてしまうのである。

更に、センスがいいのだ。昔のものに現代の息吹を入れるのにはセンスが大事だと前述した。『退屈姫君伝』はそのさじ加減が絶妙で、子母沢寛ファンでも「なかなかやるな」と唸《うな》るのである（唸ったところを見た訳ではないが）。つまり美学が崩れていないのだ。

この美学というのは説明が難しくて、美学の定義は、うーん、「俺はこの世界が分かっている」という人が読んで不愉快にならないもの、といっても定義ではないな。止《よ》そう、美学とかセンスなんていくら説明したって分からない人には一生かかったって分からない。分かっている人は説明は要らない。だからここで敢《あ》えて解説しない、って卑怯《ひきょう》だな私。

難しいはなしはとっぱらって、『退屈姫君伝』は小説として面白いのだ。以前、私が書評で「映画ダイ・ハードのような小説だ」と誉《ほ》めたことがある。これはどういうことかというと、「ダイ・ハード」を誤解しているとこの言葉も誤解されるので、「ダイ・ハード」そのものを説明するが、この映画はただのアクション映画ではない。「ダイ・ハード」以前はアクション映画と言えばB級で、内容なんかなくてもとにかく派手にドンパチやっていればお客が喜んだ。しかし「ダイ・ハード」はそのアクション映画の定石をぶち壊し、物語を面白くして人間を描いたのだ。物語の面白さはまるでビリー・ワイルダーの作品のようで、そのひとつひとつの伏線の見事さに本当に感心した。登場人物もそれぞれしっかり描き、結果、「ダイ・ハード」はアクション映画でありながらA級の映画となったのだ。大袈裟《おおげさ》に言えばアクション映画の歴史を変える作品であるのだ。

『退屈姫君伝』は時代小説を変えるものかどうかは別にして、「ダイ・ハード」を見ているような興奮を我々に与えてくれた。時代小説で人間を描くのは当たり前だが、めだか姫の可愛さ、回りの人々の魅力、良いね。そして伏線の張り方といい、結末へ向って行くテンポといい、まさに「ダイ・ハード」である。

　これまでにこのような時代小説があったであろうか？（あったらごめんね。）岡本綺《き》堂《どう》の「半七捕物帳」などは謎解き、テンポ、人物描写といずれも素晴らしいが、いかんせん短編である。それに現代の息吹は感じられない、って当然だ、昔の人なんだから。

私は『退屈姫君伝』をなんとかしてベストセラーにしたい。こういう良いものをより多くの日本人に読ませたい。だけど難しいんですよね。やはり美学の部分が邪魔をして大衆の位置まで下がれないのか。私の落語と同じ。シネマ落語（洋画を古典落語にしたもの）をやるならばトレンディドラマ落語とかファミコン落語をやった方が人気が出るが、それは美学が許さない。

米村さん、美学ってぇやつは本当に厄介なもんですね。

（平成十四年八月、落語家）

この作品は平成十二年四月新潮社より刊行されました。

米村圭伍著
風流冷飯伝
時は宝暦、将軍家治公の御世。吹けば飛ぶような小藩を舞台に、いわくありげな幇間とのほほんな冷飯ぐいが繰り広げる大江戸笑劇の快作。

司馬遼太郎著
馬上少年過ぐ
戦国の争乱期に遅れた伊達政宗の生涯を描く表題作。坂本竜馬ひきいる海援隊員の、英国水兵殺害に材をとる「慶応長崎事件」など7編。

山本周五郎著
青べか物語
うらぶれた漁師町浦粕に住みついた〝私〟の眼を通して、独特の狡猾さ、愉快さ、質朴さをもつ住人たちの生活ぶりを巧みな筆で捉える。

山本周五郎著
柳橋物語・むかしも今も
幼い一途な恋を信じたおせんを襲う悲しい運命の「柳橋物語」。愚直なる男が愚直を貫き通したがゆえに幸福をつかむ「むかしも今も」。

山本周五郎著
五瓣の椿
自分が不義の子と知ったおしのは、淫蕩な母と相手の男たちを次々と殺す。息絶えた五人の男たちのそばには赤い椿の花びらが……。

山本周五郎著
赤ひげ診療譚
小石川養生所の〝赤ひげ〟と呼ばれる医師と、見習い医師との魂のふれ合いを中心に、貧しさと病苦の中でも逞しい江戸庶民の姿を描く。

山本周五郎著

大炊介始末《おおいのすけしまつ》

自分の出生の秘密を知った大炊介が、狂態を装って父に憎まれようとする姿を描く「大炊介始末」のほか、「よじょう」等、全10編を収録。

山本周五郎著

小説日本婦道記

厳しい武家の定めの中で、夫や子のために生き抜いた日本の女たち――その強靱さ、凜とした美しさや哀しみが溢れる感動的な作品集。

山本周五郎著

日日平安

橋本左内の最期を描いた「城中の霜」、武士のまごころを描く「水戸梅譜」、お家騒動をユーモラスにとらえた「日日平安」など、全11編。

山本周五郎著

さぶ

ぐずでお人好しのさぶ、生一本な性格ゆえに不幸な境遇に落ちた栄二。二人の心温まる友情を描いて〝人間の真実とは何か〟を探る。

山本周五郎著

虚空遍歴（上・下）

侍の身分を捨て、芸道を究めるために一生を賭けて悔いることのなかった中藤冲也――苛酷な運命を生きる真の芸術家の姿を描き出す。

山本周五郎著

季節のない街

〝風の吹溜りに塵芥が集まるように出来た〟庶民の街――貧しいが故に、虚飾の心を捨て去った人間のほんとうの生き方を描き出す。

山本周五郎著
おさん
純真な心を持ちながら男から男へわたらずにはいられないおさん——可愛いおんなであるがゆえの宿命の哀しさを描く表題作など10編。

山本周五郎著
おごそかな渇き
〝現代の聖書〟として世に問うべき構想を練った絶筆「おごそかな渇き」など、人生の真実を求めてさすらう庶民の哀歓を謳った10編。

山本周五郎著
正雪記
染屋職人の伜から、〝侍になる〟野望を抱いて出奔した正雪の胸に去来する権力への怒り。超大な江戸幕府に挑戦した巨人の壮絶な生涯。

山本周五郎著
ながい坂（上・下）
下級武士の子に生れた小三郎の、人生という〝ながい坂〟を人間らしさを求めて、苦しみつつも着実に歩を進めていく厳しい姿を描く。

山本周五郎著
つゆのひぬま
娼家に働く女の一途なまごころに、虐げられた不信の心が打負かされる姿を感動的に描いた人間讃歌「つゆのひぬま」等9編を収める。

山本周五郎著
ひとごろし
藩一番の臆病者といわれた若侍が、奇想天外な方法で果した上意討ち！ 他に〝無償の奉仕〟を描く「裏の木戸はあいている」等9編。

山本周五郎著

ちいさこべ

江戸の大火ですべてを失いながら、みなしご達の面倒まで引き受けて再建に奮闘する大工の若棟梁の心意気を描いた表題作など4編。

山本周五郎著

町奉行日記

一度も奉行所に出仕せずに、奇抜な方法で難事件を解決してゆく町奉行の活躍を描く表題作ほか、「寒橋」など傑作短編10編を収録する。

山本周五郎著

寝ぼけ署長

署でも官舎でもぐうぐう寝てばかりの〝寝ぼけ署長〟こと五道三省が人情味あふれる方法で難事件を解決する。周五郎唯一の探偵小説。

山本周五郎著

あんちゃん

妹に対して道ならぬ感情を持った兄の苦悶とその思いがけない結末を通して、人間関係の不思議さを凝視した表題作など8編を収める。

山本周五郎著

生きている源八

どんな激戦に臨んでもいつも生きて還ってくる兵庫源八郎。その細心にして豪胆な戦いぶりに作者の信念が託された表題作など12編。

山本周五郎著

酔いどれ次郎八

上意討ちを首尾よく果たした二人の武士に襲いかかる苛酷な運命のいたずらを通し、著者の人間観を際立たせた表題作など11編を収録。

池波正太郎著　剣客商売①　**剣客商売**

白髪頭の粋な小男・秋山小兵衛と巌のように逞しい息子・大治郎の名コンビが、剣に命を賭けて江戸の悪事を斬る。シリーズ第一作。

池波正太郎著　剣客商売②　**辻斬り**

闇の幕が裂け、鋭い太刀風が秋山小兵衛に襲いかかる。正体は何者か？　辻斬りを追跡する表題作など全7編収録のシリーズ第二作。

池波正太郎著　剣客商売③　**陽炎の男**

隠された三百両をめぐる事件のさなか、男装の武芸者・佐々木三冬に芽ばえた秋山大治郎へのほのかな思い。大好評のシリーズ第三作。

池波正太郎著　剣客商売④　**天魔**

「秋山先生に勝つために」江戸に帰ってきたとうそぶく魔性の天才剣士と秋山父子との死闘を描く表題作など全8編。シリーズ第四作。

池波正太郎著　剣客商売⑤　**白い鬼**

若き日の愛弟子を斬り殺された秋山小兵衛が、復讐の念に燃えて異常な殺人鬼の正体を追及する表題作など、大好評シリーズの第五作。

池波正太郎著　剣客商売⑥　**新妻**

密貿易の一味に監禁された佐々木三冬を秋山大治郎が救い出すと、三冬の父・田沼意次は嫁にもらってくれと頼む。シリーズ第六作。

池波正太郎著　剣客商売⑦　隠れ簑

盲目の武士と托鉢僧。いたわりながら旅を続ける年老いた二人の、人知をこえた不思議な絆を描く「隠れ簑」など、シリーズ第七弾。

池波正太郎著　剣客商売⑧　狂　乱

足軽という身分に比して強すぎる腕前を持ったがゆえに、うとまれ、踏みにじられる侍の悲劇を描いた表題作など、シリーズ第八弾。

池波正太郎著　剣客商売⑨　待ち伏せ

親の敵と間違えられた大治郎がその人物を探るうち、秋山父子と因縁浅からぬ男の醜い過去が浮かび上る表題作など、シリーズ第九弾。

池波正太郎著　剣客商売⑩　春の嵐

わざわざ「名は秋山大治郎」と名乗って辻斬りを繰り返す頭巾の侍。窮地に陥った息子を救う小兵衛の冴え。シリーズ初の特別長編。

池波正太郎著　剣客商売⑪　勝　負

相手の仕官がかかった試合に負けてやることを小兵衛に促され苦悩する大治郎。初孫・小太郎を迎えいよいよ冴えるシリーズ第十一弾。

池波正太郎著　剣客商売⑫　十番斬り

無頼者一掃を最後の仕事と決めた不治の病の孤独な中年剣客。その助太刀に小兵衛の白刃が冴える表題作など全7編。シリーズ第12弾。

池波正太郎著
剣客商売⑬ 波紋

大治郎の頭上を一条の矢が疾った。これも剣客商売の宿命か――表題作他、格別の余韻を残す「夕紅大川橋」など、シリーズ第十三弾。

池波正太郎著
剣客商売⑭ 暗殺者

波川周蔵の手並みに小兵衛は戦いた。大治郎襲撃の計画を知るや、波川との見えざる糸を感じ小兵衛の血はたぎる。第十四弾、特別長編。

池波正太郎著
剣客商売⑮ 二十番斬り

恩師ゆかりの侍・井関助太郎を匿った小兵衛に忍びよる刺客の群れ。老境を悟る小兵衛の剣は、いま極みに達した。シリーズ第15弾。

池波正太郎著
剣客商売⑯ 浮沈

身を持ち崩したかつての愛弟子と、死闘の末倒した侍の清廉な遺児。二者の生き様を見守り、人生の浮沈に思いを馳せる小兵衛。最終巻。

池波正太郎著
まんぞくまんぞく

十六歳の時、浪人者に犯されそうになり家来を殺されて、敵討ちを誓った女剣士の心の成長の様を、絶妙の筋立てで描く長編時代小説。

池波正太郎著
江戸切絵図散歩

切絵図とは現在の東京区分地図。浅草生まれの著者が、切絵図から浮かぶ江戸の名残を練達の文と得意の絵筆で伝えるユニークな本。

退《たい》屈《くつ》姫《ひめ》君《ぎみ》伝《でん》

新潮文庫　よ－26－2

平成十四年十月一日発行
平成十六年十月二十日九刷

著者　米《よね》村《むら》圭《けい》伍《ご》

発行者　佐藤隆信

発行所　株式会社新潮社

郵便番号　一六二―八七一一
東京都新宿区矢来町七一
電話　編集部(〇三)三二六六―五四四〇
　　　読者係(〇三)三二六六―五一一一
http://www.shinchosha.co.jp

価格はカバーに表示してあります。

印刷・大日本印刷株式会社　製本・加藤製本株式会社

ISBN4-10-126532-1 C0193